FRANCOPHONIES D'AMÉRIQUE

FRANCOPHONIES D'AMÉRIQUE

Printemps 2013 Numéro 35

Les Presses de l'Université d'Ottawa
Centre de recherche en civilisation canadienne-française

FRANCOPHONIES D'AMÉRIQUE

Printemps 2013 Numéro 35

En couverture : Rebecca Belliveau,
Your vision, médias mixtes et acrylique sur toile,
30 cm x 30 cm, 2010.

Cette revue est publiée grâce à la contribution financière des institutions suivantes :

Association des universités de la francophonie canadienne (AUFC) • CEFAN, Université Laval • CRCCF, Université d'Ottawa • CREFO, Université de Toronto • Université de Moncton • Université de Saint-Boniface • Université Laurentienne • Université Sainte-Anne

ISBN : 978-2-7603-0944-9
ISSN : 1183-2487 (Imprimé)
ISSN : 1710-1158 (En ligne)
Dépôt légal – Bibliothèque et Archives nationales du Québec, 2014
Dépôt légal – Bibliothèque et Archives Canada, 2014
Les Presses de l'Université d'Ottawa / Centre de recherche en civilisation canadienne-française, 2014
Imprimé au Canada

Comment communiquer avec

FRANCOPHONIES D'AMÉRIQUE

POUR LES QUESTIONS D'ABONNEMENT, DE DISTRIBUTION OU DE PROMOTION :

Martin Roy
Centre de recherche
en civilisation canadienne-française
Université d'Ottawa
65, rue Université, bureau 040
Ottawa (Ontario) K1N 6N5
Téléphone : 613 562-5800, poste 4007
Télécopieur : 613 562-5143
Courriel : Roy.Martin@uOttawa.ca
Site Internet : http://francophoniesdamerique.uottawa.ca

POUR TOUTE QUESTION RELEVANT DU SECRÉTARIAT DE RÉDACTION :

Colette Michaud
Secrétariat de rédaction, *Francophonies d'Amérique*
Centre de recherche
en civilisation canadienne-française
Université d'Ottawa
65, rue Université, bureau 040
Ottawa (Ontario) K1N 6N5
Téléphone : 613 562-5800, poste 4001
Télécopieur : 613 562-5143
Courriel : cmichaud@uOttawa.ca

Francophonies d'Amérique est disponible sur la plateforme Érudit à l'adresse suivante :
http://www.erudit.org/revue/fa/apropos.html

Francophonies d'Amérique est indexée dans :

Klapp, *Bibliographie d'histoire littéraire française* (Stuttgart, Allemagne)

International Bibliography of Periodical Literature (IBZ) et *International Bibliography of Book Reviews (IBR)* (Hasbergen, Allemagne)

International Bibliography of the Social Sciences (IBSS), The London School of Economics and Political Science (Londres, Grande-Bretagne)

MLA International Bibliography (New York)

REPÈRE – Services documentaires multimédia

Table des matières

Les journaux des communautés francophones minoritaires en Amérique du Nord

---

RECENSIONS

PUBLICATIONS ET THÈSES SOUTENUES (2012)

Présentation
Les journaux des communautés francophones minoritaires en Amérique du Nord

FRANCOPHONIES D'AMÉRIQUE

Dominique Laporte
Université du Manitoba

Ce numéro thématique réunit principalement les actes d'un atelier qui a donné l'occasion à des chercheurs, pour la plupart des doctorants originaires du Nouveau-Brunswick, de l'Ontario ou du Manitoba, de comparer des journaux qui ont été publiés ou qui paraissent encore dans des contextes nord-américains où l'usage du français reste minoritaire[1]. À ces textes s'ajoutent d'autres articles sur le même sujet, dont quelques-uns proviennent du colloque *Les médias et la francophonie canadienne*, organisé par la Chaire de recherche en éthique du journalisme et le Centre de recherche en civilisation canadienne-française (CRCCF). Tenu les 27 et 28 mars 2013 à l'Université d'Ottawa et destiné à commémorer le centième anniversaire du journal *Le Droit*, ce colloque a souligné également celui de *La Liberté* de Saint-Boniface.

Comparé aux journaux québécois, dont l'étude actuelle bénéficie du nouvel essor donné en France et au Québec aux recherches dix-neuviémistes sur les relations littérature-presse[2], le corpus sur lequel est centré ce numéro constitue un vaste domaine de recherche en cours de numérisation[3], mais est encore peu exploré dans sa totalité. Jusqu'à présent,

---

[1] Intitulé « L'évolution de la presse franco-canadienne en milieu minoritaire » et organisé par Michelle Keller et Dominique Laporte, cet atelier s'est tenu le 26 mai 2012 à l'Université Wilfrid Laurier, à l'occasion du congrès de l'Association des professeur.e.s de français des universités et collèges canadiens.

[2] Voir, entre autres, *Presse, nations et mondialisation au XIXe siècle* (Marie-Ève Thérenty et Alain Vaillant, 2010), qui réunit des contributions québécoises. Signalons également la plateforme électronique dirigée par Guillaume Pinson, *Médias XIX*, [En ligne], [www.medias19.org] (16 août 2013). Ce site donne accès à des journaux numérisés de la France, du Québec et du Canada français.

[3] Signalons la base de données *Peel's Prairie Provinces* de l'Université de l'Alberta, [En ligne], [http://peel.library.ualberta.ca/index.html] (15 août 2013). Ce site

il a fait l'objet de quelques essais de synthèse et, surtout, d'études de cas qui se circonscrivent autour de la presse destinée à la population d'une province ou d'une région en particulier[4]. Cette méthodologie a l'avantage de mettre en relief la spécificité des journaux rédigés, publiés et diffusés dans un contexte donné, mais maintient, volontairement ou non, un cloisonnement des recherches et des disciplines donnant l'impression que l'histoire de cette presse demeure locale et minoritaire, par conséquent marginale par rapport aux pratiques culturelles considérées comme dominantes.

À l'inverse, une approche globale et transversale de l'espace médiatique des francophones d'Amérique, depuis le commencement des migrations canadiennes-françaises sur le continent nord-américain (Frenette, 1998), aide à mieux mesurer son ampleur dans des milieux pourtant peu propices à son développement. Que l'on songe, par exemple, aux deux cents journaux environ publiés en français aux États-Unis entre 1838 et 1911, d'après l'étude pionnière du cofondateur de *L'Opinion publique* de Worcester, Massachusetts (Belisle, 1911 : 27-38), y compris ceux publiés par des émigrés originaires du Québec ayant fait leur apprentissage du journalisme aux États-Unis, avant de compter parmi les figures emblématiques de la culture canadienne-française au Québec (Ludger Duvernay, Louis Fréchette, Honoré Beaugrand, Olivar Asselin). La plupart de ces journaux furent éphémères, mais quelques-uns, dont *Le Travailleur* (1874-1892) de Ferdinand Gagnon à Worcester, contribuèrent au développement social, économique et culturel des centres franco-américains dans « la phase héroïque de l'histoire de la presse franco-américaine » (Turcotte, 1934 : 131)[5].

---

donne accès à des journaux numériques francophones ou anglophones de l'Ouest canadien.

[4] Voir, par exemple, Trottier, Munro et Allaire (1980 : 77-121), Quintal (1984), Sylvestre (1984), Brault (1992), Beaulieu (1993), Dubé (1994), Beaulieu (1997), Basque et Giroux (2005). Mentionnons aussi que le *Dictionnaire des écrits de l'Ontario français 1613-1993* (Gervais et Pichette, 2010) comprend une section « Périodiques », sous la direction de Lionel Bonin.

[5] Cette période est marquée, en 1887, par le congrès de la presse franco-américaine à Worcester, à l'origine de la fondation de l'Association des membres de la presse canadienne-française des États-Unis (Rumilly, 1958 : 118-119). Après une première tentative en 1875, ce congrès réunit des journalistes franco-américains à Woonsocket en 1906, un jour seulement avant celui de l'Union Saint-Jean-Baptiste d'Amérique (Rumilly, 1958 : 211-213).

Envisager la presse francophone minoritaire dans son évolution géographique, socioculturelle et historique en Amérique du Nord, c'est toutefois se buter, dès le départ, à la difficulté de clarifier la problématique identitaire qui transparaît sans cesse à travers la diversité de noms par lesquels les populations concernées sont appelées et se désignent elles-mêmes dans la presse et ailleurs au cours de leur histoire : les Acadiens, les Canadiens ou Canayens, les Canadiens français, les groupes français ou canadiens-français, nos compatriotes, les nôtres, les Franco-Américains, nos frères dispersés, les minorités françaises, les francophones hors Québec, les francophones minoritaires, les Franco-Ontariens, les Franco-Manitobains, les Fransaskois, etc. Et une histoire de leur espace médiatique ne serait pas complète sans une évocation des Français ayant contribué au développement de journaux dans l'Ouest canadien ou ailleurs en Amérique du Nord : Henri d'Hellencourt (Pénisson, 1986), Pauline Le Goff et Arthur Boutal[6], Auguste-Henri de Trémaudan, fils d'émigrés français et fondateur de *La Libre Parole* de Winnipeg (1916-1919), Marie-Louise (alias Magali) Michelet (Rao et Lacroix, 2012), Georges Bugnet (Morcos et Cadrin, 1999) et Donatien Frémont (Chaput, 1977), par exemple.

Dans le lexique identitaire qui nous occupe, le terme désignant les Acadiens et qualifiant leur culture apparaît comme l'un de ceux qui traduisent le plus distinctement et le plus profondément l'idée de *nation*, à savoir « une communauté politique imaginaire, et imaginée comme intrinsèquement limitée et souveraine » (Anderson, 2002 : 19). La presse en est le support essentiel, voire « le véritable territoire national » (Thiesse, 2010 : 130), car « [e]lle est le seul espace où la nation existe parce qu'elle y est dite, décrite, parce qu'elle y est objet de débats et d'aspirations passionnées » (Thiesse, 2010 : 130), à plus forte raison dans le cas d'une nation sans souveraineté étatique comme l'Acadie. De fait, le premier journal de langue française publié en Acadie (*Le Moniteur acadien*, 1867-1926) joue un rôle de catalyseur dans le développement d'un nationalisme franco-catholique en réaction contre les lois de la Nouvelle-Écosse, du Nouveau-Brunswick et de l'Île-du-Prince-Édouard visant l'instauration d'un système d'enseignement unilingue anglais et non confessionnel (Landry et Lang, 2001 : 169-170) ; il se présente

6 Voir la photo et la notice explicative, rédigée par Michelle Keller, qui suivent notre introduction.

comme la « tribune d'un discours d'autorité sur la langue » (voir l'article d'Annette Boudreau et d'Émilie Urbain), au moyen de laquelle l'élite conservatrice laïque, de concert avec le clergé, impose une norme linguistique à des fins nationalistes. À cet effet, l'émigration au Nouveau-Brunswick de prêtres originaires du Québec constitue un atout qui se matérialise par la construction en 1854 du Séminaire Saint-Thomas de Memramcook, sous l'impulsion de l'abbé François-Xavier Lafrance, et par sa réouverture en 1864 sous le nom de Collège Saint-Joseph, sous la direction du père Camille Lefebvre, de la congrégation de Sainte-Croix (Landry et Lang, 2001 : 170-172). Le nationalisme en Acadie correspond alors à « l'aménagement de la survivance » (Dumont, 1996 : 191-236) au Québec après l'échec des Patriotes, avec cette différence qu'il cristallise, à partir des années 1880, autour de *la renaissance acadienne*, dans la foulée de la convention nationale de 1881 à l'origine de la fondation de la Société nationale de l'Assomption (l'actuelle Société nationale de l'Acadie) et du remplacement de la Saint-Jean-Baptiste, célébrée jusqu'alors le 24 juin au Collège Saint-Joseph et dans les paroisses acadiennes, par la fête de l'Assomption le 15 août (Thériault, 2000 : 57-59).

Ayant pour devise *Unir et s'instruire*, *L'Évangéline* (1887-1982) contribue également à préserver l'identité acadienne et restera, dans les années 1950 et 1960, « un bastion du nationalisme traditionnel » (Daigle, 1978 : 80), selon la triade identitaire foi-langue-passé. Du fait que « [l]a condition féminine est [...] tributaire, entre autres, de la place qu'occupent les femmes et leurs discours dans les médias » (Brun, 2009 : 1), le rôle social des Acadiennes est fixé dans ce journal selon l'idéologie conservatrice (Boucher-Marchand, 1997; Torgue, 2009). Si l'on excepte les lettres féministes de Marichette (Gérin et Gérin, 1982), *L'Évangéline* rejoint à cet égard la presse canadienne-française qui, pour faire contrepoids à la modernité urbaine en général et à la culture anglo-protestante en particulier, cantonne ses lectrices dans leurs fonctions d'épouses et de mères au foyer (Côté, 1998). Aux chroniques à leur intention font pendant les rubriques destinées à leurs enfants dans le but de préserver la langue et la foi au sein de la jeunesse, à plus forte raison pendant des conflits scolaires comme celui qui eut lieu entre la minorité française de la Saskatchewan et le gouvernement d'Anderson au début des années 1930 (voir l'article de Laurent Poliquin). Il n'empêche que la grande crise de 1929 à 1939 marque un tournant dans l'histoire des migrations canadiennes-françaises en Amérique du Nord; elle recoupe non seulement le déclin de l'émigration canadienne-française dans l'Ouest et aux États-Unis, mais aussi l'exode rural, qui s'accentuera après la Seconde Guerre et s'accompagnera d'une anglicisation urbaine en dehors des paroisses franco-catholiques. Ces bouleversements fragilisent inégalement les centres acadiens, canadiens-français et franco-américains, sans que le réseau institutionnel traditionnel ne parvienne à orienter comme autrefois une jeune génération déjà assimilée, telle la jeunesse franco-américaine, ou en voie de l'être (voir l'article de Mathieu Noël).

Parallèlement à ces mutations, la Révolution tranquille a eu des répercussions à l'extérieur du Québec. L'effritement des relations entre le Québec et le reste de la francophonie nord-américaine jusqu'aux États généraux du Canada français de 1967 a, comme on le sait, forcé les minorités concernées à redéfinir leur identité selon leur sentiment d'appartenance à leur province ou à leur région respective après la scission du Canada français (Martel, 1997). Après avoir été encadrées institutionnellement par le clergé et les élites conservatrices laïques selon la croyance en une vocation providentielle de la race française en Amérique du Nord (Bock, 2008), elles ont dû faire *le deuil d'un pays imaginé* (Martel, 1997), sans pour autant cesser de participer à *l'inscription de la francophonie canadienne dans la durée* (Gilbert, Bock et Thériault, 2009). À cette fin, leurs journaux sont, comme par le passé, hautement mobilisateurs. En témoigne, par exemple, la campagne menée par la presse franco-ontarienne contre la fermeture de l'hôpital Montfort d'Ottawa[7]. Or l'ancrage identitaire de chacune de ces minorités dans sa province ou sa région n'a pas été aussi radical et aussi tardif qu'il ne le paraît *a posteriori*. Comme le prouve, par exemple, la presse étudiante de Sudbury des années 1960 et 1970 (Bock, 2001), l'appellation « Franco-Ontariens » ne se généralise pas chez les jeunes de l'Ontario au lendemain des États généraux du Canada français de 1967, lesquels pourtant consomment la rupture des indépendantistes québécois avec les minorités canadiennes-françaises ; elle s'impose moins rapidement que le terme « francophones », avalisé dès le départ par le gouvernement fédéral en vue d'opposer à l'indépendantisme québécois des mesures destinées au maintien de l'unité nationale.

Néanmoins, ni la *Loi sur les langues officielles* ni le programme d'animation culturelle du Secrétariat d'État ne lèvent la difficulté, pour les

7 Voir, entre autres, Lusignan (2006).

militants francophones en milieu minoritaire, d'établir leur propre système scolaire dans leur province respective, où ils doivent faire face non seulement à leurs détracteurs anglophones, mais aussi à des parents francophones réfractaires à l'implantation d'écoles uniquement françaises (Turenne, 1981). La presse les aide alors dans leur combat, y compris des journaux anglophones ou québécois dans certains cas. Pendant le conflit scolaire de Penetanguishene (1979-1980), *Le Droit*, entre autres, publie une quinzaine d'éditoriaux et le *Globe and Mail*, six (Sylvestre, 1980 : 87)[8]. Il en va de même pour l'affaire de l'hôpital Montfort, laquelle fait l'objet d'un débat médiatique puisant dans la rhétorique de combat employée à l'époque du Règlement 17 pour défendre l'éducation française en Ontario (Martel, 2005) ; comme quoi, le discours sur l'identité franco-ontarienne ne s'est pas substitué instantanément à celui sur la survivance canadienne-française au lendemain des États généraux du Canada français de 1967.

La continuité du discours journalistique et publicitaire sur la Saint-Jean-Baptiste, fête patronale et nationale des Canadiens français, prouve d'ailleurs la difficulté pour les francophones minoritaires « de se passer de la mémoire du Canada français » (Thériault et Meunier, 2008 : 206) sans renoncer aux virtualités « nationalitaires » qu'elle recèle (Gagnon et Miville, 2012). Vingt ans après les cahiers spéciaux de la Saint-Jean-Baptiste publiés dans les années 1950 par *Le Droit*, où les messages publicitaires, en particulier, visent à mobiliser les Canadiens français de l'Ontario (voir l'article de Marc-André Gagnon), le journal *La Liberté*, de concert avec la Société franco-manitobaine (SFM) et l'une des dernières Sociétés Saint-Jean-Baptiste au Manitoba, renoue avec la Saint-Jean manitobaine en déclin en vue de réunir dans la municipalité rurale de La Broquerie tous les francophones de cette province. À cette fin, la rédaction laïcisée du journal s'emploie, au cours des années 1970, à définir l'identité franco-manitobaine en dehors de l'idéologie canadienne-française. Pourtant, l'enjeu identitaire de cette période se situe en aval de l'évolution des discours institutionnels sur la spécificité

[8] Un éditorial de Lise Bissonnette relevé par Sylvestre (1980 : 89) renoue, quant à lui, avec la grande tradition d'empathie interprovinciale du *Devoir* remontant à l'époque d'Henri Bourassa et du Règlement 17 (Savard, 1993 : 234-239), se poursuivant avec Omer Héroux et se prolongeant dans les années 1940 et 1950 avec Pierre Laporte (Panneton, 2012).

de la minorité française au Manitoba après l'entrée de cette province dans la Confédération (voir l'article de Dominique Laporte).

Bien que l'appellation « Canadiens français » ait fini par disparaître de l'espace médiatique des francophones minoritaires, un vouloir-vivre ensemble anime toujours les communautés représentées par la Fédération des communautés francophones et acadienne du Canada (FCFAC)[9]. À la différence du terme restrictif de « francophones », désignant une ethnie socioculturelle parmi d'autres dans la société multiculturelle canadienne, ou de « francophones hors Québec », celui de « communautés » a l'avantage de renvoyer à l'histoire *commune* des minorités concernées. En effet,

> les communautés francophones relèvent de liens de solidarité qui découlent du sentiment d'un monde commun reçu en héritage. [...] L'accent est ainsi mis sur les traits culturels particuliers – valeurs, croyances, comportements, traditions – qui favorisent la communalisation et qui engendrent le sentiment subjectif d'appartenance à un destin commun (Gilbert et Lefebvre, 2008 : 34).

Ce sentiment subjectif d'appartenance à un destin commun constitue la raison d'être des journaux francophones minoritaires, où prédominent les articles sur les activités communautaires (Raîche, 1992). Mais ils ne consistent pas uniquement en des journaux d'information locaux ; ils sont devenus, avec le temps, les archives des communautés dont ils demeurent, pour plusieurs d'entre elles, l'unique média d'expression culturelle en français. À cet égard, ils contribuent non seulement à leur inscription dans la durée en milieu minoritaire, mais aussi à un travail de mémoire sous forme d'articles soulignant des anniversaires (ceux de pionniers, de paroisses, de congrégations, d'associations, etc.) ou de numéros commémoratifs, tels le cahier souvenir du *Droit* et le cahier spécial de *La Liberté* marquant leur centenaire respectif[10] et donnant à lire l'histoire commune d'un journal et d'une communauté dans chacun des cas. Mais avant de se porter garants d'un héritage commun, ils doivent à l'occasion accomplir un devoir de mémoire, comme en témoigne dans les années 1960 l'implication du *Droit* dans le débat sur la sauvegarde patrimoniale de la Basse-Ville Est d'Ottawa, où se trouve la paroisse franco-ontarienne de Sainte-Anne (voir l'article d'Anne Gilbert, de Kenza Benali et de Caroline Ramirez). Plus récemment, le journal *La Liberté* a réagi à la

---

[9] La FCFAC est connue sous le nom de Fédération des francophones hors Québec (FFHQ) jusqu'en 1991.

[10] Voir *Le Droit* du 27 mars 2013 et *La Liberté* du 22 au 28 mai 2013.

construction controversée d'un immeuble sur un site historique de Saint-Boniface (Robineau, 2006).

Sans avoir perdu sa capacité de rallier son lectorat à des causes communes et de le conforter dans son identité communautaire, la presse francophone en milieu minoritaire semble hésiter encore à réévaluer par un retour critique sur elle-même la « révolution tranquille » qu'elle a menée contre les élites traditionnelles à partir des années 1960 et à remettre en question le *statu quo* institutionnel. Or son avenir dépend de sa capacité à s'adapter à l'espace francophone actuel, qui correspond de moins en moins à la réalité communautaire des années 1970, et à continuer de transmettre des valeurs fédératrices d'une génération à l'autre. Comme il ressort de l'historique des rubriques et journaux estudiantins plus ou moins éphémères publiés par *La Liberté* avant et après la création du Conseil jeunesse provincial du Manitoba en 1974, le fossé des générations se creuse aussitôt que le point de vue d'un jeune collaborateur va à l'encontre de celui de la rédaction (voir l'article de Michelle Keller). Eu égard au vieillissement du lectorat actuel, *La Liberté* et les autres journaux communautaires sont-ils en mesure de renouveler le discours qu'ils adressent aux jeunes et qu'ils portent sur eux ? Sauront-ils, à cette fin, être à leur écoute à l'ère des réseaux sociaux et leur servir parallèlement de médias communautaires ? Pour l'heure, le fait que ces questions parmi d'autres soient débattues par une communauté solidaire de journalistes et de chercheurs donne à penser que les minorités francophones apprennent peu à peu à concilier lucidement leur héritage commun avec une ouverture interculturelle à l'Autre, qu'il soit anglophone francophile ou immigrant francophone, et à élargir dans ce sens la place spécifique qu'elles veulent se tailler et conserver dans l'espace mondialisé des médias. Pas moins de 551 journaux et périodiques canadiens de langue française ou bilingues publiés à l'extérieur du Québec, dont 388 en Ontario, ont été répertoriés en 1993 (Lévesque, 1993), certes ; mais l'avenir de plusieurs d'entre eux repose plus que jamais sur le renouvellement à la fois de leur lectorat, de leurs sources de financement et de leurs supports médiatiques.

Je sais gré à Anne Gilbert, Marc-François Bernier et François Paré d'avoir facilité la mise à contribution de quelques participants du colloque d'Ottawa pour ce numéro thématique, dont la publication a bénéficié du soutien du Conseil de recherches en sciences humaines du Canada par l'intermédiaire du CRCCF. Je remercie également les auteurs des articles pour la confiance qu'ils m'ont témoignée. Mes remerciements s'adressent particulièrement à Michelle Keller, qui s'est chargée de traduire les résumés des articles et qui m'a assisté dans la préparation matérielle et iconographique de ce numéro, et à Frances Ratelle, assistante de rédaction pour *Francophonies d'Amérique*. Je tiens pour finir à saluer le professionnalisme exemplaire de Colette Michaud, responsable des publications au CRCCF et de la coordination de *Francophonies d'Amérique*.

« Photo du personnel du "Nouvelliste" par le versatile René Brun ».

Cette photo, prise vers 1909-1911[11], a paru dans *La Liberté et le Patriote* du 22 mars 1963 (p. 3). Elle accompagne un article qui évoque le cinquantième anniversaire du journal et rappelle, avec l'aide de Pauline Boutal (née Le Goff), la publication du journal manitobain *Le Nouvelliste*. Cet hebdomadaire libéral a été fondé en 1907 par le « [t]rès jeune » Français Claudius Juffet (Frémont, 2002 : 88). Il a paru jusqu'en 1911, année où *Le Soleil de l'Ouest*[12] lui a succédé. Pauline Boutal (à gauche sur la photo) avait environ quinze ans quand elle est devenue employée du *Nouvelliste* en 1909. Linotypiste au *Nouvelliste* et illustratrice à *La Petite Feuille de Saint-Boniface*[13] (Duguay, 2008 : 44), elle est peut-être mieux connue comme peintre et directrice artistique de la troupe du

[11] La légende qui accompagne la photo indique qu'Arthur Boutal est directeur, poste qu'il a occupé entre juin 1909 et juillet 1911 (Pénisson, 1986 : 273).

[12] *Le Soleil de l'Ouest* a paru de 1911 à 1916 et a été suivi par *La Libre Parole*, qui a disparu en 1919 (Pénisson, 1986 : 273).

[13] *La Petite Feuille de Saint-Boniface* a paru entre 1912 et 1914 « en "joual" et en flamand » (Pénisson, 1986 : 273).

Cercle Molière à partir de 1941, après la mort de son mari Arthur Boutal (au centre sur la photo). Ce dernier a été directeur du *Nouvelliste* entre 1909 et 1911 (Pénisson, 1986 : 273) et gérant de l'imprimerie de *La Liberté* pendant « près de vingt ans au moment de sa mort[14] ». Les deux autres employés sur la photo sont Charles Case, pressier, et Norbert Berriault, typographe du *Nouvelliste* (Société historique de Saint-Boniface).

Michelle Keller

BIBLIOGRAPHIE

ANDERSON, Benedict ([1996] 2002). *L'imaginaire national : réflexions sur l'origine et l'essor du nationalisme*, traduit de l'anglais par Pierre-Emmanuel Dauzat, Paris, La Découverte / Poche.

BASQUE, Maurice, et Amélie GIROUX (2005). « Les communautés francophones minoritaires », dans Yvan Lamonde, Patricia Lockhart Fleming et Fiona A. Black (dir.), *Histoire du livre et de l'imprimé au Canada*, t. II : *De 1840 à 1918*, Montréal, Les Presses de l'Université de Montréal, p. 57-61.

BEAULIEU, Gérard (1993). « Les médias en Acadie », dans Jean Daigle (dir.), *L'Acadie des Maritimes : études thématiques des débuts à nos jours*, Moncton, Chaire d'études acadiennes, Université de Moncton, p. 505-542.

BEAULIEU, Gérard (dir.) (1997). L'Évangéline *1887-1982 : entre l'élite et le peuple*, Moncton, Éditions d'Acadie et Chaire d'études acadiennes, Université de Moncton.

BELISLE, Alexandre (1911). *Histoire de la presse franco-américaine*, Worcester, Ateliers typographiques de « L'Opinion publique ».

BOCK, Michel (2001). *Comment un peuple oublie son nom : la crise identitaire franco-ontarienne et la presse française de Sudbury (1960-1975)*, Sudbury, Institut franco-ontarien et Éditions Prise de parole.

BOCK, Michel (2008). « Se souvenir et oublier : la mémoire du Canada français, hier et aujourd'hui », dans Joseph Yvon Thériault, Anne Gilbert et Linda Cardinal (dir.), *L'espace francophone en milieu minoritaire au Canada : nouveaux enjeux, nouvelles mobilisations*, Montréal, Éditons Fides, p. 161-203.

BOUCHER-MARCHAND, Monique (1997). « *L'Évangéline* et les femmes, 1887-1910 : de l'image univoque au symbolisme archétypal », dans Gérard Beaulieu (dir.), L'Évangéline

[14] « M. Arthur Boutal est décédé », *La Liberté et le Patriote*, 18 juin 1941, p. 1, [En ligne], [http://peel.library.ualberta.ca/newspapers/LLP/1941/06/18/1/].

1887-1982 : entre l'élite et le peuple, Moncton, Éditions d'Acadie et Chaire d'études acadiennes, Université de Moncton, p. 175-197.

BRAULT, Pierre (1992). « La presse francophone dans l'Ouest : son histoire, son influence », dans Fernand Harvey (dir.), *Médias francophones hors Québec : analyses, essais et témoignages*, Québec, Institut québécois de recherche sur la culture, p. 281-295.

BRUN, Josette (2009). « Présentation », dans Josette Brun (dir.), *Interrelations femmes-médias dans l'Amérique française*, Québec, Les Presses de l'Université Laval, p. 1-12.

CHAPUT, Hélène (1977). *Donatien Frémont : journaliste de l'Ouest canadien*, Saint-Boniface, Éditions du Blé.

CÔTÉ, Luc (1998). « Modernité et identité : la chronique féminine dans le journal *La Liberté*, 1915-1930 », *Cahiers franco-canadiens de l'Ouest*, vol. 10, n° 1, p. 51-90.

DAIGLE, Raymond (1978). « Le nationalisme acadien dans *L'Évangéline* de 1950 à 1960 », *Les Cahiers de la Société historique acadienne*, vol. 9, n° 4 (décembre), p. 71-81.

DUBÉ, Albert-O. (1994). *La voix du peuple : l'histoire populaire de la presse écrite fransaskoise 1910-1990*, Regina, La Société historique de la Saskatchewan.

DUGUAY, Louise (2008). *Pauline Boutal : destin d'artiste, 1894-1992*, Saint-Boniface, Éditions du Blé.

DUMONT, Fernand ([1993] 1996). *Genèse de la société québécoise*, Montréal, Éditions du Boréal, coll. « Boréal compact ».

FRÉMONT, Donatien (2002). *Les Français dans l'Ouest canadien*, 3e éd., Saint-Boniface, Éditions du Blé.

FRENETTE, Yves (1998). *Brève histoire des Canadiens français*, avec la collaboration de Martin Pâquet, Montréal, Éditions du Boréal.

FREYNET, Lucille (1963). « Souvenirs de Mme P. Boutal : quand les hebdomadaires français du Manitoba se faisaient à la main », *La Liberté et le Patriote*, 22 mars, p. 3, [En ligne], [http://peel.library.ualberta.ca/newspapers/LLP/1963/03/22/3/].

GAGNON, Marc-André, et Serge MIVILLE (2012). « L'horizon nationalitaire et l'avenir de la francophonie canadienne : le cas de la Saint-Jean-Baptiste (1968-1986) », *La Relève : le journal des étudiants de la francophonie canadienne*, vol. 3, n° 1 (hiver), [En ligne], [http://journallareleve.com/wordpress/?page_id=1737] (15 août 2013).

GÉRIN, Pierre, et Pierre M. GÉRIN (1982). *Marichette : lettres acadiennes, 1895-1898*, Sherbrooke, Éditions Naaman.

GERVAIS, Gaétan, et Jean-Pierre PICHETTE (dir.) (2010). *Dictionnaire des écrits de l'Ontario français 1613-1993*, Ottawa, Les Presses de l'Université d'Ottawa.

GILBERT, Anne, Michel BOCK et Joseph Yvon THÉRIAULT (dir.) (2009). *Entre lieux et mémoire : l'inscription de la francophonie canadienne dans la durée*, Ottawa, Les Presses de l'Université d'Ottawa.

GILBERT, Anne, et Marie LEFEBVRE (2008). « Un espace sous tension : nouvel enjeu de la vitalité communautaire de la francophonie canadienne », dans Joseph Yvon Thériault, Anne Gilbert et Linda Cardinal (dir.), *L'espace francophone en milieu minoritaire au Canada : nouveaux enjeux, nouvelles mobilisations*, Montréal, Éditions Fides, p. 27-72.

LANDRY, Nicolas, et Nicole LANG (2001). *Histoire de l'Acadie*, Sillery, Éditions du Septentrion.

LÉVESQUE, Albert (dir.) (1993). *Répertoire des journaux et périodiques courants de langue française ou bilingues publiés au Canada à l'exception du Québec*, Moncton, Université de Moncton; Montréal, Association des responsables de bibliothèques et centres de documentation universitaires et de recherche d'expression française au Canada.

LUSIGNAN, Yves (2006). « Grandeur et misère de la presse écrite francophone à l'extérieur du Québec », dans Michel Beauchamp et Thierry Watine (dir.), *Médias et milieux francophones*, Québec, Les Presses de l'Université Laval, p. 89-113.

MARTEL, Marcel (1997). *Le deuil d'un pays imaginé : rêves, luttes et déroute du Canada français*, Ottawa, Les Presses de l'Université d'Ottawa.

MARTEL, Marcel (2005). « Usage du passé et mémoire collective franco-ontarienne : le souvenir du Règlement 17 dans la bataille pour sauver l'hôpital Montfort », *Mens : revue d'histoire intellectuelle de l'Amérique française*, vol. 6, n° 1 (automne), p. 69-94.

« M. Arthur Boutal est décédé », *La Liberté et le Patriote*, 18 juin 1941, p. 1, [En ligne], [http://peel.library.ualberta.ca/newspapers/LLP/1941/06/18/1/].

MORCOS, Gamila, et Gilles CADRIN (dir.) (1999). « Visages de Georges Bugnet », *Cahiers franco-canadiens de l'Ouest*, vol. 11, nos 1-2, p. 305-316.

PANNETON, Jean-Charles (2012). *Pierre Laporte*, Québec, Éditions du Septentrion.

PÉNISSON, Bernard (1986). *Henri d'Hellencourt : un journaliste français au Manitoba (1898-1905)*, Saint-Boniface, Éditions du Blé.

QUINTAL, Claire (dir.) (1984). *Le journalisme de langue française aux États-Unis : quatrième colloque de l'Institut français du Collège de l'Assomption (Worcester, Massachusetts, 11-12 mars 1983)*, Québec, Le Conseil de la vie française en Amérique.

RAÎCHE, Manon (1992). « La presse francophone hors Québec : une analyse de son contexte et de son contenu », dans Fernand Harvey (dir.), *Médias francophones hors Québec et identité : analyses, essais et témoignages*, Québec, Institut québécois de recherche sur la culture, p. 59-73.

RAO, Sathya, et Denis LACROIX (2012). « Sur la piste de Magali Michelet, femme de lettres et chroniqueuse de l'Ouest canadien », *Francophonies d'Amérique*, n° 34 (automne), p. 173-192.

ROBINEAU, Anne (2006). « Médias et défense du patrimoine urbain francophone en milieu minoritaire au Manitoba : le cas du "500 Taché" dans *La Liberté* », *Cahiers franco-canadiens de l'Ouest*, vol. 18, n° 2, p. 175-190.

RUMILLY, Robert (1958). *Histoire des Franco-Américains*, Montréal, à compte d'auteur, sous les auspices de l'Union Saint-Jean-Baptiste d'Amérique.

SAVARD, Pierre (1993). « Relations avec le Québec », dans Cornelius J. Jaenen (dir.), *Les Franco-Ontariens*, Ottawa, Les Presses de l'Université d'Ottawa, p. 231-263.

SYLVESTRE, Paul-François (1980). *Penetang : l'école de la résistance*, Sudbury, Éditions Prise de parole.

SYLVESTRE, Paul-François (1984). *Les journaux de l'Ontario français 1858-1983*, Sudbury, Société historique du Nouvel-Ontario et Université de Sudbury.

THÉRENTY, Marie-Ève, et Alain VAILLANT (dir.) (2010). *Presse, nations et mondialisation au XIXe siècle*, Paris, Nouveau Monde éditions.

THÉRIAULT, Joseph Yvon, et E.-Martin MEUNIER (2008). « Que reste-t-il de l'intention vitale du Canada français? », dans Joseph Yvon Thériault, Anne Gilbert et Linda Cardinal (dir.), *L'espace francophone en milieu minoritaire au Canada : nouveaux enjeux, nouvelles mobilisations*, Montréal, Éditions Fides, p. 205-238.

THÉRIAULT, Léon (2000). « L'Acadie du Nouveau-Brunswick et le Québec (1880-1960) : froideur ou méfiance? », dans Fernand Harvey et Gérard Beaulieu (dir.), *Les relations entre le Québec et l'Acadie, 1880-2000 : de la tradition à la modernité*, Québec, Éditions de l'IQRC; Moncton, Éditions d'Acadie, p. 49-71.

THIESSE, Anne-Marie (2010). « Rôles de la presse dans la formation des identités nationales », dans Marie-Ève Thérenty et Alain Vaillant (dir.), *Presse, nations et mondialisation au XIXe siècle*, Paris, Nouveau Monde éditions, p. 127-137.

TORGUE, Agnès (2009). « Image et voix des femmes acadiennes dans les journaux *L'Évangéline* et *Le Moniteur acadien* (1887-1920) », dans Josette Brun (dir.), *Interrelations femmes-médias dans l'Amérique française*, Québec, Les Presses de l'Université Laval, p. 141-159.

TROTTIER, Alice, Kenneth J. MUNRO et Gratien ALLAIRE (dir.) (1980). *Aspects du passé franco-albertain : témoignages et études*, Edmonton, Le Salon d'histoire de la francophonie albertaine.

TURCOTTE, Edmond (1934). « L'histoire de la presse française dans les centres franco-américains : rapport présenté par M. Edmond Turcotte, directeur du "Canada", Montréal, au congrès de la presse de langue française, à Québec », dans *Les journées de la presse française à Québec*, Québec, Les presses du « Soleil », p. 121-140, [En ligne], [http://www.ourroots.ca/e/page.aspx?id=3655629].

TURENNE, Roger (1981). *Mon pays en noir et blanc : regards sur le Manitoba français*, Saint-Boniface, Éditions du Blé.

La presse comme tribune d'un discours d'autorité sur la langue : représentations et idéologies linguistiques dans la presse acadienne, de la fondation du *Moniteur acadien* aux Conventions nationales

Annette Boudreau, Université de Moncton
Émilie Urbain, Université de Liège – Université de Moncton

Introduction[1]

DANS LE CADRE de ce numéro de *Francophonies d'Amérique* consacré à la presse en milieu francophone minoritaire, nous nous intéresserons au discours sur la langue dans la presse acadienne à la fin du XIXe siècle, abordé du point de vue de la sociolinguistique critique (Heller, 2002)[2].

En milieu minoritaire, les rapports de force entre différents groupes d'acteurs sociaux se cristallisent et se négocient notamment autour de certaines luttes pour l'accès à une parole publique permettant de contribuer aux débats politiques et sociaux. Dans un tel contexte, le discours de presse est en soi, pour la communauté francophone, un exercice de pouvoir[3]. Ainsi, la naissance même d'une presse francophone en Acadie à la fin du XIXe siècle – avec la parution du *Moniteur acadien* dès 1867 et de *L'Évangéline* en 1887 – est significative. Elle constitue pour

---

1 Cette recherche qui a pour objet le discours de la presse acadienne sur la langue s'inscrit dans deux projets financés par le Conseil de recherches en sciences humaines du Canada : *Idéologies et représentations linguistiques dans les textes écrits sur l'Acadie de la fin du XIXe siècle à la période contemporaine,* et *La construction des idéologies linguistiques en Acadie des Maritimes et en Louisiane*; chercheure principale : Annette Boudreau; collaboratrice : Marie-Ève Perrot. La seconde auteure a travaillé comme assistante de recherche pour le projet de 2010 à 2012.

2 Sur le discours de presse en Acadie, voir Beaulieu (1993) et Watine (1992 et 1993); sur le journal *L'Évangéline* en particulier, voir Beaulieu (1997).

3 Pouvoir que nous comprenons, avec Heller, comme « le contrôle sur la production et la distribution de ressources (symboliques et matérielles) valorisées, et aussi sur la définition de ce qui compte comme ressources à valoriser » (2002 : 21).

le groupe minoritaire une tentative de participation à la prise de parole publique et aux débats politiques en cours à l'heure de la création de la Confédération canadienne.

Par ailleurs, les prises de position quant à la langue – dans le cas qui nous occupe, quant à la langue minoritaire – sont, comme l'ont montré de nombreux travaux[4], souvent l'occasion de tenir un discours sur tout autre chose que les pratiques linguistiques : en parlant de langue, on parle également des locuteurs, d'enjeux d'ordre politique, social ou moral rattachés aux pratiques langagières contemporaines, ou encore de changements sociaux[5], etc. Il s'agit le plus souvent de contribuer à la légitimation ou l'« illégitimation » (Boyer, 2003) de pratiques langagières et, par là, de groupes d'acteurs sociaux et de leurs projets culturels et / ou politiques[6].

Dans la perspective d'une sociolinguistique critique qui envisage les pratiques langagières comme des « formes d'action sociale reliées entre elles par des réseaux sociaux et des toiles de savoirs, de connaissances et de conséquences matérielles et symboliques » (Heller, 2002 : 12), nous nous intéressons ainsi au rôle du discours métalinguistique de la presse dans la construction des ressources linguistiques comme ressources socioculturelles et politiques pour le projet national en Acadie à la fin du XIXe siècle. En Acadie, la presse francophone s'est en effet essentiellement construite, à ses débuts, comme tribune d'un discours nationaliste qui luttait pour la reconnaissance du peuple acadien, de sa légitimité comme acteur politique et de ses droits. C'est ce discours nationaliste émergent, articulé en particulier autour de la volonté de sauvegarder la religion catholique, la langue française et les modes de vie traditionnels, auquel nous nous intéressons dans cette contribution.

---

4 Voir, à titre d'exemple, Cameron (1995).

5 Pour un exemple de démonstration des liens entre discours métalinguistique et critique des changements sociaux dans les médias suisses, voir Duchêne (2009).

6 Ainsi, nous pourrons voir, dans le cas de l'Acadie, comment le discours sur la préservation de certaines pratiques linguistiques perçues comme légitimes, parce qu'authentiques ou historiques, devient un argument permettant de justifier le projet national et la légitimité des Acadiens comme peuple résilient.

Discours de presse, langue et idéologies

Le discours de la presse en milieu minoritaire est un objet d'étude d'autant plus pertinent que les journaux et les périodiques ont souvent été, pour les groupes historiquement dominés ou opprimés, une voie d'accès privilégiée au discours public (Melançon, 2011 : IX). Comme l'ont illustré certains travaux en *Critical Discourse Analysis* (CDA)[7] ou en étude des communautés minoritaires[8], le fait même d'avoir accès à une prise de parole publique, et d'autant plus écrite ou imprimée – que ce soit comme producteurs ou objets des discours – illustre souvent des rapports de force entre différents groupes d'acteurs sociaux. Ces inégalités dans l'accès aux ressources symboliques que constitue le discours de presse ont de nombreuses conséquences sur le plan des dynamiques sociolinguistiques et posent toutes une série de questions : qui s'exprime et qui peut s'exprimer (qui a le capital symbolique pour le faire) ? Quels sont les intérêts des acteurs qui prennent la parole ? Quelles sont les stratégies adoptées, en visant quel public et dans quel but ?

De nombreux travaux ont porté sur le rôle des médias, et notamment de la presse écrite, dans la construction et la diffusion des idéologies[9]. Dès 1992, Norman Fairclough proposait en analyse du discours une approche « critique », qui s'intéresse aux pratiques discursives en tenant compte des relations de pouvoir qui les sous-tendent, des idéologies qui transparaissent à travers elles et de l'historicité qui les fonde (Fairclough, 1992 : 12 et 15). Plus récemment, des chercheurs se sont penchés spécifiquement sur les liens entre médias et idéologies langagières[10]. La multiplication

---

[7] Voir, par exemple, Van Dijk (1996). Fairclough met ainsi l'accent sur les voix différentes qui s'expriment dans les médias et sur les contraintes qui font que ces voix ne sont pas toujours libres, mais sont régies par des relations de pouvoir ou par des intérêts (politiques ou autres), qui font qu'elles vont émettre telle ou telle opinion dans le discours à tel ou tel moment (voir, en particulier, 1995 : 201-205).

[8] Dans le cas des minorités linguistiques, la sociolinguistique occitane avait très tôt mis de l'avant ce rôle central des médias. Voir, en particulier, Lafont 1997 : 119.

[9] Voir, notamment, l'ouvrage pionnier de Fowler (1991). Les idéologies des discours médiatiques sont aussi un objet d'analyse privilégié de la CDA. Nous définissons ici l'idéologie, à la suite de Heller, comme l'ensemble des « croyances que l'on a par rapport à un phénomène, des croyances sur sa nature, ses origines, son fonctionnement, sa raison d'être, ses caractéristiques, son importance et ainsi de suite » (2002 : 28).

[10] Voir, en particulier, Johnson et Ensslin (2007) et Johnson et Milani (2010).

de ces recherches, très prolifiques[11], sur les idéologies langagières – aussi appelées idéologies linguistiques – a mené à différentes définitions de la notion. Les idéologies linguistiques sont ainsi conçues aussi bien comme des « *shared bodies of commonsense notions about the nature of language in the world* » (Rumsey, 1990 : 346) que comme des « *sets of beliefs about language articulated by users as a rationalization or justification of perceived language structure and use* » (Silverstein, 1979 : 193). Selon les auteurs, la notion peut ainsi recouvrir toute une série de phénomènes :

- des croyances, souvent inconscientes, concernant ce qui définit une langue comme langue (ses critères fondamentaux) ;
- des notions collectives sur le bon / mauvais usage, à l'oral ou à l'écrit, par rapport à des genres et des registres de discours particuliers à des cultures différentes ;
- des idées / convictions sur les critères linguistiques, liées à des attributs sociaux, individuels ou collectifs, tels que la légitimité, l'autorité, l'authenticité, la citoyenneté – aussi bien que des traits comme la générosité, l'honnêteté, etc. –, c'est-à-dire le lien entre le bon / mauvais usage et le bon / mauvais comportement ;
- des convictions – voire des certitudes – concernant le lien (culturel ou politique) entre langue et identité, touchant à tous les niveaux, de l'identité personnelle à la citoyenneté nationale ou supranationale (Jaffe, 2008 : 517-518).

Nous nous intéresserons en particulier, dans le cadre de cet article, à l'exemple de l'idéologie du standard, qui valorise l'homogénéité linguistique (vue comme l'état idéal d'une langue) et stigmatise la variation des pratiques (Milroy et Milroy, 1985 ; Milroy, 2001 ; Lippi-Green, 1997), et à celui de l'idéologie du monolinguisme[12], qui reprend le motif nationaliste d'« une langue, une nation » et défend également l'importance de l'homogénéité linguistique comme garante de la solidité de l'État (Crépon, 1996 ; Silverstein, 1996 ; Blackledge, 2000 ;

[11] Voir, notamment, Blommaert (1999 et 2005), Blackledge (2000), Gal et Irvine (1995), Gal et Woolard (2001), Heller (2002), Jaffe (1999 et 2008), Joseph et Taylor (1990), Kroskrity (2000), Schieffelin, Woolard et Kroskrity (1998).

[12] Cette idéologie a également été étudiée sous le nom d'idéologie de l'unilinguisme, le plus souvent dans les études portant sur la francophonie. Voir Boyer (1999 et 2001).

Blommaert et Verschueren, 1998). Dans le cas du Canada, par exemple, il a été courant de croire que le français devait être parlé partout de la même façon dans la francophonie, et cette idée reçue était très répandue au XIXe siècle, même si déjà, elle était remise en question pour peu qu'on lui ait fait subir l'épreuve du terrain.

Ainsi, les approches des idéologies linguistiques sur lesquelles nous nous fondons ont en commun de voir dans les discours sur la langue un exercice de pouvoir (et souvent de domination)[13], qui rend pertinente l'étude de milieux en tension autour de l'accès aux ressources langagières (et par là, aux autres ressources) :

> [L]es idéologies linguistiques croisent toujours des idéologies rattachées aux catégories sociales (selon le sexe, ou la classe, ou la race, ou l'ethnie, etc.) et aux activités sociales, au temps et à l'espace [...] Les liens sont parfois directs, parfois un peu compliqués, mais ce sont justement ces liens qui nous permettent d'expliquer la valeur des ressources linguistiques et les raisons pour lesquelles certaines formes et pratiques persistent et d'autres changent (Heller, 2002 : 28).

Nous nous intéressons donc à la façon dont les idéologies linguistiques en circulation dans la presse francophone en Acadie ont pu contribuer à déterminer et à évaluer, à différents moments de l'histoire acadienne, l'évolution des pratiques langagières, en particulier autour des questions de norme linguistique et de valorisation ou de stigmatisation des spécificités linguistiques régionales (Bouchard, 1998 et 2011).

Il s'agira en particulier d'étudier certains « débats idéologiques sur la langue » (Blommaert, 1999) menés dans la presse acadienne, de ses tout débuts aux Conventions nationales de la fin du XIXe siècle (les premières sont tenues en 1881). Lieu de débats et d'échanges des différents acteurs sociaux luttant pour la visibilité et l'imposition de leur discours, notamment par des lettres d'opinion, mais également lieu de la capture d'une « parole éphémère » (Cellard et Larose, 2010 : 11), c'est-à-dire de la reproduction de discours qui seraient autrement inaccessibles (discours prononcés lors d'événements publics, correspondances, etc.), la presse acadienne illustre bien comment le discours métalinguistique, émanant notamment de figures d'autorité (le clergé, les magistrats, les enseignants, etc.) peut servir les entreprises de légitimation ou d'illégitimation sociales et politiques.

[13] Voir également Bourdieu (1977a, 1977b et 2001).

Pourquoi étudier le discours sur la langue dans la presse en Acadie ?

L'étude du discours sur la langue de la presse acadienne s'inscrit pour nous dans un processus qui constitue l'aboutissement de recherches antérieures et, notamment, d'une recherche sur les représentations linguistiques[14] en Acadie et sur les manifestations d'insécurité linguistique qui en découlent, menée par une des auteures depuis le début des années 1990[15]. Afin de comprendre ces discours sur les pratiques langagières, le projet de recherche a ensuite porté sur les idéologies qui les sous-tendent. C'est avec l'objectif de comprendre comment le discours sur la langue a circulé en Acadie depuis plus d'un siècle que s'est amorcée notre analyse des articles de presse. Dans la lignée des questions posées par la sociolinguistique critique, nous nous intéressons à la façon dont le discours de la presse contribue à définir celui qui est considéré comme locuteur légitime, à la façon dont ce discours participe des processus de catégorisation linguistique et à la façon dont fonctionnent en son sein les mécanismes d'inclusion et d'exclusion (sociales et politiques) fondés sur la langue.

La presse acadienne paraissait, en effet, être un terrain idéal dans le cadre de l'analyse des discours sur la langue[16]. Depuis la fin du XIXe siècle,

[14] Entendues alors comme des métadiscours sur les pratiques (les préjugés, les idées reçues, les stéréotypes) qui sont fluctuantes chez un même locuteur selon les situations de communication.

[15] Cette recherche d'Annette Boudreau a été menée auprès de jeunes finissantes et finissants de toutes les écoles francophones du Nouveau-Brunswick pour connaître les représentations des jeunes à l'égard de leurs pratiques linguistiques et de celles des autres. Elle a permis de constater que les locuteurs issus des milieux minoritaires dévalorisaient fortement leurs pratiques linguistiques, attitude qui provenait, entre autres, d'une comparaison avec les locutrices et les locuteurs originaires de pays perçus comme plus homogènes sur le plan linguistique, comme la France (qui continue de représenter un centre hégémonique dans l'imaginaire linguistique francophone). La recherche a ensuite été étendue dans les trois provinces maritimes à un groupe de locutrices et de locuteurs âgés entre 25 et 60 ans, issus de toutes les classes sociales dans le cadre du projet *Prise de parole 1*, financé par le Conseil de recherches en sciences humaines du Canada (chercheurs principaux : Normand Labrie, Monica Heller, de l'Université de Toronto). Dans les entretiens de ce dernier projet, les discours sur la langue ont souvent été assortis de commentaires négatifs sur les pratiques vernaculaires du milieu minoritaire, en particulier lorsqu'elles témoignaient de contacts avec l'anglais.

[16] Voir Boudreau (2011, 2013 et à paraître).

il n'a existé qu'un nombre restreint de journaux[17] en Acadie, et le journal, lu par une bonne partie de la population francophone, était considéré comme une véritable institution nationale (voir Beaulieu, 1997). La presse fut et est toujours une instance privilégiée de discussions entre les membres de la société civile en Acadie, capable de créer une opinion publique militante et d'influencer la sphère politique. Représentant souvent la principale source d'information en français, les journaux acadiens du XIXe siècle regorgeaient de textes sur la langue. La circulation des discours et la récurrence des acteurs sociaux (ainsi que leur ubiquité sur les scènes politiques, culturelles et institutionnelles) permettent de concevoir la presse comme un des moteurs de l'imaginaire linguistique en Acadie. S'intéresser au discours des débuts de la presse acadienne nous semble en outre fondamental pour examiner comment et pourquoi les discours sur la langue ont été mis en circulation, repris, contestés puis redistribués, montrant par là même les continuités et les discontinuités qui les caractérisent. Comme nous l'illustrerons brièvement en conclusion, certains des motifs discursifs déjà présents dans les premiers numéros de ces journaux acadiens eurent la vie longue, puisque qu'ils ont sans cesse été repris jusque dans les débats les plus contemporains.

Nous prenons dans cet article l'exemple de certains discours sur la langue tenus dans la presse acadienne à ses débuts, qui illustrent comment la langue est devenue un argument de légitimation de la cause acadienne, et ce, à plusieurs niveaux. Nous envisageons tout d'abord les liens établis entre langue et légitimation des revendications nationales acadiennes à l'aube des premières Conventions nationales et à l'occasion de la crise scolaire au Nouveau-Brunswick et, enfin, nous illustrons les rapports complexes entretenus à l'égard des pratiques linguistiques régionales à la fin du XIXe siècle.

La langue comme argument de légitimation des revendications nationales

Dans les premières années de publication des deux principaux journaux acadiens du XIXe siècle, *Le Moniteur acadien* et *L'Évangéline*, il est fréquent

[17] Les principaux journaux sont les suivants : *Le Moniteur acadien* (1867-1918) *L'Évangéline* (1887-1982), *Le Matin* (1982-1984) et *L'Acadie Nouvelle* (1984-). Voir Beaulieu (1993 et 1997).

que les journalistes et les différents contributeurs mentionnent dans certains débats le rôle central de la langue française pour l'avancement social, économique et politique des Acadiens.

Conformément au discours dominant à l'époque dans le reste du Canada français (Bouthillier et Meynaud, 1971 ; Bouchard, 1998), la conservation de la langue française est ainsi perçue et construite comme un garant de la légitimité du groupe et un emblème de sa résilience, au même titre que la religion catholique ou encore les modes de vie traditionnels. La création et la diffusion d'organes de presse en français en Acadie sont ainsi perçues comme un moyen de participer à l'entreprise de construction nationale, comme cela est énoncé explicitement à l'occasion de la parution, en mars 1867, d'un prospectus annonçant la publication prochaine du journal *Le Moniteur acadien* :

> Vous savez tous qu'il est dit parmi nos confrères d'origine étrangère que le peuple Acadien entretient une certaine apathie pour ce qui regarde la lecture des journaux et l'instruction en général. En est-il ainsi ? Nous sommes persuadés que non ; et si ce brave peuple a été si longtemps sans avoir au moins un journal parmi eux et en leur langue, c'est que l'occasion ne s'est jamais présentée. Aujourd'hui elle se présente, et nous sommes certains que tous vont s'unir en masse pour encourager et soutenir un papier, par les colonnes duquel ils pourront se défendre contre les basses calomnies dont ils sont sujets de la part de leurs ennemis, et par lequel ils pourront s'engager mutuellement à conserver leur belle nationalité française. Il est vrai qu'il y a d'excellents journaux Anglais publiés dans ces Provinces ; mais peut-on faire un reproche à un seul Acadien-français pour ne pas recevoir tel journal ? Non Messieurs. S'il lit un papier Anglais, il fait bien, mais s'il refuse de s'abonner à un papier en langue étrangère, nous ne le blâmons pas, car ce n'est pas ce qu'il lui faut dans sa famille. Ce qu'il doit avoir, c'est un journal en sa propre langue – langue que chaque descendant de la France chérit partout où il est ; c'est un journal qui puisse être aux mains de sa vertueuse épouse et de ses chers enfants, et qui tout en les instruisant et leur montrant les beautés de notre littérature française, éloignera d'eux ces romances et histoires pernicieuses qui abondent malheureusement que trop dans différents journaux de nos jours[18] (*Le Moniteur acadien*, 1867a : 1)[19].

[18] Le prospectus porte en outre la devise *Notre religion, notre langue et nos coutumes.*

[19] Nous conservons, dans l'ensemble de l'article, la typographie, l'orthographe et la syntaxe des documents originaux pour les articles de presse commentés. Pour des raisons de fluidité et en raison de la quantité importante de divergences quant à la ponctuation ou aux structures syntaxiques, nous choisissons de ne pas marquer ces occurrences.

Comme en témoigne cet extrait, et comme nous l'évoquions déjà en introduction, l'existence même d'une presse francophone dans un contexte francophone minoritaire comme celui de l'Acadie des Maritimes de la fin du XIXe siècle est perçue, en soi, comme une étape nécessaire dans la lutte nationale des Acadiens pour leurs droits (puisqu'elle leur permet de s'engager dans la conservation de leur « belle nationalité française »), et, ainsi, dans leurs tentatives d'accession aux sphères de décision politiques et institutionnelles. Le rôle et la nécessité d'un journal acadien sont une nouvelle fois abordés dans le premier numéro du journal, qui paraît le 4 juillet 1867 :

> Pour notre part nous avons trouvé à propos, et même plus, nous avons vu une nécessité de former un journal français-acadien et nous l'avons fait. [...] Trop heureux si nous pouvons venir en aide à notre pauvre peuple acadien en lui fournissant une feuille qui lui apprendra ce qu'il est, ce qu'il a été et ce qu'il est appelé à devenir. Encore plus si ce brave et généreux reste d'une nation persécutée sait apprécier cette entreprise et mettre à profit les enseignements qu'ils y trouveront [...] Le *Moniteur* est créé dans le seul but de venir en aide à la population acadienne de ce pays en les instruisant sur les affaires du jour, sur leur histoire passée et en essayant à les guider dans la voie obscure du futur, tout en les engageant à conserver comme par le passé, leur belle nationalité française, leur religion, et leurs pieuses et honnêtes coutumes. Nous nous ferons un devoir d'encourager ces manières naïves et simples, cet esprit de justice et d'équité, ce digne respect et confiance envers ses supérieurs, qui sont caractéristiques chez nous. Nous les engagerons par notre exemple et nos avis, à conserver le digne respect qu'ils ont toujours eu pour leur clergé, à qui ils sont redevables de tout ce qu'ils possèdent [...] (*Le Moniteur acadien*, 1867b).

Cet éditorial de la première édition du journal nous éclaire sur la ligne directrice qui sera adoptée par le *Moniteur*, en particulier dans ses rapports avec le clergé. Il construit également une image du « pauvre » peuple acadien « brave et généreux », mais « nation persécutée » qui aura la vie longue. Cette image sert en quelque sorte à définir l'identité acadienne à la fois par des manières « simples et naïves », par le respect de la hiérarchie, de la religion et de coutumes traditionnelles « pieuses et honnêtes ». Ainsi, la conservation de la langue devient un argument en faveur de la survivance de la « race française », justifiant sa légitimité comme nation et comme groupe enclin à revendiquer davantage de représentation sociale et politique.

Comme ce sera le cas dans la majorité des articles de ces premiers numéros du *Moniteur*, le journal a à cœur, dans cette première publication, de légitimer l'existence des Acadiens en tant que peuple et nation. Ainsi, il sera, pendant plus de dix ans, le lieu de débats et de discours préliminaires aux premières Conventions nationales[20]. Ce seront d'ailleurs les mêmes acteurs sociaux qui prendront part à ces discussions en tant qu'éditorialistes et, plus tard, en tant qu'orateurs lors des Conventions.

À titre d'exemple, le futur sénateur et linguiste Pascal Poirier, qui sera reconnu pour son rôle dans l'entreprise de légitimation nationale acadienne, sur les plans politique comme linguistique[21], participe à un très jeune âge au discours de presse acadien. Dans cet article reproduisant un discours prononcé à l'occasion de la Saint-Jean-Baptiste, Poirier, alors âgé de 18 ans, insiste sur la conservation de la langue française comme preuve de la légitimité de la nation acadienne :

> Chers Compatriotes,
>
> Mais il me semble entendre le langage injurieux de nos ennemis attaquant dans leurs propos sardoniques ce qui fait le plus bel ornement de notre gloire. « Qui ne riraient de voir les présentations des Acadiens, disent-ils? Quelques familles disséminées le long du Golf peuvent-elles se nommer un peuple à part? » Oui, Messieurs, nous formons un peuple, nous sommes une nation-loyale, libre et devons jouir en toute justice des privilèges accordés à tout sujet britannique. [...] Et qu'est-ce qui nous manque pour que nous formions un peuple? [...] Quel peuple enfin après deux cents-ans de sujétion a conservé intactes, malgré tant d'obstacles, et sa religion, et ses mœurs, et sa langue? (*Le Moniteur acadien*, 1870).

Poirier a néanmoins conscience que la légitimité des Acadiens sur le plan linguistique est mise à mal par les critiques souvent portées sur leurs

[20] À titre d'exemple, on peut lire une série d'échanges sur la nécessité d'une fête nationale acadienne dès 1870. Voir, notamment, les numéros du *Moniteur acadien* du 22 et 29 avril 1870. Ainsi, les thèmes centraux qui seraient débattus à l'occasion des premières conventions (entre autres, la nécessité d'une distinction de l'Acadie par rapport au reste du Canada français, par l'adoption d'une fête nationale distincte, d'un drapeau et d'un hymne national distincts) étaient déjà au cœur de débats et de polémiques dans les tout débuts de la presse acadienne.

[21] Pascal Poirier produisit, en effet, certaines des premières études du français acadien vernaculaire, toujours dans le même esprit de légitimation nationale, en proposant notamment un essai sur les origines du français acadien et un glossaire, dans lesquels il souhaitait rapporter les traits régionaux à des variétés perçues comme plus prestigieuses, comme la langue littéraire d'auteurs français du XVIIe siècle ou des variétés de français de certaines régions de France, autant d'arguments de légitimation du français acadien qui connaîtraient un succès considérable, jusqu'à la période contemporaine.

pratiques langagières vernaculaires, conformément au motif du *broken French patois*[22], bien répandu à l'époque en Acadie comme dans le reste du Canada français. Ses interventions sur la langue seront alors le plus souvent centrées sur la légitimation des pratiques régionales.

De manière générale, ces premiers discours sur la langue, reproduits dans la presse acadienne, portent sur des aspects complémentaires de la situation sociolinguistique de l'époque : d'une part, le rôle de la langue française dans l'édification nationale et la conservation d'une identité acadienne distincte, d'autre part, la nécessité de lutter pour un meilleur statut de la langue française (revendication intrinsèquement liée à la première, puisqu'il s'agit, par l'obtention de plus de services en français ou de plus de représentation des Acadiens sur le plan politique, de contribuer à l'émancipation et à l'avancement de la nation). La question des pratiques, des formes de la langue, n'est abordée que plus marginalement – dans un premier temps du moins, puisque c'est une thématique qui aura un succès croissant au début du XXe siècle – et toujours dans le cadre d'entreprises de légitimation ou d'illégitimation, comme nous le verrons.

Ainsi, dans la mesure où la création d'une presse francophone acadienne est vue comme un avancement pour la cause nationale, les revendications pour obtenir plus d'outils et de ressources en français sont nombreuses et touchent à de nombreux domaines (l'élection de représentants francophones à différents niveaux du pouvoir politique, les ressources pour offrir une éducation en français, etc.), comme en témoigne, par exemple, le passage suivant :

> [...] si nous voulons nous montrer un peu au jour et attirer l'attention des autres races sur la nôtre, il faut que nous soyons représentés convenablement, et dans le parlement et dans notre législature locale; et pour être représentés convenablement, il nous faut autant que possible des membres français, le seul fait d'être obligés de recourir aux étrangers pour représenter notre race, ne plaident pas beaucoup en notre faveur [...] ce qui limite considérablement leurs moyens d'action, c'est l'usage obligé de la langue anglaise. Cette difficulté n'existera pas dans la chambre des communes où l'usage de l'anglais et du français sera possible : il suffira à nos représentants de comprendre ce qui s'y dit, ce qui s'y fait en anglais, et combien de représentants pour la province de Québec n'en possèderont pas d'avantage. Et remarquons qu'en ceci il y aura un avantage pour notre langue, attendu que beaucoup de députés anglais ou

[22] Voir Bouchard (2011).

> irlandais, s'ils veulent se tenir au courant de ce qui se fait par la partie française, devront nécessairement apprendre cette langue, ce qui aura peut-être pour effet de faire tomber quelques préjugés, et de faire reconnaître qu'une bonne élection comprend l'étude du français. Il nous faut donc des représentants de notre race parlant notre langue, ayant notre religion et connaissant parfaitement nos besoins (*Le Moniteur acadien,* 1867c).

Dans le même article du *Moniteur*, qui insiste sur la nécessité pour les Acadiens d'élire un représentant politique issu de leur groupe, le propos du journaliste nous éclaire sur les représentations et les préjugés négatifs qui circulaient à l'époque sur le capital symbolique et intellectuel des Acadiens : un des freins à l'élection et à la participation d'Acadiens dans les sphères décisionnelles serait ainsi lié au niveau d'instruction :

> Beaucoup de gens s'imaginent que pour être représentant, il faut une somme d'instruction extraordinaire, et beaucoup plus grande, pensent-ils, qu'on ne peut en rencontrer dans la partie française de cette province et des autres provinces sœurs, et de cette opinion, ils sautent de suite à la conclusion qu'il ne nous sert de rien d'élire des membres français, attendu qu'ils seront des nullités, et on aime à avoir un représentant qui parle. Mais outre que cette opinion est injurieuse à la race acadienne (car nous avons des hommes instruits auxquels il ne manque qu'un peu de hardiesse et de pratique, et il en pousse d'autre) un moment de réflexion en fera voir la fausseté [...] (*Le Moniteur acadien,* 1867c).

L'éducation en français sera, en effet, un cheval de bataille aussi bien des organes de presse acadiens de la fin du XIXe siècle, des Conventions nationales, que du pouvoir politique.

De ce point de vue, avant que n'éclate la crise scolaire au Nouveau-Brunswick au début des années 1870[23], la Confédération est considérée dans un premier temps comme une occasion pour les Acadiens de rattraper leur « retard » dans le domaine de l'éducation, comme en témoigne le discours de François-Xavier Cormier du 24 juillet 1868 :

> Je sais que si l'éducation manque parmi nous, il n'y a pas de notre faute, c'est l'occasion et les moyens qui nous ont fait défaut. Des injustices criantes ont bien aussi mis un obstacle aux progrès de l'éducation parmi nous, mais permettez-moi de passer sous silence des faits si généralement connus, dans la crainte de créer des animosités de la part de nos ennemis.
>
> Maintenant que nous avons de puissants moyens à notre disposition pour nous instruire, il faut venir généreusement en avant, et montrer à ceux qui se plaisent

[23] Voir LeBreton (2010) et Migneault (2009).

> à proclamer bien haut que nous sommes un peuple ignorant et apathique, que les circonstances seules ont pu nous tenir si longtemps au-dessous de nos voisins. Sans l'heureuse influence de la Confédération qui nous a donné un peuple frère dans la personne des Canadiens, osons l'espérer que nous pourrons bientôt rivaliser sous le rapport de l'éducation avec les différentes nationalités qui composent la Puissance du Canada. Espérons que les Canadiens qui sont nos aînés dans la voie des connaissances utiles et qui descendent, comme nous, du sang français, nous prêteront main forte et nous soutiendront dans notre abandon. Nos intérêts doivent êtres leurs intérêts, nos droits doivent êtres leurs droits; car nous ne devons plus former qu'un même peuple, animé des mêmes sentiments, travaillant au même but et vivant en paix dans les liens d'une amitié fraternelle. Oui, osons l'espérer, avec leur bienveillant concours, nous serons bientôt à même de fournir notre contingent d'hommes capables d'occuper les positions élevées, qui se rencontreront dans l'immense territoire que forme l'Union des Provinces [...][24] (*Le Moniteur acadien*, 1868).

Ainsi, l'éducation en français et son avancement, comme l'avait été la création d'une presse en français, sont vus comme des outils permettant aux Acadiens de prendre part activement au nouvel ensemble politique qu'est la Confédération. Il s'agit, par l'instruction, de fournir une élite acadienne à même de participer à la vie politique et institutionnelle. Un certain nombre d'articles traitent ainsi des améliorations à apporter au statut du français dans les écoles, notamment sur le plan matériel (d'aucuns se plaignent du manque de manuels dans les classes), dans la formation des maîtres ou encore l'inspection du réseau scolaire.

Lorsque le gouvernement provincial mettra en place un projet de loi (1870-1871) visant à ne plus autoriser au Nouveau-Brunswick que l'enseignement non confessionnel, la presse sera le lieu d'expression privilégié pour un certain nombre d'acteurs qui déplorent l'attaque que cette mesure constitue à l'égard des possibilités d'éducation et d'émancipation des Acadiens, majoritairement instruits dans les écoles catholiques. Si les articles portant sur l'importance d'une éducation catholique en français vont dès lors se multiplier, ils se concentreront néanmoins davantage sur la marginalisation de la religion catholique par le gouvernement provincial que sur la question de la langue[25], même si

---

[24] Cet extrait illustre en outre les rapports que Cormier souhaite voir s'établir entre l'Acadie et le Québec. Ce point – la place et le rôle du Québec dans le projet national acadien – fera l'objet de nombreux débats houleux, dans la presse comme ailleurs.

[25] Cela n'est pas très surprenant si l'on prend en compte la ligne éditoriale catholique du journal.

un certain nombre d'entre eux thématisent explicitement les disparités linguistiques :

> L'auteur n'y va pas de main morte; son bill fait contribuer la population catholique aux frais d'un enseignement que sa foi lui défend de recevoir, au soutien d'écoles que ses principes et ses doctrines religieux lui interdisent de fréquenter [...] Nous, acadiens-français, nous ne paraissons pas exister aux yeux de nos gouvernements, qui ne nous trouvent que lorsqu'il s'agit de nous taxer [...] Nos institutions sont placées dans un état d'infériorité qui retombe sur nous, et nuit et paralyse l'avancement de l'éducation parmi la population française. L'établissement d'une école normale ou d'une succursale, où les instituteurs acadiens iraient se préparer à la profession de l'enseignement dans leur langue, et dont ils pourraient obtenir des diplômes suivant leur degré de connaissances et de capacités dans cette langue, comme leurs confrères les anglais dans la langue anglaise, ne serait que justice rendue aux 50,000 hommes d'origine française que renferme la province et qui contribuent leur bonne part au revenu et à la richesse publics. Par là nous verrions le niveau de l'éducation se relever bientôt parmi nous et nos enfants prendre un essor vers les régions de l'intelligence cultivée. Et, comme nous le disions, il y a deux ans, dans une série d'articles sur le sujet, un autre moyen bien propre à relever le niveau de l'éducation chez la population acadienne serait la nomination d'un inspecteur d'école pris dans ses rangs et qui n'aurait pour mission que de visiter les écoles françaises [...]. Avec la meilleure volonté du monde, jamais un inspecteur anglais ne parviendra à produire dans nos écoles la somme de bien que pourrait opérer un inspecteur français, initié d'avance à tous les besoins des maîtres et des élèves [...] (*Le Moniteur acadien*, 1871).

La légitimation du français acadien

Le discours sur la langue portait ainsi, dans ces premières décennies d'effervescence de la construction nationale, bien plus sur le statut du français et les droits des Acadiens que sur les pratiques linguistiques elles-mêmes. Un certain nombre de prises de position sur la langue commentent néanmoins les formes linguistiques, que ce soit pour les légitimer – dans le cas des archaïsmes ou de certains régionalismes – ou les condamner – dans le cas des anglicismes.

C'est notamment par le recours à l'histoire – l'histoire de la langue française comme celle du groupe acadien, que certains acteurs – et, en premier lieu, Pascal Poirier – vont faire de la légitimation du français acadien une de leurs priorités :

> Mais j'entends nos détracteurs saisir avec joie ce que j'avance à propos du langage. Je me souviens encore de leurs insultes amères et de leurs sarcasmes

[...]. Qu'est-ce que conserver sa langue? Est-ce suivre par inspiration un idiome altéré depuis, ou conserver le dialecte qu'ont transmis les ayeux? Le langage que nous parlons n'a certainement pas la perfection qu'il reçut sous Louis XIV – mais comment l'aurait-il? Nos ancêtres sont venus de France sous Henri IV et Louis XIII, et ils n'étaient ni citadins ni académiciens, ils étaient de nobles, braves, et pieux cultivateurs. Or personne n'ignore que la langue de Henri IV ni de Louis XIII, n'avait pas, pour les paysans surtout, le fini de l'idiome actuel. Et comment des émigrés venus avant cette époque pouvaient-ils apporter la perfection d'une langue que Racine et Bossuet devaient plus tard fixer! Par quel miracle l'auraient-ils pu l'apprendre ensuite, puisque sous le règne même de Louis XIV, nous passâmes sous l'Angleterre, et que depuis notre sujétion, jusqu'en 1864, lorsque le Révd. P. Lefebvre fonda le Collège que nous voyez, nul moyen ne fut donné aux Acadiens d'apprendre une langue perfectionnée. Pendant 180 ans, nous avons été condamnés à vivre entourés d'hommes parlant l'anglais, à subir leurs lois, à recourir à eux pour la jurisprudence et le commerce, sans avoir pendant ce temps, je ne dirai pas un collège, mais une petite école où l'on put raisonner la langue française.

[...] Pour tant la langue imparfaite et le nombre de mots qu'ils nous ont transmis nous les avons gardés précieusement. Pour ce qui est des inventions et des objets nouveaux nous avons adopté le terme anglais : Comment trouver l'expression française, je vous le demande? Or après cela on nous accuse d'avoir rendu notre langue méconnaissable et d'être indigne de former un peuple. Et quelle nation sur ce globe que nous habitons l'a plus mérité par ses vertus prouvées?

[...] Ecoutez, Messieurs, lorsque nos oppresseurs eux-mêmes formant une population nombreuse et lettrée, furent soumis par le Français Guillaume, ces fiers Anglais qui nous regardent avec tant de dédain, perdirent en un seul règne leur langue maternelle, et ce ne fut que longtemps après qu'ils retournèrent à un langage honteusement délaissé. Mais ils ont gardé dans leur retour même, et conservent encore aujourd'hui une foule de termes purement Français formant avec ce mélange l'anglais moderne. Personne pourtant ne déduisit de là que le peuple anglais était indigne de liberté; tandis que pour quelques termes adoptés de ce langage pour de rares mots techniques étrangers, lorsqu'il était impossible d'avoir l'expression française, on nous jette les premières pierres en nous déclarant incapables de former un peuple!

Ce n'est pas que je cherche à autoriser ces altérations de langage, ni a légitimer ces termes étrangers mêlés aux mots pour du Français : à Dieu ne plaise, que je travaille à notre perte. Mais j'ai seulement voulu montrer qu'on peut répondre à nos ennemis, j'ai voulu exposer à nos critiques là où nous sommes dignes de louanges et de blâme, et faire voir le fiel de ces vainqueurs qui, n'ayant pu changer ni notre Foi, ni notre langue ni nos mœurs, veulent au moins se dédommager d'une infamie qu'ils n'ont pu faire, en répondant à l'étranger qu'ils l'ont faite (*Le Moniteur acadien*, 1870).

Les tentatives de légitimation des pratiques vernaculaires chez Poirier, fondées à la fois sur l'histoire linguistique, sur l'histoire littéraire et sur un certain recours à la notion de tradition ou d'authenticité, ont également été bien étudiées dans le reste du Canada français. Dès la fin du XIXe siècle, toute une série de travaux, relayés notamment par la presse comme ceux du linguiste Poirier, ont voulu donner au français parlé sur le continent nord-américain ses lettres de noblesse (ainsi que, dans une certaine mesure, le normaliser en distinguant les régionalismes *de bon aloi* de ceux qu'il fallait éliminer), en étudiant les différences et les ressemblances du français acadien par rapport au français dit « standard »[26]. Les comparaisons pouvaient porter sur le français acadien et les pratiques contemporaines en France, mais étaient le plus souvent centrées sur les pratiques de l'époque de la colonisation de l'Acadie, afin de légitimer le français acadien (et ses archaïsmes) par son ancienneté et sa fidélité aux traditions, et pour, jusqu'à un certain point, le rendre autonome par rapport à la France[27].

Ainsi, les archaïsmes sont particulièrement valorisés en cette fin de siècle puisqu'ils attestent le lien à la France, alors que les emprunts à l'anglais sont considérés comme la manifestation d'une certaine assimilation à la culture anglophone du continent nord-américain. Le manque d'institutions sociales et de scolarisation en français sont autant d'éléments qui sont évoqués pour expliquer les différences entre les français parlés sur les deux continents et constituent une exhortation à envoyer les enfants dans les écoles françaises, comme le rappelle Poirier dans la suite de son discours :

> Oui, chers compatriotes, puisque nos pères ont si bien gardé la langue de Henri IV et que vous le faites vous-mêmes si précieusement, réjouissez-vous-en ; c'est là le principal titre de votre gloire. Mais ce n'est pas tout : la langue que vous parlez s'est perfectionnée depuis notre départ de la France ; un roi, Louis XIV a régné sous le quel cet épurement a eu lieu. Mettez la dernière main à l'édifice de votre amour du Français en envoyant vos enfants à la seule institution où cette belle langue peut être étudiée dans sa pureté, à la seule source où l'on pourra puiser le remède de ce mal qu'on nous reproche si amèrement, et où pour la première fois il sera donné à un Acadien d'apprendre le terme Français pour des inventions postérieures à nos ayeux (*Le Moniteur acadien*, 1870).

[26] Voir Bouchard (1998 et 2011) dans le cas du Québec.

[27] Il y a bien une volonté de s'aligner sur le français parlé en France par les élites, mais aussi le désir de se différencier qui est très présent dans les textes de certains lettrés, dont Poirier (voir Boudreau, 2011).

Argument préféré de Poirier dans son entreprise de reconnaissance des Acadiens comme peuple et nation, la langue française et sa conservation vont être au cœur des discours nationalistes du linguiste et sénateur. Afin de réhabiliter le vernaculaire décrié par ses adversaires politiques, ce dernier le comparera « à une relique d'un grand prix », à des « bijoux », à « des épis d'or » (Boudreau, 2009). Ce discours de réhabilitation des archaïsmes et de l'authenticité linguistique sera repris par d'autres membres de l'élite acadienne. Ainsi, d'autres éditorialistes et journalistes décrivent et mettent en scène des traits du français populaire parlé en Acadie avec la même intention de lui donner une certaine légitimité, comme en témoigne cet article du *Moniteur acadien* qui porte sur la phonétique et sur la morpho-syntaxe :

> [...] Hier en passant sur le marché j'entendais crier une revendeuse qui regardait les petits moineaux sur la neige de la rue :
>
> « Je crais qui vont avoir fret st hiver; i mangent aisément à st heure; mais bin vite on en trouvera quèqu'un de morts; i vont se cacher par bandes su note fenil; i zaiment ça. »
>
> Quel baragouin, me disais-je. En bon français, on devrait dire : « Je crois qu'ils vont avoir froid cet hiver, ils mangent aisément à cette heure; mais bien vite on en trouvera quelqu'un de morts. Ils vont se cacher par bandes sur notre fenil. Ils aiment cela. »
>
> Rentré chez moi, j'ouvre par hasard une vieille grammaire française, précieuse comme un incunable, qui m'a été donné par un ami. Ce n'est pas une grammaire ordinaire; c'est une espèce de grammaire des grammaires qui n'a pas moins de 648 pages [...].
>
> Or, au chapitre qui traite de la prononciation, je lis : pp. 562 et 563 : « On prononce en conversation craire, je crais, pour croire, je crois; fret pour froid, etc.
>
> « On ne prononce pas l'l dans il ou ils, si le verbe suivant commence par une consonne. Il mange, ils mangent, se prononce comme i mange, i mangent [...]. »
>
> Plus d'un lecteur ébahi en lisant ces règles de la prononciation française telles qu'elles étaient enseignées à Paris au siècle dernier notamment à la cour. *Après les avoir lues, j'ai dû m'avouer que la revendeuse du marché parlait en bon français d'autrefois, comme les rois de France.* Le même chapitre de la prononciation contient encore bien d'autres surprises que le manque d'espace m'empêche d'indiquer ici.

> Les étrangers à la langue française qui prétendent que nos habitants parlent en patois, feraient bien de lire la grammaire de Restant avant de se prononcer (*Le Moniteur acadien*, 1897).

Les différents traits qui sont soulignés dans le texte sont relevés dans Marcel Cohen (1987), Françoise Gadet (2003) et Pierre Guiraud (1965) comme faisant partie des traits populaires de la fin du XVIIIe siècle. Mais ce qui est intéressant à examiner dans la perspective d'une sociolinguistique critique, c'est la raison de cette insistance sur la légitimité de ces traits. Cette affiliation à la France s'insère dans les mouvements de type nationalitaire où l'idée de « peuple distinct » est très importante et où il faut pouvoir identifier des éléments distinctifs. Le discours est donc tout en tension entre une volonté de légitimation, une volonté de reconnaissance dans la francophonie et une volonté de distinction nationale. La langue cristallise ici ces tensions. Ainsi, comme le soulignait Marc Crépon, « [la valorisation de l'originaire] se nourrit de l'idée que plus une langue est originaire, plus elle témoigne que le peuple qui la parle est doué d'une antique et profonde culture » (1996 : 132).

La chasse aux mots étrangers découle de la même logique : ils sont perçus comme coupant la langue de son origine et lui enlevant sa pureté[28]. Cette condamnation des anglicismes est très présente dans les journaux analysés, comme l'illustrent les prochains extraits :

> Puisque la conservation de notre idiome national est une condition, « sine qua non » de l'existence de notre nationalité, voyons aux moyens à prendre pour en éviter la décadence [...] Parlons et écrivons aussi correctement que possible, évitant les anglicismes et les locutions anglaises ; car anglifier notre langue, c'est la trahir, l'asservir, la dépouiller de son cachet national (*L'Évangéline*, 1896b).

> Ce qui doit nous préoccuper davantage, c'est que, là même où la langue française résiste le plus victorieusement, elle s'est laissé envahir par les anglicismes. Si cette invasion ne pouvait être enrayée, elle perdait son allure propre, toutes les qualités qui font sa grâce et sa clarté. Elle ne vaudrait pas la peine d'être sauvée (*L'Évangéline*, 1896a).

28 Voir Boudreau et Perrot (2010 : 61-62) pour un aperçu du vocabulaire en usage dans la presse servant à désigner les anglicismes : les métaphores de la guerre, de la maladie, de la mauvaise herbe sont récurrentes.

En guise de conclusion

Le rejet des anglicismes persiste jusqu'à aujourd'hui, même si le discours sur le français en Acadie s'est diversifié et que des opinions s'élèvent pour contrer une conception linguistique hégémonique qui ne ferait pas de place à la variation linguistique. Cette persistance de motifs discursifs en circulation dans la presse acadienne depuis la fin du XIXe siècle montre l'importance, pour mieux comprendre les dynamiques sociolinguistiques et les enjeux de pouvoir reliés à la langue de la période contemporaine, de s'intéresser aussi au passé.

À partir des années 1960, des discours plus ouverts à la diversité linguistique paraissent dans la presse acadienne à la suite de productions culturelles[29] à travers lesquelles chanteurs et artistes ont contesté la vision linguistique dominante et ont déclenché un mouvement menant à une plus grande acceptation de la variation. Mais il reste qu'il a toujours été plus facile en Acadie d'admettre la variation en français – sur le plan lexical surtout et, dans une moindre mesure, sur le plan morpho-syntaxique – que d'admettre les emprunts à l'anglais. C'est surtout le mélange de langues, appelé plus tard le chiac[30], qui sera critiqué dans les textes de *L'Évangéline* et ensuite de *L'Acadie Nouvelle*, variété perçue comme le symbole par excellence de l'aliénation culturelle et de l'assimilation à l'anglais (Boudreau, 2009). On trouve dans ces articles essentiellement le même type d'arguments que ceux de la fin du XIXe siècle, à savoir que les anglicismes représentent la principale menace aujourd'hui. Le chiac tient dès lors lieu de bouc émissaire pour quiconque cherche une cause à la prétendue « piètre qualité » de la langue française, ou à ce qu'on appelle depuis « la crise du français » au Canada (Bouchard, 1998 ; Maurais, 1985).

[29] Antonine Maillet publie la pièce de théâtre *La Sagouine* dans laquelle le personnage principal parle ce que certains linguistes décriront sous le nom de *français acadien traditionnel*, parler vernaculaire stigmatisé par l'élite de l'époque. Le groupe de musiciens 1755 chante en *chiac*, nom donné au français caractérisé par le mélange d'anglais et de français. Ce vernaculaire est encore plus dévalorisé que le français de la Sagouine. Les Éditions d'Acadie sont créées en 1971 et la publication de plusieurs jeunes poètes qui jouent avec/de la langue en usant de toutes les ressources de leur répertoire contribue au mouvement de la reconnaissance de la variation et des vernaculaires. Ces manifestations se produisent dans un contexte politique – celui des années 1960 et du gouvernement Robichaud – qui favorise la diversité des moyens d'expression.

[30] Voir Boudreau (2011) pour plus de détails.

Nous avons ainsi voulu montrer dans cet article que les différents discours sur le français au XIXe siècle ont contribué à construire l'idée d'une nation acadienne dont les piliers étaient la religion catholique et la langue française. Pour arriver à cette fin, il fallait légitimer le français parlé en Acadie. Cette entreprise, c'est l'élite de l'époque qui va s'en charger, et les textes, de Poirier par exemple, illustrent les processus de légitimation privilégiés – discours misant sur la pureté des origines, sur l'originalité des formes conservées, sur le rejet des emprunts –, procédés courants pour construire les nations au XIXe siècle en Occident (Baggioni, 1997 ; Crépon, 1996). À travers les discours analysés, on a pu voir que les régionalismes ont été valorisés comme faisant partie d'un projet émancipateur et de légitimation alors que les emprunts à l'anglais étaient perçus comme la preuve d'une « dégénérescence », d'une assimilation et d'une aliénation, idées que l'on retrouve encore aujourd'hui.

Les extraits que nous avons choisi de commenter permettent en outre de comprendre comment les idéologies langagières du standard et du monolinguisme construisent la langue (dans sa forme la plus idéalisée) comme un élément garant de la solidité et de la légitimité d'une nation. Dans une telle logique, le locuteur-citoyen devient responsable, par ses pratiques langagières, de l'avenir de la langue, de la religion, du groupe et de la nation, ce qui mène, dans des cas extrêmes, à des discours dans lesquels toute atteinte à la « pureté » de la langue devient signe de trahison de la patrie, comme dans ce dernier article, auquel nous laissons le mot de la fin :

> Et d'ailleurs, ne vous apercevez-vous pas que malgré tant de bon vouloir de nos amis les Canadiens, notre langue commence à perdre de sa pureté ; on voudrait l'*anglifier*, si je puis me servir de cette expression, et de plus même quelques-uns ont porté la folie jusqu'à changer leur nom. Qu'un parle l'anglais pour ses affaires c'est très bien ; mais qu'on cherche à singer les niaiseries de Pierre et de Paul, c'est incompréhensible. Si nous dédaignons de parler notre langue, nous mépriserons bientôt notre nationalité ; et si nous sommes traîtres à notre nationalité, nous serons traîtres à notre foi ; il n'y a qu'un pas entre l'un et l'autre, et ce pas, nous ne craindrons pas de le franchir. Voila les malheurs qui nous menacent, si nous ne faisons pas cesser un tel état de choses qui peut paraître pure bagatelle à quelques-uns, mais qui ne manquera pas de produire les conséquences que je viens de mentionner. Et quel sera notre sort si nous restons sourds à la voix du devoir ? Nous serons méprisés, dédaignés comme un peuple apathique et insoucieux. On nous appellera traîtres, et ce sera avec raison. Le moyen de détourner de nous une pareille infamie, vous le connaissez tous, c'est l'éducation (*Le Moniteur Acadien*, 1868).

BIBLIOGRAPHIE

Journaux

L'Évangéline

(1896a). « Canadiens et Acadiens : la langue française en Acadie », 16 janvier, p. 2.

(1896b). G. Mayrand, « La langue française au Canada », 8 avril, p. 1.

Le Moniteur acadien

(1867a). *Prospectus du Moniteur acadien, journal littéraire, d'agriculture, de nouvelles et d'annonces, dévoué aux intérêts des Acadiens*, mars.

(1867b). « Notre journal », 4 juillet, p. 2.

(1867c). « Ce qu'il nous faut », 15 août, p. 2.

(1868). « Discours prononcé par Monsieur F. X. Cormier, ecclésiastique, à l'occasion de l'ouverture de la séance annuelle au Collège St. Joseph, Memramcook, le 25 juin 1868 », 24 juillet, p. 1.

(1870). « Discours pour la Saint-Jean Baptiste (prononcé par Pascal Poirier, élève du collège de Memramcook) : L'union fait la force », 8 juillet, p. 1-2.

(1871). « Le bill des Écoles et la population française », 21 avril, p. 2.

(1897). H.R.C, 23 novembre[31].

Livres et articles

Baggioni, Daniel (1997). *Langues et nations en Europe*, Paris, Éditions Payot.

Beaulieu, Gérard (1993). « Les médias en Acadie », dans Jean Daigle (dir.), *L'Acadie des Maritimes : études thématiques des débuts à nos jours*, Moncton, Chaire d'études acadiennes, Université de Moncton, p. 505-542.

Beaulieu, Gérard (dir.) (1997). L'Évangéline *1887-1982 : entre l'élite et le peuple*, Moncton, Éditions d'Acadie et Chaire d'études acadiennes, Université de Moncton.

Blackledge, Adrian (2000). « Monolingual Ideologies in Multilingual States: Language, Hegemony and Social Justice in Western Liberal Democracies », *Estudios de Sociolingüística*, vol. 1, n° 2, p. 25-45.

Blommaert, Jan (dir.) (1999). *Language Ideological Debates*, Berlin, Mouton De Gruyter.

Blommaert, Jan (2005). *Discourse: A Critical Introduction*, Cambridge, Cambridge University Press.

[31] Nous n'avons pas été en mesure d'identifier la personne signant sous les initiales H.R.C.. En outre, cette édition du journal était dans un état de conservation tel qu'il ne nous a pas été possible de déchiffrer le titre de l'article.

Blommaert, Jan, et Jef Verschueren (1998). *Debating Diversity: Analysing the Discourse of Tolerance*, Londres, Routledge.

Bouchard, Chantal (1998). *La langue et le nombril : histoire d'une obsession québécoise*, Montréal, Éditions Fides.

Bouchard, Chantal (2011). *Méchante langue : la légitimité linguistique du français parlé au Québec*, Montréal, Les Presses de l'Université de Montréal.

Boudreau, Annette (2009). « La construction des représentations linguistiques : le cas de l'Acadie », *Canadian Journal of Linguistics = Revue canadienne de linguistique*, vol. LIV, n° 3 (novembre), p. 439-459.

Boudreau, Annette (2011). « La nomination du français en Acadie : parcours et enjeux », dans Jean Morency, James de Finney et Hélène Destrempes (dir.), *L'Acadie des origines : mythes et figurations d'un parcours littéraire et historique*, Sudbury, Éditions Prise de parole, p. 71-94.

Boudreau, Annette (2013). « Discours, nomination des langues et idéologies linguistiques », dans Davy Bigot, Michael Friesner et Mireille Tremblay (dir.), *Les français d'ici et d'aujourd'hui : description, représentation et théorisation*, Québec, Les Presses de l'Université Laval, p. 89-109.

Boudreau, Annette (à paraître). « La nomination du français en Acadie : enjeux politiques et sociaux », dans Jean-Michel Éloy (dir.), *Le nom des langues romanes*, Louvain, Éditions Peeters.

Boudreau, Annette, et Marie-Ève Perrot (2010). « "Le chiac, c'est du français" : représentations du mélange français / anglais en situation de contact inégalitaire », dans Henri Boyer (dir.), *Hybrides linguistiques : genèses, statuts, fonctionnements*, Paris, L'Harmattan, p. 51-82.

Bourdieu, Pierre (1977a). « L'économie des échanges linguistiques », *Langue française : linguistique et sociolinguistique*, n° 34 (mai), p. 17-34.

Bourdieu, Pierre (1977b). « Sur le pouvoir symbolique », *Annales : économies, sociétés, civilisations*, vol. XXXII, n°3, p. 405-411.

Bourdieu, Pierre (2001). *Langage et pouvoir symbolique,* Paris, Seuil.

Bouthillier, Guy, et Jean Meynaud (1971). *Le choc des langues au Québec 1760-1960*, Montréal, Presses de l'Université du Québec.

Boyer, Henri (1999). « L'unilinguisme français : une idéologie sociolinguistique qui s'essouffle mais ne se rend pas = French unilinguism: a sociolinguistical ideology which tends to be falling off », *Travaux de didactique du français langue étrangère*, n° 41, p. 27-37.

Boyer, Henri (2001). « L'*unilinguisme* français contre le changement sociolinguistique », *Revue TRANEL : travaux neuchâtelois de linguistique*, « Le changement linguistique : évolution, variation, hétérogénéité », n° 34-35 (mars / octobre 2001), p. 383-392. Actes du colloque de Neuchâtel, Université, 2-4 octobre 2000.

Boyer, Henri (2003). *De l'autre côté du discours : recherches sur les représentations communautaires,* Paris, L'Harmattan.

CAMERON, Deborah (1995). *Verbal Hygiene*, Londres, Routledge.

CELLARD, Karine, et Karim LAROSE (2010). *La langue au quotidien : les intellectuels et le français dans la presse québécoise*, t. I : *Les douaniers de la langue (1874-1957)*, Québec, Éditions Nota bene.

COHEN, Marcel ([1947] 1987). *Histoire d'une langue : le français (des lointaines origines à nos jours)*, Paris, Messidor, Éditions Sociales.

CRÉPON, Marc (1996). *Les géographies de l'esprit*, Paris, Payot.

DUCHÊNE, Alexandre (2009). « Discours, changement social et idéologies langagières », dans Dorothée Aquino-Weber, Sara Cotelli et Andres Kristol (dir.), *Sociolinguistique historique du domaine gallo-roman : enjeux et méthodologies*, Berlin, Peter Lang, p. 131-150.

FAIRCLOUGH, Norman (1992). *Discourse and Social Change*, Cambridge, Polity Press.

FAIRCLOUGH, Norman (1995). *Media Discourse*, Londres, Arnold.

FOWLER, Roger (1991). *Language in the News: Discourse and Ideology in the Press*, Londres, Routledge.

GADET, Françoise (2003). *Le français populaire*, Paris, Presses universitaires de France, coll. « Que sais-je ? ».

GAL, Susan, et Judith T. IRVINE (1995). « The Boundaries of Languages and Disciplines: How Ideologies Construct Difference », *Social Research*, vol. 62, n° 4 (hiver), p. 967-1001.

GAL, Susan, et Kathryn WOOLARD (dir.) (2001). *Languages and Publics: The Making of Authority*, Manchester, St. Jerome Publishing.

GUIRAUD, Pierre (1965). *Le français populaire*, Paris, Presses universitaires de France, coll. « Que sais-je ? ».

HELLER, Monica (2002). *Éléments d'une sociolinguistique critique*, Paris, Éditions Didier.

JAFFE, Alexandra (1999). *Ideologies in Action: Language Politics on Corsica*, New York, Mouton de Gruyter.

JAFFE, Alexandra (2008). « Parlers et idéologies langagières », *Ethnologie française*, « Corse : tout terrains », vol. XXXVIII, n° 3, p. 517-526.

JOHNSON, Sally, et Astrid ENSSLIN (dir.) (2007). *Language in the Media: Representations, Identities, Ideologies*, Londres, Continuum International Publishing Group.

JOHNSON, Sally, et Tommaso M. MILANI (dir.) (2010). *Language Ideologies and Media Discourse: Texts, Practices, Politics*, Londres, Continuum International Publishing Group.

JOSEPH, John Earl, et Talbot J. TAYLOR (dir.) (1990). *Ideologies of Language*, Londres, Routledge.

KROSKRITY, Paul V. (dir.) (2000). *Regimes of Language: Ideologies, Polities and Identities*, Santa Fe, School of American Research Press.

LAFONT, Robert ([1984] 1997). « Pour retrousser la diglossie », dans *Quarante ans de sociolinguistique à la périphérie*, Paris, L'Harmattan, p. 91-122.

LEBRETON, Clarence (2010). « Des écoles sans Dieu », dans *L'Affaire Louis Mailloux*, Lévis, Éditions de la Francophonie, p. 21-42.

LIPPI-GREEN, Rosina (1997). *English with an Accent: Language, Ideology and Discrimination in the United States*, Londres, Routledge.

MAURAIS, Jacques (1985). *La crise des langues*, Québec, Gouvernement du Québec et Conseil de la langue française; Paris, Le Robert.

MELANÇON, Kristi Richard (2011). *An African American Discourse Community in Black & White:* The New Orleans Tribune, thèse de doctorat, Nouvelle-Orléans, Université de la Nouvelle-Orléans.

MIGNEAULT, Gaétan (2009). *Les Acadiens du Nouveau-Brunswick et la Confédération*, Lévis, Les Éditions de la Francophonie.

MILROY, James (2001). « Language Ideologies and the Consequences of Standardization », *Journal of Sociolinguistics*, vol. V, n° 4 (novembre), p. 530-555.

MILROY, James, et Lesley MILROY (1985). *Authority in Language: Investigating Language Prescription and Standardization*, Londres, Routledge.

RUMSEY, Alan (1990). « Wording, Meaning, and Linguistic Ideology », *American Anthropologist*, n° 92, n°2 (juin), p. 346-361.

SCHIEFFELIN, Bambi B., Kathryn A. WOOLARD et Paul V. KROSKRITY (1998). *Language Ideologies: Practice and Theory*, New York, Oxford University Press.

SILVERSTEIN, Michael (1979). « Language Structure and Linguistic Ideology », dans Paul Clyne, William Hanks et Carol Hofbauer (dir.), *The Elements: A Parasession on Linguistic Units and Levels*, Chicago, Chicago Linguistic Society, p. 193-247.

SILVERSTEIN, Michael (1996). « Monoglot "Standard" in America: Standardization and Metaphors of Linguistic Hegemony », dans Donald Brenneis et Ronald Macaulay (dir.), *The Matrix of Language: Contemporary Linguistic Anthropology*, Boulder, Westview Press, p. 284-306.

VAN DIJK, Teun A. (1996). « Discourse, Power and Access », dans Carmen Rosa Caldas-Coulthard et Malcolm Coulthard (dir.), *Texts and Practices: Readings in Critical Discourse Analysis*, Londres, Routledge, p. 84-104.

WATINE, Thierry (1992). « Pratiques journalistiques en milieu acadien : une tradition militante... », dans Fernand Harvey (dir.), *Médias francophones hors Québec et identité : analyses, essais et témoignages*, Québec, Institut québécois de recherche sur la culture, p. 75-82.

WATINE, Thierry (1993). *Pratiques journalistiques en milieu minoritaire : la sélection et la mise en valeur des nouvelles en Acadie*, thèse de doctorat, Lille, Université de Lille III.

Polyphonie d'une crise scolaire en Saskatchewan : le discours journalistique du *Patriote de l'Ouest* en 1931 et les stratégies discursives de Tante Présentine

Laurent Poliquin
Université du Manitoba

La crise scolaire qui déferle sur le Canada français en provenance de la Saskatchewan en 1931 s'inscrit dans un mouvement d'évolution sociale nourri, à partir de la fin du XIXe siècle, par une immigration massive. L'accueil fait aux nouveaux arrivants prône leur intégration et leur assimilation, selon les idéaux propagés par la société anglo-canadienne. Ces pratiques assimilatrices s'inscrivent aussi dans une crise de fanatisme, dont les manifestations politiques les plus visibles découlent du résultat des élections provinciales de la Saskatchewan en 1929.

Notre texte se propose d'analyser, dans une perspective sociologique, le discours journalistique du *Patriote de l'Ouest*, l'organe de protestation de la communauté canadienne-française de la Saskatchewan, pour l'année 1931, lors de la crise scolaire provoquée par les amendements à la loi scolaire proposés par le premier ministre James Anderson. Nous aimerions également comprendre comment la littérature pour la jeunesse canadienne-française issue des minorités francophones de l'Ouest canadien cherche à former sa jeunesse et les chemins narratifs qu'elle propose à ses lecteurs. Pour y parvenir, nous nous concentrerons sur la rubrique intitulée « les pages écolières du *Patriote de l'Ouest* » dont la rédaction et la conception sont confiées à Tante Présentine, « une religieuse du couvent de la Présentation de Prince-Albert » (Boileau, 1929), auteure dont nous connaissons peu de chose, mais dont l'influence, à en juger par la correspondance qu'elle entretient avec ses jeunes lecteurs, fut réelle. Cette articulation du discours journalistique et du discours littéraire pour la jeunesse nous sera précieuse, car elle permettra de repérer les valeurs que la société canadienne-française et ses élites souhaitent proposer à la génération montante et d'observer leur évolution.

Francophonies d'Amérique, n° 35 (printemps 2013), p. 47-65

Approche définitionnelle de la littérature pour la jeunesse au Canada français

Il importe pour les besoins de cet article de définir ce que nous entendons par « littérature pour la jeunesse » dans le contexte bien précis des francophonies minoritaires, notamment celle des provinces de l'Ouest canadien. Les définitions qu'en donnent les chercheurs les plus renommés en la matière (Lemieux, 1972; Lepage, 2000; Madore, 1994; Potvin, 1981) s'appliquent principalement au Québec en évacuant totalement l'apport des communautés de la francophonie canadienne (Lemieux, 1972; Madore, 1994) ou en lui accordant une importance relative (Lepage, 2000; Potvin, 1981). Selon ces chercheurs, la littérature jeunesse émerge au Québec en 1920 à partir de la parution des premiers numéros de *L'Oiseau bleu* publiés sous l'égide de la Société Saint-Jean-Baptiste, et celle du premier roman publié *a priori* à l'intention des jeunes, *Les aventures de Perrine et de Charlot* (1923) de Marie-Claire Daveluy, d'abord paru en feuilleton dans *L'Oiseau bleu*. Notre définition de la littérature pour la jeunesse au Canada français doit plutôt tenir compte de la porosité de la matière discursive qu'offrent les journaux de la diaspora canadienne-française, ce qui nous permet de mesurer le rôle de leur interdiscursivité et de ses conséquences au stade de la lecture des textes. Autrement dit, la littérature pour la jeunesse du Canada français s'insère dans une constellation de discours et de valeurs transmissibles à la jeune génération en tant qu'*ethos* de leur temps et de leur société, et sont susceptibles d'accroître leur conscience culturelle et de consolider leur identité. En l'absence de moyens de diffusion traditionnels sous forme de livre ou de revue, notre définition doit tenir compte aussi des discours susceptibles de favoriser l'émergence d'une littérature pour la jeunesse. Nous envisageons donc non seulement les textes écrits et édités à l'intention de la jeunesse ou encore admis par l'institution à titre d'œuvres classiques du patrimoine littéraire, mais encore tout écrit qui vise la formation morale, spirituelle, intellectuelle, patriotique, voire hygiénique de l'enfant et de l'adolescent, et ce, par le seul moyen de publication mis à la disposition des minorités canadiennes-françaises avant l'apparition des maisons d'édition dans les années 1970, à savoir le journal[1].

[1] La critique canadienne-française s'est longtemps fait l'écho de ce truisme qui affirme que la littérature canadienne est née du journalisme (Thério, 1963 : 34), ce que ne

Le Patriote de l'Ouest : *Notre Foi! Notre Langue!*

Fondé en 1910 sous l'impulsion de Mgr Ovide Charlebois, évêque du Keewatin, et de l'abbé Pierre-Elzéar Myre, curé de Saint-Isidore-de-Bellevue (Saskatchewan), *Le Patriote de l'Ouest* paraît pour la première fois le 22 août 1910 à Duck Lake, avant d'être publié à Prince-Albert de 1913 à 1941. Le journal recourt à deux symboles du Canada français : d'abord, la devise *Notre Foi! Notre Langue!* et, ensuite, l'emblème national que constitue le drapeau du Sacré-Cœur. Cependant, un incendie détruit l'atelier du journal quelques mois après son lancement officiel, le 15 novembre 1910, mais le journal reprendra ses activités le 1er juin 1911. Le père Adrien-Gabriel Morice[2], historien et ethnographe d'origine française, dirige douze numéros du journal et doit rapidement céder sa place au père Achille-Félix Auclair[3] à la suite de conflits idéologiques, le père Morice ayant appuyé avec trop de franchise les libéraux (Huel, 1981 : 9). Des difficultés financières forceront plus tard le journal à fusionner avec l'hebdomadaire manitobain *La Liberté* en 1941.

Le premier ministre James Anderson

L'une des figures clés des divers courants idéologiques qui animent la Saskatchewan à partir de 1920 et qui occupe une place centrale dans les pages du *Patriote de l'Ouest* est un ancien inspecteur d'école, James Thomas Milton Anderson, proche du mouvement extrémiste de fraternité chrétienne, le Ku Klux Klan, qui fait son apparition dans la province en

démentent pas les historiens de la littérature actuels (Biron, Dumont et Nardout-Lafarge, 2007 : 62).

2 Adrien-Gabriel Morice (1859-1938) arrive au Canada en 1880. Il passe vingt ans en Colombie-Britannique à titre de missionnaire, d'abord à William Lake Mission et à Saint-James Mission. Explorateur, il dessine la première carte complète de la province, en plus d'écrire une cinquantaine d'ouvrages scientifiques de nature historique et anthropologique. Arrivé en Saskatchewan en 1910, il obtient le premier baccalauréat et la première maîtrise de l'Université de la Saskatchewan, et recevra de la même institution un doctorat *honoris causa* en 1933.

3 Achille-Félix Auclair fait ses études classiques à Ottawa et est ordonné prêtre en 1905. D'abord enseignant, il s'oriente vers le journalisme en cofondant le journal *L'Étincelle*, avant de se joindre à l'équipe du *Patriote de l'Ouest* à titre d'éditeur adjoint et de directeur jusqu'en 1925. Il quitte la Saskatchewan en 1927 en raison de problèmes de santé.

1926[4]. Anderson est né dans la région de Toronto, le 23 juillet 1878, d'une mère de descendance russe et serbe. Éducateur de formation, il poursuit sa carrière d'enseignant au Manitoba et en Saskatchewan et obtient une maîtrise en droit de l'Université du Manitoba et un doctorat en pédagogie de l'Université de Toronto. Il devient chef du

[4] L'ordre des chevaliers du Ku Klux Klan est une fraternité protestante fondée en 1866 au Tennessee, au terme de la guerre de Sécession. Dissout en 1871, le Klan renaît de ses cendres en 1915, se répand sur l'ensemble du territoire américain et regroupe trois millions de membres (294 000 en Indiana, 300 000 en Ohio et 131 000 en Illinois, selon un sondage de 1923 (Calderwood, 1973 : 103)). On reconnaît ses membres par leur longue tunique blanche surmontée d'un capuchon pointu. Au Canada, l'Empire invisible s'installe à Montréal en 1921, en Colombie-Britannique en 1922, en Ontario et dans les Maritimes en 1923 et, à la fin de 1926, on le retrouve au Manitoba, en Alberta et en Saskatchewan (1973 : 103). Toutefois, la période 1927-1930 en Saskatchewan est celle où le Klan a le plus d'influence au Canada, selon William Calderwood (1973 : 103). Le credo de l'organisation saskatchewanaise s'énonce ainsi :

> *The Klan believes in Protestantism, racial purity, gentile economic freedom, just laws and liberty, separatism of church and state, pure patriotism, restrictive and selective immigration, freedom of speech and press, law and order, higher moral standards, freedom from mob violence and [in] public school* (*The Gazette*, 1928).

En Saskatchewan, les premiers organisateurs, Lewis A. Scott et Patrick Emmons, arrivent des États-Unis en 1927 et implantent l'organisation en vendant des cartes de membre à 13 $ l'unité pour, ensuite, s'enfuir avec le magot estimé à plus de 100 000 $. À l'été 1928, ils feront face à des accusations de fraude. La procédure judiciaire sera largement diffusée dans la presse et permettra d'en apprendre davantage sur les relations du Klan avec le gouvernement Anderson. Emmons avoue sous serment « *that Dr. Anderson and other Conservatives had approched him several times to interest the Klan in politics, and that he had been forced to leave Saskatchewan because they had finally secured control of the Klan and were using it for political purpose* » (Kyba, 2004 : 116). Bien entendu, les conservateurs ont toujours nié cette apparente collusion ; toutefois, selon Patrick Kyba (2004 : 116), ils ont toujours accordé leur appui à quiconque était opposé aux libéraux de James Garfield Gardiner, le parti au pouvoir après la création de la province en 1905. À l'aube des élections de 1929, le Ku Klux Klan fomente une campagne raciale dirigée contre ceux qui refusent de s'assimiler à la culture anglo-saxonne, appelés péjorativement les « *aliens* », principalement les catholiques, perçus comme de possibles traîtres au Dominion de par leur allégeance à Rome (Waiser, 2005 : 250). En 1928, le Klan diffuse ses idées parmi ses 125 cercles disséminés sur le territoire de la Saskatchewan, ses 25 000 membres et *The Sentinel*, son organe d'information tiré en 1924 à 39 000 exemplaires (Calderwood, 1973 : 104-106 ; Archer, 1980 : 208 ; Waiser, 2005 : 251).

Parti conservateur provincial en 1924, après une courte carrière à titre de directeur de l'éducation au bureau ministériel. Il est aussi membre de l'Ordre d'Orange, de la fraternité Kiwanis et de l'Église anglicane (Kyba, 2004 : 110). Après la défaite du gouvernement libéral minoritaire de J. G. Gardiner, Anderson est désigné chef d'un gouvernement de coalition en septembre 1929. Il se retire de la politique deux ans après sa défaite électorale de 1934 et intègre une compagnie d'assurance avant d'administrer l'école pour les sourds de Saskatoon. Il meurt en 1946. En 1918, Anderson publie sa thèse de doctorat, un manuel d'assimilation raciale intitulé *The Education of the New-Canadian: A Treatise on Canada's Greatest Educational Problem*[5]. La lecture de cet ouvrage est précieuse pour comprendre les motivations qui conduiront ce futur premier ministre et ministre de l'Éducation de la Saskatchewan à promouvoir l'immigration venant de la Grande-Bretagne[6], à modifier la loi scolaire en vue de la sécularisation des écoles confessionnelles et à réduire au minimum leur influence dite sectaire. Des extraits de son essai lapidaire lèvent toute équivoque quant aux intentions qui motiveront son action politique. Il s'agit pour Anderson d'affermir la « *great national task of assimilating the thousands who have come to settle in Canada from various lands across the seas* » (1918 : 7) et de leur servir « *the highest Anglo-Saxon ideals* » (1918 : 8). La condition *sine qua non* d'une telle entreprise est d'imposer une langue commune aux nouveaux arrivants qui fréquentent l'école (« *the greatest agency in racial assimilation* » (1918 : 114)) : « *There must be one medium of communication from coast to coast, and that [is] the English language* » (1918 : 93). C'est dans cet esprit de « *canadianization of the foreigner* » (1918 : 230) qu'il faut situer les prises de position d'Anderson, qui prendra la tête de la coalition conservatrice formée en Saskatchewan à la suite des élections printanières de 1929. La plateforme électorale d'Anderson fait la promotion « de l'interdiction de symboles et d'habits religieux dans les écoles publiques et de la suppression des manuels scolaires contenant des éléments de nature confessionnelle ou antipatriotique » (Huel, 1981 : 54), et donne l'occasion à une certaine

---

[5] Toronto, J. M. Dent & Sons, 1918.

[6] En janvier 1930, Anderson créera une commission d'enquête pour examiner les politiques fédérales en matière d'immigration et pour recommander une stratégie pour la Saskatchewan. Six mois plus tard, la commission recommandera que les règles d'immigration soient plus sélectives et qu'elles accordent un traitement préférentiel aux colons britanniques (Waiser, 2005 : 253).

presse d'alimenter la peur que la Saskatchewan devienne « un second Québec » (1981 : 55). Le *Regina Daily Star*[7] du 7 janvier 1929 rapporte les discussions de ministres fédéraux et de membres du clergé canadien-français qui ont eu lieu à Ottawa. Au dire du journal, cette rencontre aurait porté sur les moyens à prendre pour inciter 250 000 concitoyens francophones à s'établir dans l'Ouest (Huel, 1981 : 54). Dans son édition du 29 février, l'organe officiel de l'Ordre d'Orange, *The Sentinel*, rapporte les révélations du *Daily Star* et le félicite de l'avoir éclairé sur ce « *gigantic movement* » (Huel, 1981 : 55). De son côté, Raymond Denis, de l'Association catholique franco-canadienne (ACFC), ne manque pas de rappeler avec vigueur l'importance du vote annoncé pour le 6 juin :

> Franco-Canadiens, debout! Vous savez quels sont nos insulteurs! À votre bulletin de vote de leur donner la réponse!
>
> Personne n'a le droit de se désintéresser de la lutte. Personne n'a le droit de s'abstenir. Ce serait une lâcheté (Denis, 1929).

Aucun parti n'obtiendra la majorité aux élections de 1929 et une coalition formée de conservateurs, de progressistes et d'indépendants renverse les libéraux de Gardiner le 6 septembre 1929 sur une motion de censure. Anderson accepte de diriger la coalition et s'attribuera également les responsabilités de ministre de l'Éducation.

Dès le 27 septembre, le nouveau premier ministre annonce la suppression de l'échange de brevets d'enseignement avec le Québec en prétextant leur infériorité par rapport à ceux de la Saskatchewan, ce qui a pour effet « de réduire singulièrement le recrutement d'enseignants bilingues pour les districts scolaires francophones » (Huel, 1981 : 56). Le 26 octobre, un autre coup dur atteint la communauté canadienne-française : le prélat le plus influent, Mgr Olivier-Elzéar Mathieu, meurt à l'âge de 75 ans. Il laisse au seul autre évêque catholique de la province, Mgr J.-H. Prud'homme, le soin de tenter un rapprochement avec le gouvernement. En décembre, une mesure se révèle encore plus néfaste, soit l'obligation d'enseigner la religion en anglais (Frémont, 1930). Le 23 janvier 1930, Raymond Denis et des membres de l'ACFC rencontrent

---

[7] Le *Regina Daily Star* effectue sa première livraison en juillet 1928. Il est financé au départ par le chef du Parti conservateur fédéral Richard Bedford Bennett, futur premier ministre du Canada aux élections de 1930, qui enverront le Parti libéral de William Lyon Mackenzie King sur les bancs de l'opposition. Le journal a indéniablement servi les intérêts du Dr. Anderson et de son parti (Kyba, 2004 : 116).

le premier ministre Anderson pour discuter de la question. Ce dernier leur suggère ironiquement de contourner la législation en enseignant la religion à l'heure du dîner ou après les heures de classe (Denis, 1930).

Entre-temps, l'amendement à la loi scolaire par le projet de loi 222a [1] entre en vigueur le 1er juillet 1930; il interdit la présence de symboles et le port de l'habit religieux dans les écoles publiques, afin de ne pas « laisser influencer l'esprit de nos enfants par aucune personne enseignant dans un costume religieux, fût-elle romaine, anglicane, juive ou autre » (*Le Patriote de l'Ouest*, 1929b), comme l'explique Anderson dans un discours électoraliste. Et celui-ci d'ajouter que ses compatriotes et lui « d[oivent] faire disparaître l'esprit sectaire de [leurs] écoles publiques et [qu'ils] [vont] le faire » (*Le Patriote de l'Ouest*, 1929b). À Ottawa, la mesure provoque la démission d'Armand Lavergne, membre de l'exécutif du Parti conservateur, devant le refus de son parti de désavouer Anderson (Robillard, 2009 : 177). La protestation s'étend à l'ensemble du Canada français, comme le rappelle Denise Robillard :

> D'Ottawa, de Québec, de Trois-Rivières, de Montréal, de Sherbrooke, de Saint-Boniface parviennent des lettres d'appui et d'encouragement. De Le Pas, au Manitoba, le vicaire apostolique du Keewatin Mgr Ovide Charlebois, donne son « entière adhésion » à la fière attitude de l'évêque [de Prince-Albert, Mgr Prud'homme] « en face du fanatisme aveugle et de l'esprit sectaire ». D'Ottawa, son frère, le belliqueux Charles Charlebois, manifeste son indignation devant les accusations du *Regina Daily Star* et suggère de poursuivre le journal au criminel (2009 : 177).

L'Association catholique franco-canadienne (ACFC) poursuit ses protestations en envoyant des lettres aux journaux de l'Est (*Le Devoir, La Presse, Le Droit, Le Canada, L'Action catholique*) et tient un congrès des commissaires d'école en mars 1930 afin d'unifier l'opposition catholique. Mgr Prud'homme envoie également une circulaire aux prêtres de son diocèse « invitant à faire prier leurs paroissiens pour obtenir de Dieu lumière et force, dans l'épreuve qui menace l'éducation catholique » (*Le Patriote de l'Ouest*, 1930a). Celle-ci sera perçue par le *Daily Star* comme une menace de renversement du gouvernement (*Le Patriote de l'Ouest*, 1930a). La tension ne cesse de grimper dans la presse francophone et anglophone. Lorsque le nouvel archevêque de Regina, Mgr James Charles McGuigan, entre en poste après le décès de Mgr Mathieu, les autorités religieuses assouplissent leur position, afin de se conformer aux instructions du Saint-Siège qui prône la bonne entente entre les évêques catholiques de l'Ouest et, surtout, le refus de tout acharnement envers un gouvernement qui ne s'était pas encore attaqué directement à la langue française[8]. Comme l'explique Raymond Huel,

> les communautés religieuses modifièrent leurs habits en revêtant une toge qui dissimulait l'uniforme religieux, et remplacèrent leurs coiffes par des bonnets que les inspecteurs appelèrent des "French widow's bonnets" [bonnets de veuve à la française]. Étant donné que l'amendement de la loi scolaire ne se rapportait qu'aux écoles publiques, les religieuses enseignantes n'avaient pas à modifier leur uniforme, ou à enlever les emblèmes religieux, dans les écoles séparées qui leur étaient confiées (Huel, 1981 : 59).

Au couvent Jésus-Marie à Gravelbourg, les religieuses revêtirent un costume laïque, mais, comme l'explique Raymond Denis dans ses *Mémoires*, la plupart d'entre elles, dont celles de Duck Lake, Saint-Brieux, Ponteix et Domrémy, « se contentèrent de modifier leur costume, assez pour qu'on puisse dire que l'on respectait la loi puisque ce n'était plus un habit religieux, mais pas trop, pour que l'on sache fort bien que cet habit, pas religieux, était quand même porté par une religieuse » (Denis, 1970 : 312). Sept ou huit religieuses sur quatre-vingt-sept qui enseignaient dans les écoles publiques quittèrent la province en guise de protestation (Lapointe et Tessier, 1986 : 230 ; Carrière, 1962 : 205). La communauté catholique canadienne-française se sentit alors « humili[ée] et indign[ée] », selon les mots de Mgr Ovide Charlebois (Carrière, 1962 : 204). Lorsqu'Anderson fait envoyer sa photo aux institutrices, *Le Patriote de l'Ouest* souligne avec un humour noir la portée symbolique du geste :

> La place de cette photo est d'ailleurs toute indiquée. Elle remplacera le Christ, que par ses amendements à la Loi scolaire, M. Anderson met en dehors des écoles. Ceux qui s'objectent à la présence du divin crucifié seront heureux de le voir si avantageusement remplacé par le majestueux profil de notre premier ministre (Un simple Canadien, 1930 : 1).

Le 20 mai 1930, G. A. Brown et J. A. Gagné, tous deux de l'école normale de Moose Jaw, sont chargés par Anderson, à la demande du Ku Klux Klan, d'une enquête sur la situation du français dans les arrondissements

---

[8] Dans une lettre publiée dans *Le Devoir*, Raymond Denis explique aussi « qu'il fallait avant tout sauver les écoles » et qu'« il aurait été possible d'adopter des tactiques plus brillantes sur cette question. Un appel aux tribunaux semblant hors de question, nous aurions pu avoir recours à la grève scolaire, par exemple, ou à la résistance ouverte et active. Nos chefs ont pensé que ce qu'il fallait chercher avant tout, ce n'était pas le bruit, ou la satisfaction d'accomplir de beaux gestes, mais le résultat à atteindre » (Denis, 1931).

francophones (Huel, 1981 : 59 ; Morcos, Cadrin et Dubé, 1998 : 111). Le rapport, intitulé *Report on the Inquiry into Conditions in School in French-Speaking Settlements*, est remis quelques mois plus tard, le 15 janvier 1931, et les conclusions reposent sur une évaluation partielle des soixante-dix écoles visitées sur cent soixante, dans lesquelles la langue d'enseignement est le français. Les deux auteurs font mention du court délai qui leur a été imposé pour réaliser leur enquête, mais recommandent néanmoins que « *the primary course in the French language be abolished because it was an impediment to the acquisition of "an adequate knowledge of English"* » (Huel, 1977 : 72). En conséquence, Anderson propose en Chambre, le 27 février 1931, un amendement à la loi scolaire qui prévoit l'abolition de l'usage du français comme langue d'enseignement en première année d'études. Le projet est adopté le 9 mars, de sorte que le français est enseigné seulement en tant que matière d'étude, à raison d'une heure par jour à tous les niveaux (Lapointe et Tessier, 1986 : 231 ; Huel 1981 : 60 ; Denis, 1931a : 1-2). *Le Patriote de l'Ouest* rappelle la séance historique du 9 mars dans ses moindres détails :

> Voici enfin le vote. Le président décide que les oui et les non étant en nombre sensiblement égal, un vote nominal doit être pris. Bientôt, en faveur de la mesure, tous les ministériels se lèvent, et à l'appel de leurs noms, tous conservateurs, indépendants et progressistes, répondent oui. Chaque oui tombe comme un glas funèbre, sonnant la condamnation de notre langue (Denis, 1931a : 2).

Malgré son impuissance à renverser les lois gouvernementales, l'ACFC demande aux enseignants d'ignorer les nouvelles directives et de continuer d'enseigner en français en première année (Denis, 1931b). Toutefois, l'ACFC se soumet à la loi, comme en fait foi le rapport d'activité publié dans *Le Patriote de l'Ouest* à la rentrée scolaire : « La loi provinciale nous accorde une heure par jour pour l'enseignement du français. Prenez-la toute et faites en sorte que vos élèves n'en perdent pas une seule seconde » (*Le Patriote de l'Ouest*, 1931b : 1). Les mères sont sollicitées pour combler les lacunes de l'école publique non confessionnelle :

> À la mère donc de transformer chaque soir et dimanche, le foyer en salle de classe où elle romprera [*sic*] aux petits le pain de la religion – enseignement du catéchisme – et apprendra quelques bribes de français – lecture en famille du journal français et de livres où vibre l'âme de notre race – afin de contrebalancer la double influence de l'école non-confessionnelle [*sic*], la plaie du vingtième siècle (Valois, 1931).

Selon Raymond Huel, cette attitude de soumission devant le fait accompli s'expliquerait non seulement par la vigilance des inspecteurs d'école qui veillaient à l'application de la loi, mais aussi par la crise économique qui contraignait les écoles publiques à ne pas courir le risque de perdre le financement de l'État (1977 : 72).

Ce dernier amendement à la loi scolaire suscita des inquiétudes sur la scène politique fédérale. Un télégramme du secrétaire personnel du premier ministre Bennett envoyé au procureur général de la province fit état de la difficulté pour le gouvernement fédéral de défendre une telle position qui risquait de diviser le pays et de renverser le gouvernement (Huel, 1977 : 73). Il n'en fallait pas plus pour que les Canadiens français interprètent ces spoliations successives comme une attaque en règle contre leur religion, leur langue et leur culture, et voient en ces événements une preuve supplémentaire de l'impossibilité de protéger le fait français en dehors de l'espace laurentien. À la suite de la défaite du premier ministre Anderson aux élections de 1934, le gouvernement Gardiner s'empressera de rétablir l'enseignement du français, sans que l'administration des programmes ne fût déléguée au ministère de l'Instruction publique. L'ACFC continuera alors de s'en charger en rédigeant les programmes d'étude et en organisant les examens de fin d'année jusqu'à la création du Bureau de la minorité de langue officielle en 1974 (Lapointe et Tessier, 1986 : 231-232).

Grâce à leur isolement (à Bellevue, Ferland, Prud'homme et Gravelbourg, par exemple) et à la ruse des institutrices, « qui enseignai[ent] les cours d'anglais, d'histoire et de géographie dans la langue de Shakespeare tout en donnant les instructions aux jeunes dans la langue de Molière » (Gareau, 2005 : 17), les Canadiens français de la Saskatchewan réussirent à survivre, mais dans des conditions assimilatrices évidentes.

Il faut aussi savoir que, contrairement à la situation scolaire ontarienne, où les élèves francophones fréquentent surtout des écoles privées, dites « séparées », les élèves francophones de la Saskatchewan fréquentent principalement l'école publique, celle-ci étant d'abord l'école de la majorité locale (Héroux, 1931). Les amendements d'Anderson les affectent donc directement.

En 1944, l'arrivée au pouvoir du parti socialiste démocrate Cooperative Commonwealth Federation (CCF), dirigé par T. C. Douglas, a pour effet d'accélérer l'assimilation des jeunes francophones. Le gouvernement du premier ministre Tommy Douglas instaure un système de grandes unités scolaires, le *Greater School Units Act,* qui entraîne la disparition des petites écoles rurales, de sorte que les francophones, désormais minoritaires dans les écoles centralisées, à quelques exceptions près (Bellevue, Zénon Park, Gravelbourg, Bellegarde), perdent la gestion scolaire. La situation s'améliore en 1964 lors de l'élection du Parti libéral de Ross Thatcher, qui met sur pied une commission d'enquête recommandant d'encourager l'enseignement de l'allemand, de l'ukrainien et du français. La loi scolaire, modifiée à cet effet en 1967 et 1968, autorise la désignation de la vocation française de certaines écoles, ce qui n'empêche pas certains anglophones d'inscrire leurs enfants dans ces écoles désignées. Il faudra attendre 1993 avant que les parents francophones de la Saskatchewan recouvrent la gestion scolaire à la suite de l'adoption de la loi 39.

Une société en transformation

Il est indéniable que la crise économique modifie les rapports entre les individus, de même qu'elle force la canalisation des énergies face aux défis du moment. La crise économique des années 1930 accentue le désintérêt des Canadiens français du Québec envers les minorités canadiennes-françaises, ce qui oblige chacune d'entre elles à recentrer le discours de la survivance sur un devenir communautaire qui lui est propre et qui peut favoriser des formes d'autodétermination culturelle et sociale en rupture avec le modèle d'un Canada français uni et homogène. L'éditorial « La rentrée des classes » (*Le Patriote de l'Ouest,* 1930b) montre explicitement le changement qui s'est produit. L'auteur soutient d'abord que la formation intellectuelle doit être réorientée. Exit, en partie, l'agriculture, au profit du commerce et « des professionnels dans toutes les branches ». Cet appel à une formation intellectuelle plus avancée rappelle, à la suite d'Édouard Glissant (1981) et de François Paré (1992), que l'accès à l'écrit est susceptible de légitimer une culture minoritaire, alors qu'une culture uniquement orale court le risque de la folklorisation et, ultimement, de l'extinction, contrairement aux cultures dominantes fondées sur l'écrit et consacrées par lui. Il s'agit donc de passer des coutumes ancestrales à la connaissance de la réalité moderne qui, elle, ne cesse de rappeler la situation exsangue de l'économie. Le discours journalistique du *Patriote de l'Ouest* n'est pas étranger à des visions matérialistes du monde qui, même si elles sont dénoncées par l'élite canadienne-française, marquent une série de points de non-retour vers lesquels se dirigent la société, sa démocratie et ses écoles.

À la lumière des changements qui s'opèrent dans le discours journalistique, où nous avons pu vérifier certaines hypothèses à partir des amendements scolaires du gouvernement Anderson en Saskatchewan générateurs de discours, il importe de vérifier comment agissent dans la littérature les différentes forces du discours social qui tendent à donner une impulsion à des mouvements de distanciation et d'autonomisation de la part de la minorité francophone. À cet égard, la littérature pour la jeunesse nous est précieuse, car, comme l'explique Françoise Lepage (2000 : 16), son schéma hiérarchique, du fait que ceux qui l'écrivent tâchent de former ceux qui la lisent, nous permet d'en dégager des valeurs et des idées plus finement que ne pourrait le faire la littérature réservée aux adultes.

Les pages écolières du *Patriote de l'Ouest*

De la production jeunesse qui émerge au tournant des années 1930 et particulièrement en 1931, notre année de référence, nous avons retenu l'étude de discours qui circulent dans les pages écolières du *Patriote de l'Ouest*. Conçues à l'origine par l'équipe du journal pour suppléer le manque d'accès à du matériel scolaire en français, ces pages ont sans doute été lues avec plus d'assiduité que toute autre publication, puisqu'elles ont été étudiées dans des salles de classe, elles-mêmes composées d'élèves confrontés aux enjeux soulevés par les amendements Anderson (Boileau, 1929).

Ces pages s'insèrent dans un journal qui comprend aussi certains éditoriaux exhortant les mères, les pères et parfois directement les enfants (fait rare dans un éditorial) à affermir la « volonté droite et virile » des plus jeunes à l'arrivée des vacances estivales (R. M., 1930). La crise économique amène son lot de recommandations parentales, dont celle de sauver les orphelins qui, par définition, n'ont personne qui puisse contribuer à payer leur pension à l'orphelinat (*Le Patriote de l'Ouest*, 1930c) ou, encore, celle qui encourage, sur un air connu, les petites économies. Certains auteurs empruntent d'autres formes que l'éditorial pour faire part de leurs intentions. C'est le cas de Mgr Rodrigue Villeneuve (1883-1947), nommé évêque de Gravelbourg en 1930 et archevêque de Québec l'année suivante, avant d'être promu cardinal en 1933, au sommet de la hiérarchie catholique au Canada. Celui-ci publie en 1931 un texte de prose poétique dans lequel son insatisfaction vis-à-vis de la jeunesse est flagrante[9]. On peut y lire un commentaire sur les ardeurs patriotiques changeantes de la nouvelle génération :

> [...] il nous faut une jeunesse [...] qui porte en sa poitrine un cœur, en ses flancs une force, sur sa tête une gloire « à la Dollard ». [...] Qui veuille sauver la patrie en souffrance, en péril. [...] Il nous faut une jeunesse qui « combat » sans trêve, la hache d'une main, un simple bouclier d'occasion de l'autre, une jeunesse qui monte à l'assaut, une jeunesse incorruptible, incoercible, une jeunesse sacrifié [*sic*], une jeunesse qui sache mourir. Et non point mourir en beauté, mais loin de la gloire, dans la torture, pour la race et l'humanité (Villeneuve, 1931).

En considérant l'autorité morale qui sanctionne de tels propos martiaux ainsi que la circulation médiatique de ce texte, on ne peut que constater une amertume persistante envers une certaine évolution sociale et un vif désir que l'étiolement de la ferveur patriotique soit renversé.

C'est donc parmi un ensemble de discours patriotiques, religieux et moraux qu'est publiée en 1929 la « Page écolière », à l'origine un supplément mensuel qui sera inséré gratuitement, dès octobre 1930, dans *Le Patriote de l'Ouest*. Écrit à l'intention des jeunes, ce supplément est vendu aux enseignants. Sous la mention « à découper et à conserver », certains textes littéraires publiés dans ces pages répondent directement aux besoins des programmes d'étude. Décrite dans une publicité comme une « grande œuvre de la survivance nationale » (16 octobre 1929) afin de sauver « la mentalité catholique et française » (*ibid.*) de la jeunesse, la « Page écolière » est d'abord une extension de la « Page en famille », une rubrique dont la diffusion était alors si faible dans les institutions d'enseignement que l'équipe du *Patriote de l'Ouest,* en collaboration avec l'ACFC, décida d'enrichir son contenu et de la diffuser sous forme d'abonnements scolaires. La rédaction et la conception sont confiées à Tante Présentine, « une religieuse du couvent de la Présentation de Prince-Albert » (Boileau, 1929)[10] qui, elle-même, met à contribution ses

---

[9] « La jeunesse qu'il nous faut », *Le Patriote de l'Ouest*, 27 mai 1931 ; publié préalablement au Manitoba dans *La Liberté* du 20 mai 1931, repris dans le *Bulletin des institutrices catholiques de l'Ouest,* septembre 1931, n° 1, p. 8 et, plus tard, dans la revue pour la jeunesse *L'Abeille* (1925-1964), vol. 16, n° 9, mai 1941. Il n'est pas exclu que ce texte ait été republié ailleurs.

[10] Ce détail est d'importance puisqu'il contredit l'idée selon laquelle il s'agirait de la célèbre fermière Perrette (Marie-Anne Duperreault [1885-1976]), mère de quatorze enfants et collaboratrice au journal de 1910 à 1941, contrairement à ce que peut laisser croire Albert-O. Dubé (1994 : 54).

jeunes lecteurs, appelés familièrement « neveux et nièces », afin qu'ils enrichissent leur page de lettres, de compositions et de travaux littéraires. La nouvelle rubrique se donne pour mission de contrer « cette ambiance anglo-protestante, [...] ce flot délétère et envahissant de la littérature et du journal illustré anglo-protestants, qui menacent d'infecter et de submerger la mentalité française de [la] jeunesse étudiante » (Boileau, 1929). Ce journal scolaire vient aussi compenser le manque « de bibliothèque scolaire française et [la] pénurie de revues scolaires françaises » (Boileau, 1929). On y trouve des « historiettes pieuses et attrayantes [...], des [...] lettres enfantines et des [...] dissertations littéraires écrites par les petits écoliers, [...] des délicats conseils et des sages directions de bonne Tante Présentine » (*Le Patriote de l'Ouest*, 1929a). En outre, le journal fait appel aux éditions françaises Mame pour publier des feuilletons pour la jeunesse. On y trouve aussi plusieurs colonnes consacrées à l'histoire et tout ce qui entoure les concours de français (questions préparatoires, distribution des prix, extraits de compositions, liste des élèves promus), de même que des réponses personnalisées de Tante Présentine aux lettres reçues, nourrissant un dialogue avec les jeunes lecteurs. La relation qu'entretient Tante Présentine se développe particulièrement sous la rubrique « Causerie », à laquelle nous nous attarderons en raison de sa valeur hautement pragmatique. La plupart des interventions de cette rédactrice répandent des idées patriotiques et religieuses et adoptent une posture de type familial. Le pseudonyme Tante Présentine et l'appellation « neveux et nièces » témoignent d'une volonté de rendre le discours prescriptif de son auteure le plus persuasif possible auprès des jeunes lecteurs. Celle-ci illustre ses conseils d'exemples et emprunte au Nouveau Testament des éléments d'intrigue (unité d'action, causalité, conflit, suspense, adjuvant et opposant) :

> Un jour, le petit Jésus demanda des roses à sa maman. Pour faire plaisir à son divin Fils, elle se mit à la recherche de sa fleur préférée. Aux buissons, point de fleurs, mais ses mains s'y déchirèrent et sur la neige tombèrent des gouttes de sang. Chacune d'elles devint, par miracle, de belles roses parfumées (Tante Présentine [pseud.], 1931).

Le tout est enchâssé dans une leçon de morale : « [...] semer votre route des épines du devoir, pour y cueillir en retour, les roses du ciel » (Tante Présentine [pseud.], 1931). Cette allégorie du devoir sacrificiel se répète avec constance dans l'ensemble des « causeries ». Elle se décline parfois en pénitence salutaire, en désir de docilité, en éloge de la douleur (« souffrez que je vous rappelle » (3 décembre 1930)), en accomplissement du devoir dicté par les parents et les instituteurs ou en célébration du mois de « l'apostolat de la souffrance » (2 mars 1932). Cet esprit de soumission est parfaitement résumé dans un article publié dans les « Pages écolières » du 1er avril 1931 et intitulé « Un bon conseil : contentons nous [*sic*] de notre sort ». La structure narrative de cet article s'inscrit dans le même registre que le petit récit fictionnel servant d'exemple à une conduite morale irréprochable. L'historiette est parachevée par une leçon dont le titre est porteur : « [A]pprenons par là à nous contenter de la position que nous a faite la Providence, c'est elle qui nous convient le mieux. » Cette résignation paraît paradoxale dans un discours qui favorise, du moins chez les adultes, un engagement plus combatif. Pour preuve, le 9 octobre 1929, un article évoquant les éloges reçus du journal *Le Droit*, qui salue l'initiative de la « Page écolière », contient plusieurs idéologèmes militaires (« légion de petits écoliers », « mot d'ordre [...] en avant, pour Dieu et pour la Patrie », « esprit de sacrifice », « force de cohésion », « fanatisme des sectaires », « compagnons d'armes »). Au sein des « Pages écolières » se trouve un désir évident de manipuler la volonté de l'enfant, de sorte que ces manifestations doloristes marquées du sceau religieux viennent légitimer une impuissance à intervenir dans des domaines qui ne sont pas du ressort spirituel. Dans ces causeries, l'énonciatrice creuse le fossé qui sépare certaines activités empreintes de dignité et d'autres qui ne le sont pas et qui s'apparentent plutôt à des manifestations de la modernité culturelle (les « vues animées » et les « mauvaises lectures »). Ainsi, s'adressant à de jeunes adolescentes, Tante Présentine rappelle les tentations, les luttes et les crises qu'elles devront bientôt affronter. Elle substitue aux vices de la jeunesse un idéal : celui de l'appel de Dieu inspiré d'une dévotion à Marie. Les causeries de Tante Présentine se rapprochent à cet égard des chroniques féminines de l'hebdomadaire *La Liberté*, analysées par l'historien Luc Côté :

> [L]a résignation devant la souffrance est une source d'élévation. [...] Mais plus qu'une résignation, la femme doit retirer de cette souffrance un contentement, voire même un plaisir. En tant que synonyme de dévouement et de sacrifice, le travail est le secret du vrai bonheur terrestre (1998 : 67).

Pour le petit lecteur des « Pages écolières », le bonheur de travailler doit résider dans une longue liste d'exercices pieux et de devoirs d'obéissance. Présentée comme un examen de conscience, cette liste s'appuie sur l'utilisation d'un « je » propre à enclencher un processus d'adhésion au discours :

> J'ai étendu mes connaissances; j'ai pris de bonnes habitudes; j'ai fait de fréquents sacrifices; j'ai appris à mieux prier, à mieux communier; bref, je suis devenu meilleur chrétien. [...] Aussi je me souviendrai : [...] qu'il n'y a pas de vacances pour la piété [...] Je prierai fidèlement matin et soir [...] je me confesserai; je visiterai Jésus-Hostie chaque soir, si possible; [...] je respecterai mes parents; je leur obéirai joyeusement; [...] je fuirai les occasions du mal; je ferai quelques sacrifices chaque jour; j'examinerai ma conscience (Tante Présentine [pseud.], 1930).

Les « Pages écolières » et, plus particulièrement, les interventions de Tante Présentine dressent des remparts contre l'influence pernicieuse des valeurs progressistes du monde extérieur, dont l'anglicisation, « parce que précisément à l'âge de leur éducation et de leur formation ils [les écoliers] n'entendent que de l'anglais partout, à l'école [...] et sur la rue [...] » (Boileau, 1929). Ces prescriptions dictent un code de conduite conforme à une vision idéologique nationaliste, dont la religiosité marque une organisation du monde encline aux préjugés hostiles à l'autre. À travers ces interventions auprès des enfants se profile l'illusion d'une nation homogène censée protéger les *biens chers petits*.

Une préservation culturelle conservatrice

Particulièrement conservatrice dans la façon de présenter la nation canadienne-française, Tante Présentine exprime les valeurs du discours canadien-français traditionnel (conservation de la langue, de la foi, sauvegarde du mode de vie rural, importance accordée à la famille et à la mission providentielle de la civilisation-française). L'esprit de renoncement constitue dans ses écrits l'attitude à adopter face aux événements fâcheux de l'existence. Nous sommes loin d'œuvres qui engagent au combat identitaire, puisque l'auteure favorise plutôt la préservation passive des acquis patriotiques du passé. La dynamique identitaire ne se veut plus ici celle qui doit fortifier les « avant-postes », mais plutôt celle qui pérennise symboliquement la nation. Cette vision caractéristique de la littérature pour la jeunesse vers 1931 trahit chez les adultes la hantise et l'incapacité d'affronter la diversité sociale qui mènerait, selon eux, à l'insignifiance identitaire de la jeune génération. D'où le déni des mariages exogames et la récupération nationaliste de l'histoire canadienne-française dans les

« Pages écolières » du *Patriote de l'Ouest.* À défaut d'une portée politique influant sur les destins nationaux des minorités, la littérature pour la jeunesse compense ses insuffisances par une symbolique conservatrice. À cet effet, elle confère à une nation homogène fantasmée (la « race » canadienne-française), un panache et une émotion susceptibles de toucher de jeunes lecteurs, qui y trouveront parfois un divertissement.

BIBLIOGRAPHIE

Journal : *Le Patriote de l'Ouest*

(1929a). « Les écoles de Ponteix », 15 mai, p. 4.

(1929b). « École non-confessionnelle [*sic*] », 9 octobre, p. 1.

(1930a). « Injuste et indigne », 5 février, p. 1.

(1930b). « La rentrée des classes », 27 août, p. 1.

(1930c). « Sauvons nos orphelins », 3 décembre, p. 1.

(1931a). « Un bon conseil : contentons nous [*sic*] de notre sort », 1er avril, p. 11.

(1931b). « Les activités de l'A.C.E.F. », 2 septembre, p. 1-2.

Boileau, Georges (1929). « La "Page écolière" », 8 mai, p. 1.

Denis, Raymond (1929). « Franco-Canadiens, debout! », 29 mai, p. 1.

Denis, Raymond (1930). « L'instruction religieuse dans nos écoles », 29 janvier, p. 1.

Denis, Raymond (1931a). « Physionomie d'une séance », 11 mars, p. 1-2.

Denis, Raymond (1931b). « À nos commissions scolaires », 1er avril, p. 1.

Frémont, Donatien (1930). « La politique en Saskatchewan », 1er janvier, p. 1.

Présentine, Tante [pseud.] (1930). « Conseils aux petits écoliers pour le temps des vacances », 30 juin, p. 1.

Présentine, Tante [pseud.] (1931). « Causerie », 4 janvier, p. 3.

R. M. (1930). « À nos écoliers en vacances », 9 juillet, p. 1.

Tavernier, Jean-Marie (1932). « Notre Page écolière », 6 janvier, p. 1.

Un simple Canadien [pseud.] (1930). « La photographie d'Anderson », sous la rubrique « Tribune libre », 14 mai, p. 1 et 4.

Valois, Joseph (1931). « La rentrée », 26 août, p. 1.

Villeneuve, Mgr J. M. Rodrigue (1931). « La jeunesse qu'il nous faut », 27 mai, p. 4.

Livres et articles

ANDERSON, James Thomas Milton (1918). *The Education of the New-Canadian: A Treatise on Canada's Greatest Educational Problem*, Toronto, J. M. Dent & Sons.

ARCHER, John Hall (1980). *Saskatchewan: A History*, écrit pour le Saskatchewan Archives Board, Saskatoon, Western Producer Prairie Books.

BIRON, Michel, François DUMONT et Élisabeth NARDOUT-LAFARGE (2007). *Histoire de la littérature québécoise*, Montréal, Éditions du Boréal.

CALDERWOOD, William (1973). « Religious Reaction to the Ku Klux Klan in Saskatchewan », *Saskatchewan History*, vol. 26, n° 3, p. 103-114.

CARRIÈRE, Gaston (1962). *Le père du Keewatin : Mgr Ovide Charlebois, o.m.i., 1862-1933*, Montréal, Rayonnement.

CÔTÉ, Luc (1998). « Modernité et identité : la chronique féminine dans le journal *La Liberté*, 1915-1930 », *Cahiers franco-canadiens de l'Ouest*, vol. 10, n° 1, p. 51-90.

DENIS, Raymond (1931). « La situation en Saskatchewan », *Le Devoir*, 13 avril.

DENIS, Raymond (1970). « Mes mémoires », *Vie française*, vol. 24, nos 11-12 (juillet-août), p. 308-325.

DUBÉ, Albert-O. (1994). *La voix du peuple : l'histoire populaire de la presse écrite fransaskoise : 1910-1990*, Regina, Société historique de la Saskatchewan.

GAREAU, Laurier (2005). *Sur nos bancs d'école : l'éducation française dans la région de Prud'homme, Saint-Denis et Vonda*, Saint-Denis, L'Association communautaire fransaskoise de la Trinité.

GLISSANT, Édouard (1981). *Le discours antillais*, Paris, Gallimard.

HÉROUX, Omer (1931). « M. Anderson contre le français », Montréal, *Le Devoir*, 27 février.

HUEL, Raymond (1977). « The Anderson Amendments and the Secularization of Saskatchewan Public Schools », *Canadian Catholic Historical Association, Study Sessions*, n° 44, p. 61-76.

HUEL, Raymond (1981). *L'Association catholique franco-canadienne de la Saskatchewan : un rempart contre l'assimilation culturelle 1912-34*, traduit et adapté de l'anglais par René Rottiers, Regina, Les publications fransaskoises.

HUEL, Raymond (1983). « La presse française dans l'Ouest canadien : *Le Patriote de l'Ouest*, 1910-1941 », *Perspectives sur la Saskatchewan française*, [s. l.], Société historique de la Saskatchewan, p. 166-187.

KYBA, J. Patrick (2004). « J. T. M. Anderson », dans Gordon L. Barnhart (dir.), *Saskatchewan Premiers of the Twentieth Century*, Regina, Canadian Plains Research Center, University of Regina Press, p. 109-138.

LAPOINTE, Richard, et Lucille TESSIER (1986). *Histoire des Franco-Canadiens de la Saskatchewan*, Regina, Société historique de la Saskatchewan.

LEMIEUX, Louise (1972). *Pleins feux sur la littérature de jeunesse au Canada français*, Montréal, Leméac éditeur.

LEPAGE, Françoise (2000). *Histoire de la littérature pour la jeunesse : Québec et francophonies du Canada*, Orléans, Éditions David.

MADORE, Édith (1994). *La littérature pour la jeunesse au Québec*, Montréal, Éditions du Boréal.

MORCOS, Gamila, Gilles CADRIN et Paul DUBÉ (1998). *Dictionnaire des artistes et des auteurs francophones de l'Ouest canadien*, Sainte-Foy, Les Presses de l'Université Laval.

PARÉ, François (1992). *Les littératures de l'exiguïté*, Hearst, Le Nordir.

POTVIN, Claude (1981). *Le Canada français et sa littérature de jeunesse : bref historique, sources bibliographiques, répertoire des livres*, Moncton, Éditions CRP.

ROBILLARD, Denise (2009). *Maurice Baudoux : 1902-1988 : une grande figure de l'Église et de la société dans l'Ouest canadien*, Québec, Les Presses de l'Université Laval.

ROUSSEAU, Louis, et Frank William REMIGGI (dir.) (1998). *Atlas historique des pratiques religieuses : le sud-ouest du Québec au XIXe siècle,* Ottawa, Les Presses de l'Université d'Ottawa.

The Gazette (1928). « Klan organization in Saskatchewan was flourishing », 9 juillet, p. 13.

THÉRIO, Adrien (1963). « Le journalisme au Canada français », *Canadian Literature*, n° 17 (été), p. 34-43.

WAISER, Bill (2005). *Saskatchewan: A New History*, Calgary, Fifth House.

Le Travailleur de Worcester et la lutte pour la survivance de la Franco-Américanie, 1931-1950

Mathieu Noël
Université du Québec à Montréal

JOURNAL D'OPINION fondé pour protéger les droits linguistiques de la minorité franco-américaine de la Nouvelle-Angleterre, *Le Travailleur*, de Worcester (Massachusetts), est publié du 10 septembre 1931 jusqu'à la fin décembre 1978. Il a été l'objet de deux mémoires de maîtrise (Moulary, 1980 ; Harbour, 1992) et d'un colloque pluridisciplinaire tenu au début des années 1980 (O. Beaulieu, 1982). Les travaux de Claire Quintal sur le journalisme de langue française aux États-Unis et ceux d'Yves Roby sur l'histoire des Franco-Américains complètent la liste des principaux écrits qui abordent, de près ou de loin, l'histoire du *Travailleur*. Pour notre part, nous avons choisi d'analyser le contenu idéologique de ce journal pour la période située entre 1931 et 1950. Nous avons constitué un corpus de 164 numéros[1] à l'aide d'une méthode d'échantillonnage probabiliste et systématique, inspirée de l'approche décrite par Jean de Bonville dans *L'analyse de contenu des médias* (2006). Nous avons cherché à déterminer quels étaient les principaux enjeux sociopolitiques abordés par l'équipe du journal. Le thème de la survivance francophone en Nouvelle-Angleterre, soit l'idée qui a motivé la fondation du *Travailleur* en 1931, demeure-t-il un enjeu central au journal tout au long de la période à l'étude ? Par ailleurs, quels problèmes ont le plus retenu l'attention des collaborateurs ? L'enjeu de l'anglicisation des minorités francophones en Nouvelle-Angleterre est-il présent dans les pages du journal ? Finalement, *Le Travailleur* participe-t-il d'une quelconque façon à la formation d'une

[1] Le nombre réel de numéros étudiés est plus élevé. Comme le journal tient des dossiers et des enquêtes sur différents enjeux qui s'étendent parfois sur plusieurs semaines, nous nous sommes occasionnellement permis de consulter les numéros précédents et les numéros suivants pour remettre en contexte les articles trouvés dans notre échantillon.

Francophonies d'Amérique, n° 35 (printemps 2013), p. 67-78

relève nationaliste ? Pour répondre à ces questions, nous examinerons les principales luttes menées par les membres du journal entre 1931 et 1939, les positions du *Travailleur* lors de la Seconde Guerre mondiale, puis les idées défendues au cours des années 1945-1950. Mais tout d'abord, décrivons le contexte dans lequel le journal a été fondé en 1931.

Wilfrid Beaulieu et la fondation du *Travailleur*

L'histoire du *Travailleur* est intimement liée à celle de son fondateur, Wilfrid Beaulieu, directeur, rédacteur en chef et principal animateur du journal tout au long de son existence. Né à Lowell (Massachusetts) en 1900, Beaulieu poursuit ses études au Québec. En 1920, il entre à l'emploi du quotidien montréalais *Le Devoir*. Il quitte celui-ci en 1924, lorsque l'un de ses amis, Albert Foisy, l'invite à regagner les États-Unis et à se joindre à la jeune équipe de *La Sentinelle*. Cet hebdomadaire de combat, basé à Woonsocket (Rhode Island), est fondé en 1924 dans un climat de crise linguistique et financière. Le curé de Providence, Mgr Hickey, un catholique anglophone d'origine irlandaise, souhaitait imposer une nouvelle taxe aux paroissiens pour financer l'enseignement secondaire catholique et anglophone de la région. Des nationalistes franco-américains s'y opposent alors, prétextant que Mgr Hickey tentait d'utiliser les fonds paroissiaux à des fins d'anglicisation. Pour diffuser et défendre leurs idées, ils fondent *La Sentinelle*. Les « sentinellistes » réclament la gestion des budgets des paroisses franco-américaines du Rhode Island. Devant le refus des autorités ecclésiastiques, ils invitent les Franco-Américains à boycotter les œuvres paroissiales dirigées par Mgr Hickey. Par mesure punitive, l'Église excommunie Beaulieu et d'autres membres de *La Sentinelle*. Pris de panique, la plupart d'entre eux demandent pardon et mettent fin à la publication de leur journal en 1929 (Bélanger, 2000 ; Roby, 2000).

Après la déroute de *La Sentinelle*, Beaulieu s'établit à Worcester où il collabore au journal local : *L'Opinion publique*[2]. Celui-ci ferme toutefois ses presses en 1931. Beaulieu profite alors de l'occasion pour lancer son propre journal, un hebdomadaire d'opinion qui serait davantage à son

---

2 Malgré son titre, *L'Opinion publique* était essentiellement un hebdomadaire d'information dans lequel plusieurs des textes étaient des traductions d'articles parus dans des quotidiens anglophones.

image. La volonté de Beaulieu est de reprendre le combat inachevé par *La Sentinelle*, et dans une perspective plus large, de défendre la thèse de la survivance de la Franco-Américanie. Le premier numéro du *Travailleur* paraît le 10 septembre 1931. Le titre du journal est choisi en l'honneur du journal homonyme que dirigeait le journaliste Ferdinand Gagnon à Worcester de 1867 à 1886[3]. Dans ses premiers numéros, *Le Travailleur* comporte normalement une dizaine de pages. Nous y retrouvons très peu d'actualités ; le journal comprend surtout des chroniques d'opinion et des éditoriaux, mais aussi un courrier des lecteurs, une chronique littéraire, des poèmes, des feuilletons et une quantité non négligeable de publicités[4]. Dans le numéro inaugural, Beaulieu affirme que l'objectif du *Travailleur* est « d'apporter plus de zèle à la défense de nos droits ethniques et travailler avec toute l'énergie dont nous sommes capables, au progrès de notre élément en ce pays ». Puis, il continue en expliquant que

> *Le Travailleur* est un journal militant, n'en déplaise à certains. Militant veut dire pour nous : tout équipé, prêt au combat et à la défense de nos droits, sans pour cela hurler sans cesse le cri de guerre [...] *Le Travailleur* est avant tout un journal à idées. Il y aura bien quelques nouvelles franco-américaines, mais en autant qu'elles pourront faire l'objet de commentaires favorables ou défavorables (Beaulieu, 1931a).

Bref, dès le départ, il est établi que l'objectif du nouveau journal est de protéger les droits et les intérêts des Franco-Américains. D'abord diffusé seulement à Worcester, *Le Travailleur* sera rapidement distribué dans l'ensemble de la Nouvelle-Angleterre[5].

Les premières années (1931-1939)

Dès les premiers numéros, les collaborateurs du *Travailleur* se fixent pour objectif d'obtenir le droit à l'enseignement francophone dans les écoles paroissiales. Le journal critique certains diocèses, pour la plupart gérés par des prêtres d'origine irlandaise, où le français est peu utilisé

---

[3] D'ailleurs, le premier numéro du *Travailleur* de 1931 est dédié à la mémoire de Ferdinand Gagnon.

[4] La plupart des publicités annoncent les produits et les services de commerçants franco-américains.

[5] En 1932, *Le Travailleur* fusionne avec *Le Progrès* de Manchester (New Hampshire), ce qui permet à l'équipe du journal d'augmenter son lectorat et d'étendre sa zone d'influence.

comme langue d'enseignement. Beaulieu et ses collègues demandent à ce qu'au moins cinquante pour cent de l'enseignement se déroule en français, sinon, jugent-ils, leur communauté risque l'assimilation (Beaulieu, 1931b). Selon eux, les enseignantes franco-américaines qui ne respectent pas cette consigne « trahissent leur race » (Dollard, 1931). Dans un article daté du 15 octobre 1931, Elphège-J. Daignault écrit :

> Notre survivance ethnique dépend de l'école paroissiale et de son programme d'études. Or, dans la plupart des paroisses mixtes, l'école paroissiale, s'il y en a une, répond peut-être aux besoins religieux immédiats des enfants qui les fréquentent, mais rarement, si jamais, y est-il donné un enseignement convenable de la langue française. Il n'est pas besoin de répéter cet axiome si souvent prouvé par l'expérience de l'assimilation américaine que : qui perd sa langue, perd sa foi. [...] L'école vraiment bilingue est la condition essentielle à la conservation de l'idiome ancestral (Daignault, 1931).

L'enseignement en français dans les écoles paroissiales constitue le principal cheval de bataille de l'équipe du *Travailleur* tout au long des années 1930. Toutefois, d'autres enjeux, qui concernent la survivance de la Franco-Américanie, sont régulièrement abordés. L'un des sujets récurrents est le « danger » que représente l'Ordre des Chevaliers de Colomb. À partir de 1934, le journal publie souvent des mises en garde contre cette société discrète, dirigée par des catholiques irlandais, à qui on prête des intentions cachées d'anglicisation (*Le Travailleur*, 1934a). Au lieu de joindre les rangs des Chevaliers de Colomb, *Le Travailleur* suggère à ses lecteurs d'adhérer à une société mutuelle franco-catholique. Bref, l'on remarque que dans les années 1930, les ecclésiastiques d'origine irlandaise sont la tête de Turc du *Travailleur* que le journal décrit comme des agents assimilateurs, si bien que chaque méfait ou insolence qu'ils commettent à l'endroit de la langue française est sévèrement critiqué dans les pages du journal. De plus, les collaborateurs ne se contentent pas de rapporter les « délits » commis en Nouvelle-Angleterre ; ils décrient aussi ceux perpétrés au Canada. Par exemple, à l'hiver 1933, le journal publie une série d'articles sur le conflit qui oppose les Franco-Albertains à l'archevêque d'Edmonton, Henry Joseph O'Leary (*Le Travailleur*, 1933a). Puis, dans le numéro du 9 mars 1933, les évêques irlandais de l'Ontario sont présentés comme les ennemis de la langue française, au même titre que les orangistes (Laurent, 1933). Contrairement à ce qui s'est passé dans le cas de *La Sentinelle*, cette opposition à des clercs irlandais ne semble pas nuire aux relations du journal avec l'Église.

Régulièrement, Beaulieu reproduit des lettres d'appui qu'il reçoit de curés franco-américains, et nous verrons que plus tard certains d'entre eux contribueront généreusement à la caisse du journal (Beaulieu, 1949).

La question des mariages mixtes préoccupe aussi les collaborateurs du *Travailleur*. Selon eux, les enfants issus d'une union où l'un des parents est anglophone risquent d'être éduqués en anglais et dans la religion protestante. Ainsi, le journal demande à ses lecteurs de persuader les jeunes franco-américaines d'épouser des hommes de leur nationalité (*Le Travailleur*, 1933b). D'autre part, le journal encourage les jeunes familles franco-américaines à avoir beaucoup d'enfants, puisque « la fécondité est non seulement une promesse d'abondance pour une race, mais l'assurance de la qualité saine de ses membres » (*Le Travailleur,* 1938).

Toujours dans l'optique de prendre part à la lutte pour la survivance, *Le Travailleur* participe au renforcement des liens entre les Franco-Américains et les Canadiens français. Selon Beaulieu, l'alliance des peuples francophones en Amérique du Nord constitue le meilleur moyen de défendre et de promouvoir leurs intérêts communs (Beaulieu, 1934). Tout en considérant que les Franco-Américains sont des citoyens à part entière des États-Unis, le journal encourage ses lecteurs à se réclamer de la nation canadienne-française. Beaulieu et ses comparses font la promotion des activités traditionnelles canadiennes-françaises qui sont organisées en Nouvelle-Angleterre, telles que les soirées canadiennes et les festivités entourant les fêtes de la Saint-Jean-Baptiste.

Des collaborateurs du *Travailleur* estiment que pour survivre les Franco-Américains ont besoin de l'appui du Canada français et, plus particulièrement, de celui de la province de Québec, qu'ils considèrent comme le foyer de la nation française en Amérique. Selon eux, les liens avec le Québec sont essentiels, puisque ses collèges permettent de former des prêtres francophones aptes à s'établir dans les milieux minoritaires pour y diriger les écoles et les œuvres paroissiales (*Le Travailleur,* 1933e).

Étant d'avis que les Franco-Américains et les Canadiens français sont des frères d'armes, *Le Travailleur* traite de façon quasi hebdomadaire des combats menés pour le fait français au Canada. Dans les années 1930, des correspondants albertains et ontariens envoient régulièrement des textes au journal. De plus, plusieurs articles sont publiés sur la situation du peuple acadien[6]. C'est toutefois le mouvement nationaliste québécois qui retient le plus l'attention des membres du *Travailleur*. Régulièrement, des articles de *L'Action nationale* et des causeries des Jeune-Canada sont retranscrits (*Le Travailleur,* 1933d et 1933f). Puis, on voue une grande admiration à l'abbé Lionel Groulx, considéré comme le chef de la survivance française en Amérique (*Le Travailleur,* 1933c). Le journal fait souvent la promotion de ses livres et résume avec enthousiasme ses conférences (1934b).

L'appui aux nationalistes québécois amène même le journal à soutenir l'idée de l'indépendance du Québec, que proposaient quelques groupes de jeunes dans les années 1930 – les Jeune-Canada, *La Nation*, les Jeunesses patriotes, etc. (Noël, 2011). La citation suivante, tirée du numéro du 18 juin 1936, présente bien la position du *Travailleur* :

> Haut la main, la jeunesse canadienne-française tend vers la liberté et demande l'émancipation de la vieille province de Québec. Dégoûtée du régime de misère que lui fait l'Anglais, de connivence avec de déloyaux compatriotes – arrivistes de toute essence et nuance – elle vise à transformer le berceau de la Nouvelle-France en un État libre français. [...] Ce mouvement, vieux de plus d'un an, rencontre notre adhésion ; de même que jadis la noble France tendait son cœur et sa bourse à la jeune Amérique nous donnons, au moins, à nos frères du Québec, le réconfort moral et notre sympathie et nous leur disons : Allez de l'avant, libérez-vous du joug qui a fait perdre au pays près de deux millions de citoyens. Il y a trop longtemps que le beau lion anglais se graisse la patte à vos dépens, qu'il se gave de tout ce que vous avez de meilleur (J'en Assure, 1936).

Bref, dans les années 1930, *Le Travailleur* se donne pour mission de défendre les intérêts des Franco-Américains. Pour mener le combat de la survivance, le journal milite pour l'enseignement du français dans les écoles paroissiales, encourage la solidarité entre les francophones, met en garde ses lecteurs contre les ecclésiastiques d'origine irlandaise et propose un renforcement des liens entre les Franco-Américains et leurs « frères » du Canada. Toutefois, l'éclatement de la Seconde Guerre mondiale modifie les priorités du *Travailleur*.

La Seconde Guerre mondiale (1939-1945)

De journal de combat pour la survivance de la Franco-Américanie, *Le Travailleur* se transforme graduellement, à partir de 1939, en organe

---

[6] À titre d'exemple, en février et en mars 1933, *Le Travailleur* publie une série d'articles sur l'histoire des Acadiens.

interventionniste. Pendant la guerre, le journal publie encore des articles qui défendent les intérêts des Franco-Américains[7], mais l'enjeu sociopolitique qui occupe dorénavant le plus d'espace est celui de la libération de la France. Après la défaite de celle-ci, le journal invite ses lecteurs à prier pour que Dieu vienne en aide aux Français. Dans le numéro du 8 août 1940, le prêtre H.-M.-A. Morin écrit que « si la vieille France expie ses fautes, l'heure sonnera aussi, pour l'Allemagne, d'expier ses crimes. Une guerre aussi criminelle, aussi injuste ne peut manquer d'attirer sur les coupables la malédiction de Dieu » (Morin, 1940 : 1). En plus d'une intervention divine, l'équipe du *Travailleur* souhaite une intervention armée des États-Unis. Par exemple, le 16 octobre 1941, le journal indique que la Grande-Bretagne et l'Union soviétique ne seront pas en mesure, à elles seules, de vaincre l'Allemagne (*Le Travailleur,* 1941a). Selon les collaborateurs, les Américains doivent intervenir dans le Pacifique et en Europe, pour arrêter leurs ennemis « là-bas, avant qu'ils ne viennent en [Amérique] » (*Le Travailleur,* 1941b).

Au départ, *Le Travailleur* appuie simultanément le maréchal Pétain et le général de Gaulle. Selon l'équipe du journal, les deux hommes sont complémentaires et il n'y a pas de contradiction entre leurs actions; le maréchal veille sur les intérêts de la France en attendant que de Gaulle vienne la libérer (*Le Travailleur,* 1940). C'est seulement au printemps 1941 que *Le Travailleur* se décide à condamner le régime de Vichy et à se rallier entièrement au mouvement de la France libre. Dans le numéro du 29 mai 1941, le directeur sent le besoin de clarifier la position de son journal :

> L'idéal nazi nous répugne, toute idée d'association avec les nazis, leur crédo [*sic*], nous révoltent. En bons Américains, nous sommes corps et âme avec notre gouvernement, avec le reste de notre pays, pour réprouver la politique de collaboration active avec les nazis, accentuée ces jours derniers, par les chefs de Vichy et de Paris (Beaulieu, 1941).

À partir de ce moment, *Le Travailleur* participe activement à l'effort de guerre et ses membres organisent fréquemment des campagnes de financement pour venir en aide aux Français. Mentionnons que Beaulieu occupe alors la vice-présidence du groupe *France Forever*, soit la section américaine du Comité de la France libre (O. Beaulieu, 1982 : 51).

---

[7] Les principaux sujets abordés, parmi ceux qui sont liés à la thèse de la survivance, sont l'importance des écoles paroissiales et la participation aux activités des associations franco-américaines.

Les années d'après-guerre (1945-1950)

Une fois la guerre terminée, Beaulieu souhaite que son journal se réoriente vers le combat pour la survivance de la Franco-Américanie, mais quelques obstacles nuisent à son projet. Le premier est que plusieurs des nouveaux collaborateurs, attirés au *Travailleur* pour la position interventionniste qu'il défendait, semblent plus ou moins intéressés à écrire à propos de la survivance[8]. Malgré la fin de la guerre, la plupart d'entre eux continuent à traiter de politique internationale. Les principaux enjeux sociopolitiques abordés sont alors les procès de Nuremberg et de Kiev, la « menace » du communisme et la reconstruction de la France (Picard, 1946 ; *Le Travailleur,* 1945 ; Lebar, 1945). Puis, au fil des mois, plusieurs collaborateurs quittent *Le Travailleur*. Faute d'articles, Beaulieu n'a d'autre choix que de remplir les pages de son journal en recopiant, chaque semaine, de longs extraits de livres qui ont plus ou moins de liens avec l'enjeu de la survivance[9]. Bref, en 1946 et 1947, la situation est difficile au *Travailleur,* et la qualité du journal en souffre[10].

Par contre, au début de l'année 1948, Beaulieu trouve un nouvel adversaire à affronter, ce qui contribue à donner un nouveau souffle au *Travailleur*, en plus de réorienter celui-ci vers le combat pour la survivance. À partir du 19 février 1948, le directeur publie chaque semaine des articles où il s'en prend à la communauté religieuse des pères maristes. Selon lui, les maristes sont irrespectueux envers les Franco-Américains et auraient des intentions malveillantes d'anglicisation et d'assimilation. À ce propos, il écrit :

> Un vent de capitulation et d'anglicisation qui menace de prendre les proportions d'un ouragan, souffle depuis quelque temps sur toute la Nouvelle-Angleterre franco-américaine. Des échos nous viennent de toutes parts que l'anglais s'infiltre de plus en plus dans nos paroisses, nos pensionnats et écoles, qu'on jette par-dessus bord traditions, coutumes et tout ce qui a fait, jusqu'ici, le riche apanage des Franco-Américains des États-Unis. Nos paroisses franco-

[8] C'est le cas notamment de Roger Picard, qui est le collaborateur le plus actif au journal dans les mois qui suivent la fin de la guerre.

[9] À titre d'exemples, mentionnons *Louis Dantin,* de Gabriel Nadeau, et *La querelle des humanistes canadiens au XIXe siècle,* de Séraphin Marion.

[10] Mentionnons toutefois la présence au journal d'Yvonne Le Maître. Celle-ci était alors une journaliste franco-américaine réputée (Lacroix et Zurek, 2011).

> américaines, entre autres, qui jusqu'à ce soit, ont été le plus fort rempart de notre survivance française, semblent courir actuellement un danger très grave (Beaulieu, 1948a).

Et ce danger, selon Beaulieu, vient de la communauté des pères maristes. Ce sont, plus particulièrement, les curés de Notre-Dame-de-Pitié de Cambridge et de St-Joseph de Haverhill qui subissent les foudres du directeur. Ceux-ci officieraient uniquement en anglais, malgré une forte proportion de paroissiens francophones. Beaulieu craint que cette pratique soit éventuellement étendue à l'ensemble des paroisses dirigées par des pères maristes. Cette lutte, menée dans *Le Travailleur* principalement par Beaulieu[11], attire quelques nouveaux collaborateurs, et ceux-ci semblent intéressés par la question de la survivance. En effet, à partir de 1948, l'on retrouve davantage d'articles sur l'importance des écoles paroissiales, les dangers de l'assimilation, les mariages mixtes, etc. Selon Beaulieu, cette crise s'apparente à l'affaire sentinelliste de la fin des années 1920, et elle pourrait représenter le « réveil » des Franco-Américains (Beaulieu, 1948a).

De leur côté, les pères maristes ne demeurent pas passifs face à cette confrontation. Selon les dires de Beaulieu, ils auraient contacté les différents annonceurs du journal pour les convaincre de le boycotter (Beaulieu, 1948b). *Le Travailleur* organise alors une campagne de souscription auprès de ses lecteurs pour poursuivre la lutte à ce qu'il qualifie d'« anti-survivance française » (Beaulieu, 1948b). Finalement, ce sont des membres du clergé franco-américain qui viennent à la rescousse du journal. L'un d'entre eux aurait notamment donné 1000 $ à Beaulieu pour lui permettre d'acheter une nouvelle presse (Beaulieu, 1949). Bref, nous pouvons affirmer qu'à partir de 1948, *Le Travailleur* se réoriente vers la thèse de la survivance bien que beaucoup d'espace soit encore alloué à la politique internationale.

Conclusion

À la lumière de cette analyse, pouvons-nous considérer *Le Travailleur* comme un journal de combat conçu pour défendre l'idée de la survivance

---

[11] Mentionnons que *L'Étoile* de Lowell participe, elle aussi, activement à cette lutte contre les maristes (Roby, 2000 : 391).

de la Franco-Américanie? Chose certaine, il s'agissait de la mission de départ que Wilfrid Beaulieu avait énoncée clairement dans les premiers numéros et qui a été poursuivie tout au long des années 1930. Ainsi, comme nous l'avons mentionné, les premiers combats menés par l'équipe du journal étaient liés à l'enjeu de la survivance. Pensons à la défense de l'enseignement du français dans les écoles paroissiales, aux appels à la solidarité entre francophones d'Amérique du Nord et aux mises en garde contre les ecclésiastiques d'origine irlandaise. Pendant les années 1930, ces derniers sont en effet régulièrement pris à partie par les collaborateurs du *Travailleur,* qui les décrivent comme des agents assimilateurs dont les lecteurs sont invités à se méfier. *Le Travailleur* reprend ainsi en quelque sorte le flambeau qu'avait porté avant lui *La Sentinelle.* Rappelons d'ailleurs que quelques membres de la défunte *Sentinelle* ont rejoint l'équipe du *Travailleur* en 1931. Une analyse comparative du contenu de ces deux journaux serait assurément enrichissante, puisqu'elle permettrait de noter les continuités et les ruptures dans la presse nationaliste franco-américaine de cette époque.

Puis, nous avons relevé qu'au moment de la Seconde Guerre mondiale, l'équipe du *Travailleur* met au second plan son objectif de survivance pour se consacrer plutôt à l'enjeu de la libération de la France. D'abord à la fois pétainistes et gaullistes, Beaulieu et ses camarades soutiennent ensuite intégralement le mouvement de la France libre. Après la guerre, le journal traverse une période difficile. Plusieurs collaborateurs, qui semblaient plus intéressés par la politique internationale que par la thèse de la survivance, quittent le journal. Faute d'auteurs, *Le Travailleur* compte moins d'articles originaux et la qualité du journal se détériore. Une nouvelle lutte, cette fois contre la communauté des pères maristes, donne un second souffle au *Travailleur,* qui se recentre sur l'idée de la survivance. Ce combat attire de nouveaux collaborateurs et permet à Beaulieu de récolter du financement auprès de curés franco-américains.

Bref, nous pouvons conclure que *Le Travailleur* est bel et bien un journal de combat dont l'objectif est la survie de la Franco-Américanie. Ainsi, au cours des vingt années que nous avons étudiées, la lutte pour la survivance est le principal enjeu abordé par l'équipe du *Travailleur*, supplanté pendant la Seconde Guerre mondiale par la libération de la France. Par ailleurs, nous avons noté que le discours sur la survivance est généralement lié à celui sur l'anglicisation. Beaulieu et ses collègues semblent particulièrement s'inquiéter de l'anglicisation de la jeunesse. Or celle-ci est peu présente dans les pages du journal, et les auteurs s'adressent rarement à elle directement. Cela peut sembler paradoxal. D'un côté, les collaborateurs du *Travailleur* critiquent les dangers de l'anglicisation dans le but de favoriser la pérennité de la Franco-Américanie, mais de l'autre, ils accordent peu d'espace aux jeunes, sur lesquels devrait normalement reposer l'avenir de la nation. En terminant, rappelons que Beaulieu a poursuivi la publication de son hebdomadaire jusqu'en 1978. Il serait pertinent d'examiner l'évolution du combat qu'il a mené dans *Le Travailleur* de 1950 à 1978, d'autant plus que ces années de parution du journal n'ont jusqu'ici jamais été analysées.

BIBLIOGRAPHIE

Journal : *Le Travailleur*

(1933a). « Dans l'Alberta... », 2 février, p. 1.

(1933b). « Mariages mixtes », 9 mars, p. 1-9.

(1933c). « Un grand historien », 4 mai, p. 1.

(1933d). « L'association des Jeune-Canada », 13 juin, p. 1-7.

(1933e). « Ce que le Québec peut faire pour nous », 23 novembre, p. 1.

(1933f). « L'Action nationale et nous », 28 décembre, p. 1.

(1934a). « À conduite d'évêque, parole d'évêque », 11 janvier, p. 1.

(1934b). « L'enseignement français au Canada », 15 février, p. 1.

(1938). « Familles », 14 avril, p. 6.

(1940). « Pétain et de Gaulle », 7 novembre, p. 5.

(1941a). « Notre pays et la guerre », 16 octobre, p. 4.

(1941b). « Avec l'obscuration, le jour s'est levé sur le Pacifique », 11 décembre, p. 1.

(1945). « Le communisme », 17 août, p. 1.

Beaulieu, Wilfrid (1931a). « Notre premier numéro », 10 septembre, p. 1.

Beaulieu, Wilfrid (1931b). « L'urgence de l'école », 24 septembre, p. 1.

Beaulieu, Wilfrid (1934). « De l'avant ! », 3 mai, p. 1.

BEAULIEU, Wilfrid (1941). « La politique de Vichy », 29 mai, p. 1.

BEAULIEU, Wilfrid (1948a). « La trahison d'une communauté religieuse : les Pères Maristes », 19 février, p. 1.

BEAULIEU, Wilfrid (1948b). « Appel à tous nos lecteurs, sans exception... », 20 mai, p. 1.

BEAULIEU, Wilfrid (1949). « Nous avons notre presse!... », 17 mars, p. 1.

DAIGNAULT, Elphège-J. (1931). « La paroisse mixte », 15 octobre, p. 1.

DOLLARD [pseud.] (1931). « À qui nos écoles? À nous... Oui, à nous! », 17 septembre, p. 1.

J'EN ASSURE [pseud.] (1936). « Le mouvement laurentien », 18 juin, p. 1.

LAURENT [pseud.] (1933). « Les ennemis de la langue française : le rôle des évêques irlandais au Canada », 9 mars, p. 1.

LEBAR, Paul (1945). « Reconstruire la France », 20 septembre, p. 1.

MORIN, H.-M.-A. (1940). « France immortelle... », 8 août, p. 1.

PICARD, Roger (1946). « Témoignages », 7 février, p. 1.

Livres et articles

BEAULIEU, Oda (1982). *Wilfrid Beaulieu et son journal* Le Travailleur, Boston, Boston Public Library.

BÉLANGER, Damien-Claude (2000). « L'abbé Lionel Groulx et la crise sentinelliste », *Mens : revue d'histoire intellectuelle de l'Amérique française*, vol. I, n° 1 (automne), p. 7-36.

DE BONVILLE, Jean (2006). *L'analyse de contenu des médias : de la problématique au traitement statistique*, Bruxelles, De Boeck.

HARBOUR, Steeve (1992). Le Travailleur, *les Franco-Américains de Worcester, Massachusetts, et la Deuxième Guerre mondiale*, mémoire de maîtrise, Québec, Université Laval.

LACROIX, Michel, et Nadia ZUREK (2011). « Une journaliste franco-américaine au seuil de l'avant-garde : l'espace des possibles d'Yvonne Le Maître (1876-1954) », *Recherches féministes*, vol. 24, n° 1, p. 77-99.

MOULARY, Josiane (1980). Le Travailleur *et les Franco-Américains du Massachusetts de 1930 à 1940*, mémoire de maîtrise, Montréal, Université du Québec à Montréal.

NOËL, Mathieu (2011). *Lionel Groulx et le réseau indépendantiste des années 1930*, Montréal, VLB éditeur.

QUINTAL, Claire (dir.) (1984). *Le journalisme de langue française aux États-Unis : quatrième colloque de l'Institut français du Collège de l'Assomption (Worcester, Massachusetts, 11-12 mars 1983)*, Québec, Le Conseil de la vie française en Amérique.

ROBY, Yves (2000). *Les Franco-Américains de la Nouvelle-Angleterre : rêves et réalités*, Montréal, Éditions du Septentrion.

ROBY, Yves (2007). *Histoire d'un rêve brisé? Les Canadiens français aux États-Unis*, Québec, Éditions du Septentrion.

Le Canada français vit par ses œuvres : la Saint-Jean-Baptiste vue par le journal *Le Droit*, 1950-1960

Marc-André Gagnon
Université de Guelph

Le 24 juin 1950, des milliers de citoyens répondent à l'appel lancé par les Sociétés Saint-Jean-Baptiste (SSJB) outaouaises à venir assister à un défilé patriotique dit « historique » célébrant la fête nationale des Canadiens français. Profitant des festivités entourant le 150e anniversaire de la fondation de la ville de Hull, les organisateurs réussissent à réunir près de 52 unités composées de plusieurs organisations pour la jeunesse. Ils conçoivent également quatre chars allégoriques représentant des moments clés de l'histoire régionale. Débutant dans la basse-ville d'Ottawa, la procession traverse la rivière des Outaouais avant de se terminer sur la rive québécoise. Le lendemain, précédant l'inauguration d'une croix lumineuse au parc Columbia à Hull, se tient un grand banquet civique au Standish Hall, sous la présidence du maire Alphonse Moussette. L'orateur invité est nul autre que Louis Saint-Laurent, alors premier ministre du Canada.

Pendant que les organisateurs s'affairent au bon déroulement du programme de la Saint-Jean, une équipe de journalistes du *Droit* s'interroge sur le sens à donner à la fête. L'éditorialiste Camille L'Heureux croit que la mobilisation populaire entourant le défilé permettra de « mieux connaître notre force numérique dans la région ». Il convie par le fait même ses lecteurs à une « médiation » sur l'application quotidienne des principes de vie catholique et française (L'Heureux, 1950). Ce besoin de réflexion sur la vie nationale se retrouve également chez Victor Barrette pour qui la fête offre l'occasion de se « livrer à un examen de conscience qui a toujours l'objet de connaître ses propres faiblesses et de montrer les résolutions à prendre » (Barrette, 1950). Quant à Claude Desrosiers, il exhorte ses concitoyens d'Ottawa à étudier les rouages de l'administration municipale dans le but de mieux revendiquer leurs droits (Desrosiers, 1950).

Francophonies d'Amérique, n° 35 (printemps 2013), p. 79-92

La presse joue un rôle essentiel dans la construction des représentations propres aux communautés à l'occasion des fêtes nationales et des autres célébrations visant à susciter le sentiment de fierté des Canadiens français. Cette étude propose d'effectuer un survol des cahiers spéciaux et de la couverture médiatique du journal *Le Droit* lors de la fête annuelle, entre 1950 et 1960. Les éditoriaux, les articles thématiques et même les annonces publicitaires sont des publications qui témoignent du caractère symbolique de l'événement et de l'engagement des acteurs sociaux nécessaire à sa réalisation. Il est possible d'envisager la presse comme un agent définiteur de la fête nationale dans la région de l'Outaouais.

Plus qu'une simple plateforme de diffusion de l'information, les cahiers spéciaux ont permis à la communauté franco-outaouaise de se mobiliser. Ils occupèrent ainsi une place importante dans la stratégie de communication des comités organisateurs. À travers les festivités de la Saint-Jean se développent divers symboles participant à la construction identitaire et mémorielle des Canadiens français. Ne pouvant ignorer la dynamique régionale, nous allons ici mettre en lumière la solidarité entre les francophones des rives québécoise et ontarienne dans l'organisation de ces festivités. L'examen du journal *Le Droit* nous permettra de conceptualiser la région comme un espace dynamique où les pratiques culturelles transcendent la frontière provinciale.

Les historiens ont jusqu'ici étudié la Saint-Jean-Baptiste sous l'angle des commémorations et de la transformation du symbolisme qui lui est associé dans la société québécoise (Ouimet, 2011 ; Malausséna, 2002; Frigault et Olazabal, 2000 ; Boisvert, 1990). Longtemps perçue comme le symbole phare de la solidarité entre les membres de la famille canadienne-française, la fête nationale est contestée au milieu des années 1960. Les grandes ruptures institutionnelles bousculant les relations entre les communautés francophones du Canada, la territorialisation de leur identité et l'engagement grandissant des gouvernements à leur égard viendront modifier considérablement son caractère symbolique. Les études demeurent toutefois muettes sur la portée structurante de ces célébrations pour les francophones hors Québec. Hormis la thèse de maîtrise de Laurier R. Rivet (1976) qui a porté sur les festivités à Ottawa jusqu'au milieu du XXe siècle, peu d'historiens ont exploré le sujet des fêtes de la Saint-Jean-Baptiste en Ontario français. La brève étude de Marc-André Gagnon et Serge Miville (2012) est la seule offrant quelques pistes de recherche sur la question.

Notre étude s'inscrit dans un projet plus large sur les célébrations de la fête nationale en Outaouais. Il convient toutefois de tracer les limites du présent article. Nous laisserons largement de côté son volet religieux pour nous concentrer sur le discours nationaliste émanant de ces célébrations. De plus, nous ne pourrons aborder en détail la relation entre les organisateurs de la Saint-Jean-Baptiste, le réseau associatif canadien-français et le journal *Le Droit*. À ce sujet, soulignons néanmoins que Stéphane Lang (2007) a déjà exploré, dans un article sur les sections jeunesse des SSJB, la relation tumultueuse entre Victor Barrette, journaliste au journal *Le Droit* et officier influent de l'Ordre de Jacques-Cartier, avec certains membres de la SSJB d'Ottawa. Il convient de la garder à l'esprit, car nous avons affaire à un réseau de militants reposant sur des affinités personnelles, professionnelles, idéologiques ainsi que sur des structures de pouvoir. En conséquence, le rôle de la presse dans la construction et la diffusion des discours entourant la fête nationale doit tenir compte de cette dimension.

Informer et mobiliser

La parution des cahiers spéciaux dans le journal *Le Droit* s'inscrit dans un contexte politique bien particulier. Face à la montée en puissance du gouvernement fédéral et de ses initiatives visant à structurer l'économie et les programmes sociaux dans la société d'après-guerre, l'élite nationaliste sent qu'elle doit aussi se mobiliser. Elle éprouve alors le besoin d'accroître les capacités de ses associations à engager les francophones dans la défense de leurs droits. Les SSJB entrent, après 1945, dans une phase d'expansion, tant au Québec qu'en Ontario, au cours de laquelle elles se bureaucratisent et se professionnalisent (Gagnon, 2011 : 162).

Ce changement aura un impact sur les célébrations de la Saint-Jean. La période comprise entre 1950 et 1960 est particulièrement intéressante du point de vue de l'organisation des fêtes en Outaouais. C'est à cette époque que l'on voit apparaître une collaboration étroite entre les SSJB outaouaises, dont celles d'Ottawa, de Hull et d'Eastview, et la Fédération des sociétés Saint-Jean-Baptiste de l'Ontario (FSSJBO).

C'est en mars 1949 que fut mis sur pied le premier comité de la fête nationale à l'initiative de la SSJB d'Ottawa. Cette dernière convoqua neuf sections locales afin d'étudier la possibilité d'organiser un défilé pour l'occasion. Lors des réunions subséquentes, des délégués des SSJB de Hull et d'Eastview furent également invités, de même que des représentants de la SSJB de Montréal, afin de prodiguer des conseils techniques. Bien qu'il fût finalement décidé d'annuler le défilé de 1949, la collaboration entre les trois sociétés avait été jugée positive par leurs dirigeants. Le comité adopta sa forme définitive avec la participation récurrente des deux autres sociétés régionales l'année suivante (*Le Droit*, 1952). Comme partout ailleurs dans la province ontarienne, ces dernières sont responsables de la coordination des événements. Quant à leur fédération provinciale, elle est appelée à donner les mots d'ordre et à développer le sens de la fête plutôt qu'à organiser les célébrations proprement dites[1].

C'est ce à quoi s'affaire Jean Gélinas, président du comité organisateur en Outaouais et membre de la SSJB de Hull, qui souhaite donner une forte dimension régionale aux activités qu'il entend organiser sur le territoire des trois « sociétés sœurs ». Le comité s'adjoint un publicitaire, Charles E. Saint-Germain, qui s'occupera de promouvoir la programmation et qui agira comme agent de liaison avec les différents médias régionaux. Il est à noter que la SSJB d'Ottawa a également son propre comité de publicité sous la direction de Grégoire Farrell (*Le Droit*, 1953a). À l'heure où les SSJB professionnalisent leurs approches et collaborent avec les médias d'information dans plusieurs projets, la publication d'un cahier spécial dans le journal *Le Droit* pouvant servir de tribune aux SSJB ainsi qu'à leurs activités n'a rien d'étonnant. C'est sous cet angle qu'il faut comprendre la démarche des SSJB et non pas comme un signe de faiblesse, tel que l'avance Laurier R. Rivet (1976 : 167).

Le succès remporté en 1950 satisfait les organisateurs. Les SSJB doivent certainement cette forte mobilisation à leur capacité de transmettre efficacement l'information aux citoyens. En publiant, par exemple, l'ordre d'apparition des organismes participant aux défilés, son trajet, le programme du banquet et la liste des dignitaires assistant au feu de la Saint-Jean dans les cahiers spéciaux, le comité organisateur cherche à

[1] Roger Charbonneau, « Circulaire aux SSJB en date du 22 avril 1949 », Université d'Ottawa, Centre de recherche en civilisation canadienne-française (ci-après CRCCF), Fonds Fédération des sociétés Saint-Jean-Baptiste de l'Ontario (ci-après Fonds FSSJBO), C19-4-7. Notons que la SSJB de Hull ne fait pas partie de la fédération provinciale de l'Ontario, mais de celle du Québec. Par contre, elle fait partie du diocèse d'Ottawa.

mousser ces événements. Comme nous le verrons, la presse devient un outil donnant les mots d'ordre et des directives aux participants.

Offrir un témoignage de puissance

Rendre le peuple meilleur. Voilà la devise des SSJB de la région de l'Outaouais. La fête nationale a une valeur hautement éducative en rappelant à l'individu ses droits, mais aussi ses devoirs en tant que Canadien français. Les manifestations culturelles et patriotiques qui en découlent ont pour objectif de participer à l'édification d'un projet de société correspondant à la vision des élites nationalistes. Les fêtes sont donc une occasion d'accroître non seulement les sentiments de fierté, mais aussi la solidarité afin que les francophones soient en mesure de montrer leur esprit de corps.

Dans son message publié à l'occasion de la Saint-Jean-Baptiste de 1956, Waldo Guertin, président de la FSSJBO, invite ses compatriotes à sortir de leur torpeur : « Nous sommes ordinairement si préoccupés par nos tâches et si distraits par les amusements d'inventions modernes que nous négligeons parfois de collaborer afin de faire fructifier notre patrimoine national » (Guertin, 1956). Véritable élément de cohésion du groupe national, la fête du 24 juin permet de développer un discours sur la différence canadienne-française. Il s'agit du refus d'être intégré dans un ensemble canadien qui ne prendrait pas en compte l'existence, au sein d'un même État, de deux nations. On y célèbre l'appartenance à une communauté et on y rejette l'individualisme, l'abandon des traditions, le matérialisme et l'apathie. Ces mauvais sentiments guettent toujours les minorités françaises, soumises plus que partout ailleurs aux pressions de la société anglophone[2]. Pour les combattre, la fête nationale doit faire valoir le caractère structurant et vivant de la nation canadienne-française (Malausséna, 2002 : 110). Elle doit servir de « témoignage de puissance » à la société majoritaire qui l'entoure (Guertin, 1950). Roger Charbonneau, secrétaire de la FSSJBO, partage cette opinion : « Cette fête doit revêtir un caractère tout particulier. Il faut organiser des manifestations [...] même si cela peut coûter quelques dollars. Nous démontrons notre force

[2] Grégoire Farell, « Circulaire du 13 mai 1960 », Université d'Ottawa, CRCCF, Fonds FSSJBO, C19-4-8.

et nous serons respectés davantage par ceux qui ne partagent pas notre foi et notre langue[3]. »

Le défilé permet d'atteindre ce but, car il réussit à mobiliser la communauté francophone et à témoigner, à travers ses institutions et par une démonstration publique, de sa vitalité. En plus de publier l'itinéraire du défilé, la liste des groupes qui y participent et l'ordre des unités qui y figurent, le journal devient une plate-forme de mobilisation donnant aux participants de l'information et des directives à respecter (*Le Droit*, 1950a, 1950b et 1950c). En 1953, le thème proposé par la Fédération ontarienne est « nos mouvements, nos institutions, nos sociétés ». La fête de la Saint-Jean-Baptiste rend ainsi hommage au mouvement des caisses populaires, au scoutisme et à diverses autres associations lors du défilé (*Le Droit*, 1953c : 5). Les chars allégoriques portent sur des thématiques précises et mettent en évidence leurs commanditaires. Nous retrouvons, par exemple, une remorque aux couleurs du *Droit* et de CKAC, une station radiophonique de la région. « L'œuvre de la presse et de la radio est d'une importance capitale dans la survivance de notre race, de notre langue et de notre religion. Le char allégorique [...] a eu pour but de démontrer le rôle de ces deux organes de publicité dans nos foyers », peut-on lire pour l'occasion (*Le Droit*, 1953c : 1).

Le défilé permet également de souligner un événement particulier. À ce titre, celui de 1958 célèbre le scoutisme et les 40 ans de la formation de la première troupe canadienne-française à Ottawa. Une grande partie du cahier spécial de la Saint-Jean est consacrée au mouvement scout régional et à leurs dirigeants. On y traite des valeurs rattachées à ce mouvement qui vise à former les futurs chefs de la nation (Pigeon, 2011). Il faut dire que Jean Gélinas est bien au fait du dossier, puisqu'il siège au comité directeur du scoutisme (*Le Droit*, 1958a). Les membres de ce comité sont d'ailleurs des habitués du défilé. Dès 1950, le commissaire diocésain du scoutisme catholique et canadien-français, Paul McNicoll, insiste dans les pages du journal *Le Droit* sur le devoir de participation de ce mouvement de jeunes au défilé (*Le Droit*, 1950d).

En 1959, le comité de la fête nationale peut compter sur un nouvel organisateur en chef en la personne de Charles Saint-Germain, échevin

[3] Roger Charbonneau, « Aux sociétés affiliées », 9 avril 1950, Université d'Ottawa, CRCCF, Fonds FSSJBO, C19-4-7.

à la Ville d'Ottawa et dirigeant de la section locale Pie X de la SSJB. Dans un défilé en hommage aux « héros », une série de figures historiques du temps de la Nouvelle-France se succèdent avant de laisser place à un jeune Saint-Jean-Baptiste, véritable clou du spectacle. Dans son message à la population, le président de la SSJB d'Eastview, Edgard Viau, fait appel au discours sur la survivance afin de susciter chez ses compatriotes un sentiment de fierté :

> Avoir la fierté nationale. Tels ne sont pas de vains mots. Qui en son cœur, ne possède cette flamme qui nous rallie aux héros du passé dont nous rappelons le souvenir en cette journée de la Saint-Jean-Baptiste 1959 ? Les Cartier, les Champlain, les Laval, les Montcalm, les Dollard des Ormeaux et tant d'autres qui ont embelli les pages de notre glorieuse histoire ne sont pas des personnages fictifs, fruit d'une imagination fertile. Ils ont foulé notre sol et, en ce faisant, ils nous ont laissé un riche héritage qu'il nous incombe de sauvegarder (Viau, 1959).

On notera que la page couverture du cahier spécial contient deux figures ne faisant pas partie du défilé, soit Ludger Duvernay, fondateur de la Société Saint-Jean-Baptiste de Montréal, et Victor Barrette, dont nous avons parlé précédemment. Cette volonté de régionaliser les thèmes des fêtes nationales se manifeste également en 1960. Alors que la Société Saint-Jean-Baptiste de Montréal compte faire du « fait français dans les dix provinces » le thème de son défilé annuel, le comité organisateur de l'Outaouais l'adapte afin d'organiser son défilé autour des réalisations françaises de l'Outaouais[4]. Selon Charles Saint-Germain, le thème « permet de faire une revue des nombreuses difficultés que nos devanciers ont dû surmonter et de mettre en évidence les résultats encourageants d'au-delà d'un siècle d'efforts patients, mais fermes, pour améliorer les positions de nos compatriotes » (*Le Droit*, 1960a).

La couverture médiatique ne se limite pas qu'aux défilés. Les SSJB de la région organisent également des feux de joie, des banquets et d'autres événements dans le cadre de la fête nationale. Ces banquets donnent souvent lieu à des activités protocolaires en présence de différents dignitaires politiques et religieux. Il n'est pas rare d'y voir les trois maires des « villes sœurs » allumer le feu de joie ou d'y inviter un conférencier de marque. *Le Droit* n'hésite pas à rapporter les discours prononcés lors

---

[4] Grégoire Farell, « Circulaire du 13 mai 1960 », Université d'Ottawa, CRCCF, Fonds FSSJBO, C19-4-8.

de ces occasions, comme c'est le cas d'une conférence du journaliste Pierre Laporte donnée à Ottawa lors du banquet de la Saint-Jean en 1956 (*Le Droit*, 1956). Portant sur l'économie, elle témoigne de l'intérêt grandissant des SSJB pour ce sujet (Gagnon, 2011 : 166).

Les cahiers spéciaux offrent une tribune intéressante pour les SSJB. En plus de reproduire les appels à la mobilisation, les messages officiels des présidents des différentes sociétés, ils proposent une foule de renseignements utiles sur leur historique et leurs réalisations (Guertin, 1950; *Le Droit*, 1953b; Charbonneau, 1953). La couverture des festivités permet aussi de lever le voile sur les artisans travaillant à la réussite des fêtes de la Saint-Jean. C'est le cas, par exemple, des concepteurs des chars allégoriques ainsi que de leurs commanditaires (*Le Droit*, 1955). Au fil de la décennie, ces publications traitent également du rôle central du comité organisateur et de ses dirigeants pour qui la brièveté de la démonstration du sentiment de solidarité est problématique. Charles Saint-Germain explique que « pour nous canadiens-français, la célébration de la fête nationale ne doit pas être la chose d'une seule journée, un défilé patriotique » (*Le Droit*, 1960a). Un avis que partage le président de la SSJB de Hull et du nord de l'Outaouais, René Deschênes, qui propose de devenir membre de la Société Saint-Jean-Baptiste pour remédier au problème (Deschênes, 1958).

La vision qu'entretiennent les SSJB de l'Ontario et du Québec souscrit à la vision traditionnelle de la nation selon laquelle le Québec est le foyer des Canadiens français. Dans ces conditions, le Québec aurait un statut particulier au sein de la Confédération puisqu'il serait à l'avant-garde de la défense des minorités (Bock, 2006 : 221). Célébrée autant au Québec qu'ailleurs au Canada, la Saint-Jean-Baptiste en Ontario n'est donc pas qu'une excroissance du phénomène québécois, comme a voulu nous le faire croire Laurier R. Rivet (1976 : 184). Bien qu'elles projettent de faire partie de la même nation et fassent appel aux mêmes symboles, les élites franco-ontariennes développent un discours axé sur les défis d'une communauté en situation minoritaire. Cette réalité est transposée dans les pages du journal *Le Droit* et dans la couverture qu'offrent les cahiers spéciaux. En 1952, le journal publie une série d'articles sur la situation des francophones hors Québec. L'année suivante, *Le Droit* reproduit de larges extraits de *Moi, Franco-Ontarien!*, un pamphlet patriotique du journaliste Victor Barrette originellement publié par la Société historique du Nouvel-Ontario en 1947 (Barrette, 1953).

Comme nous l'avons exposé précédemment, la fête nationale des Canadiens français se veut également une fête patronale. Dans leur quête pour rendre le peuple meilleur, la figure du saint patron du Canada français servira d'exemple autant aux SSJB qu'aux éditeurs du *Droit* pour illustrer leurs propos. À une époque où le nationalisme est fortement teinté de connotations religieuses, Jean le Baptiste devient un symbole incarnant des valeurs apostoliques. Les cahiers spéciaux et la couverture du journal *Le Droit* témoignent de cet aspect. Rappelons que le journal est alors la propriété de la communauté oblate et que ses prises de position sont en conformité avec la doctrine sociale de l'Église.

Quant aux éditoriaux, ils traitent des sentiments et des thèmes chers à l'Église et aux Sociétés Saint-Jean-Baptiste. Le saint patron des Canadiens français (officialisé en 1908) y est vu comme un modèle à suivre. Pour l'éditorialiste Camille L'Heureux, c'est un précurseur qui a su aller au-devant de ses compatriotes et agir seul au nom de la vérité (L'Heureux, 1950 et 1951). Comme nous l'avons mentionné précédemment, la promotion des valeurs catholiques et canadiennes-françaises passe par un rejet de l'individualisme et du matérialisme. L'éditorialiste du *Droit* voit en saint Jean-Baptiste un modèle tout désigné : « Dans son temps, saint Jean-Baptiste s'était élevé contre le matérialisme et l'immoralité. On les retrouve aujourd'hui sous les mêmes formes ou sous des aspects encore plus dangereux. À l'exemple de notre patron, nous devons nous garder contre les courants des erreurs et des maux qui égarent aujourd'hui tant d'esprits » (L'Heureux, 1958).

Quand les gens d'affaires entrent en scène

L'étude des cahiers spéciaux publiés au cours de cette décennie nous permet d'élucider un aspect inédit des célébrations : son financement et son potentiel lucratif. Inutile de mentionner que pour les éditeurs, leur publication représentait une occasion d'affaires. À l'intérieur des pages du journal, se dévoile toute une communauté d'entrepreneurs prête à investir son argent en échange de visibilité. Pour ce faire, nous avons analysé près de 1000 encadrés publicitaires trouvés dans *Le Droit* entre 1950 et 1960. En s'attardant à la provenance des annonceurs, il est possible de comprendre l'étendue de la couverture du quotidien.

La grande majorité des publicités proviennent de petites et moyennes entreprises, œuvrant principalement dans le domaine des services tels que la vente au détail ou les services professionnels (85 % en 1960). Si plusieurs se contentent de remercier leur clientèle et de leur présenter leurs hommages, certains transmettent des messages plus précis. Par exemple, la quincaillerie Pilon de Hull appelle les compatriotes à respecter leur passé et à demeurer fidèles à leurs traditions (*Le Droit*, 1958b). C'est le cas également du bijoutier J.-Émile Lauzon de la région d'Ottawa pour qui cette « lutte pour les conserver doit primer sur tout autre [...] Nous montrerons notre force en défendant nos droits » (*Le Droit*, 1954). La fête nationale permet de célébrer les succès de compatriotes, comme en témoigne la publicité de Jean-François Simard, courtier en valeurs d'Ottawa : « C'est toujours un plaisir plus grand à chaque année d'applaudir aux succès des nôtres. Aussi nous profitons de notre fête nationale pour les féliciter chaleureusement et les encourager à continuer leurs efforts pour un avenir meilleur » (*Le Droit*, 1959). D'autres commerces profitent de l'occasion pour rendre hommage au travail des SSJB, comme c'est le cas de l'imprimerie Leclerc de Hull qui demande « si nos enfants auraient le privilège de fréquenter une école catholique et française s'il n'y avait eu aucun groupement comme la Saint-Jean-Baptiste pour revendiquer et défendre nos droits ? » (*Le Droit*, 1958c).

Les autres encarts proviennent principalement des entreprises manufacturières, des grandes chaînes de commerce au détail, des banques. On trouve également des représentants du secteur associatif, des institutions d'enseignement, des congrégations religieuses et des Sociétés Saint-Jean-Baptiste. Certaines publicités sont payées par les municipalités. Bien souvent, les autorités municipales sont appelées à collaborer avec les organisateurs, notamment lors des défilés. À une époque où le financement des festivités repose largement sur des initiatives locales, l'achat de visibilité par les autorités publiques est une aide précieuse permettant la publication du cahier spécial.

Si certaines entreprises ne manquent pas d'imagination dans leur stratégie publicitaire, comme la ferronnerie Kelley-Leduc de Hull qui n'hésite pas à parler de la Saint-Jean comme d'une fête d'amour, il semble que les commerces ne soient pas les seuls à vouloir charmer les lecteurs. Les politiciens sont sur les rangs, particulièrement lors des élections de 1960, alors que les députés unionistes Lionel Émond (Hull) et Roméo Lorrain (Papineau) tentent de se faire réélire. Usant du thème des célébrations en cours, le ministre Lorrain associe le travail du journal

Le Droit aux grandes réalisations françaises de la vallée de l'Outaouais (*Le Droit*, 1960b). Quant à Lionel Émond, il profite de sa publicité pour mousser sa campagne et aborder la défense de l'autonomie provinciale qu'il estime de circonstance dans le cadre de la fête de la Saint-Jean-Baptiste (*Le Droit*, 1960c).

Si, en 1950, la totalité des annonceurs viennent de Hull, d'Ottawa et d'Eastview, leur provenance se diversifie au milieu des années 1950. Alors que les articles traitent exclusivement d'Ottawa-Hull au début de la décennie, les pages du journal s'ouvrent éventuellement aux festivités d'Embrun, de Buckingham, Maniwaki, Cornwall et Sudbury, attirant par le fait même de nouveaux clients. Cette volonté de couvrir un plus grand espace médiatique témoigne de la stratégie des éditeurs visant à développer l'influence de leur journal hors du centre urbain d'Ottawa. C'est aussi à cette époque que le quotidien tente de percer le marché du Nord ontarien, là où on retrouve plusieurs communautés francophones.

Naturellement, les représentations symboliques associées aux publicités changent au cours de la décennie. Au début des années 1950, la majorité des publicités arborent la feuille d'érable. Celle-ci comporte généralement soit un castor ou un blason qui reproduit la devise des SSJB du Québec : *Nos institutions, notre langue, nos lois*. Ce sont là des symboles traditionnels du Canada français. Qui plus est, les SSJB vendent chaque année des cocardes en forme de feuille d'érable afin de financer leurs activités ; les publicités se veulent donc le reflet de ce mode de financement. Le drapeau québécois est alors peu visible. On assiste graduellement à un renversement de la tendance. En 1960, le fleurdelisé prend davantage d'importance, y compris du côté des entreprises ontariennes qui l'utilisent aussi comme symbole de la francophonie. À noter que d'autres insignes ont été utilisés, mais n'ont pas perduré. En 1953, année du couronnement de la reine Élizabeth, quelques compagnies ont choisi d'arborer l'*Union Jack* ou le *Red Ensign* dans leur publicité, utilisation qui s'estompe au cours de l'année suivante.

Au final, l'examen des annonces publicitaires permet de lever le voile sur un réseau de gens d'affaires, essentiel à la publication du cahier spécial. Les prochaines étapes de nos travaux nous amèneront à comparer la liste de ces annonceurs avec celle des adhérents aux SSJB ainsi que des membres de l'Ordre de Jacques-Cartier afin de mieux rendre compte de la présence des gens d'affaires dans ces organisations.

ꝏ ꝏ

Lieu de rassemblement et d'expression de la fierté canadienne-française, les activités entourant la Saint-Jean-Baptiste ont joué un rôle déterminant dans l'affirmation des francophones en Outaouais. Nous avons voulu montrer dans cette étude le rôle central de la presse dans la diffusion de l'information, la mobilisation des individus, de même que dans la construction des symboles propres à cette fête. Le journal *Le Droit* participe ainsi à la construction identitaire et mémorielle des Canadiens français. Les éditoriaux, les articles et les publicités contenues dans les cahiers spéciaux témoignent de la capacité d'un journal de structurer le devenir collectif en mêlant les représentations du passé aux visions d'avenir.

La Saint-Jean des années 1950 se démarque de celle de la décennie précédente par son meilleur niveau d'organisation. La différence est tout aussi frappante dans le cas de la Saint-Jean des années 1960, qui apportera son lot de nouveautés. Les changements démographiques, l'apparition de nouveaux répertoires d'action collective, les tensions au sein du réseau institutionnel canadien-français, la sécularisation accrue à la suite de Vatican II et la montée du nationalisme québécois s'ajouteront aux critiques formulées à l'endroit des Saint-Jean dites « traditionnelles ». Dans la région de l'Outaouais, la création du diocèse de Hull en 1961 viendra mettre graduellement un terme aux activités du comité organisateur regroupant les trois « sociétés sœurs ». De plus, celles-ci entreront dans une phase de repli, laissant le soin à d'autres organismes de présider à l'organisation des fêtes de la Saint-Jean.

De cette période de remise en question et d'incertitude, *Le Droit* demeure un témoin privilégié. Il continuera de jouer un rôle important en ouvrant ses pages aux opinions, en couvrant les activités des organisateurs et en informant le public de leur teneur. Les cahiers spéciaux s'amenuiseront au cours de cette décennie, mais le journal continuera de promouvoir les sentiments de fierté et de solidarité qui se rattachent à cette célébration.

BIBLIOGRAPHIE

Archives

Université d'Ottawa, Centre de recherche en civilisation canadienne-française
Fonds Fédération des sociétés Saint-Jean-Baptiste de l'Ontario, C19

Journal : *Le Droit* (1950-1960)

(1950a). « Drapeaux vivants dans le défilé de la Saint-Jean-Baptiste », 8 juin, p. 13.

1950b). « Rumeurs niées par les organisateurs de la Saint-Jean-Baptiste », 9 juin, p. 24.

(1950c). « Dernières directives en vue du défilé historique », 23 juin, p. 4.

(1950d). « La chronique scoute », 24 juin, p. 12.

(1952). « Historique du comité de la fête nationale à Hull-Ottawa-Eastview », 21 juin, p. 6-7.

(1953a). « Assemblée générale annuelle de la Société Saint-Jean Baptiste d'Ottawa », 1er juin, p. 9.

(1953b). « Pourquoi une S.S.-J.B. », 20 juin, p. 8.

(1953c). « Magnifique défilé de la St-Jean-Baptiste », 22 juin, p. 1, 5.

(1954). « Publicité de J.-Émile Lauzon », 21 juin, p. 21.

(1955). « Chefs-d'œuvre ambulants », 23 juin, p. 24.

(1956). « Nous devons reprendre la maîtrise de notre économie », 25 juin, p. 20.

(1958a). « Début et évolution du scoutisme avec le commissaire Paul McNicoll », 21 juin, p. 17.

(1958b). « Publicité de Pilon Lté. », 21 juin, p. 7.

(1958c). « Publicité de L'imprimerie Leclerc Lté », 21 juin, p. 3.

(1959). « Publicité de J.-F. Simard Compagnie Lté », 20 juin, p. 20.

(1960a). « Les villes-sœurs fêteront la fête nationale avec éclat », 18 juin, p. 27.

(1960b). « Message de l'Hon. Roméo Lorrain », 18 juin, p. 40.

(1960c). « Hommages à tous mes compatriotes, mes vœux les meilleurs à l'occasion de la fête nationale », 18 juin, p. 8.

Barrette, Victor (1950). « Au soir de la Saint-Jean », 24 juin, p. 3.

Barrette, Victor (1953). « Moi, Franco-Ontarien ! », 20 juin, p. 2-3.

Charbonneau, Roger (1953). « La Fédération des sociétés Saint-Jean-Baptiste de l'Ontario », 20 juin, p. 10.

Deschênes, René (1958). « Message du président régional », 21 juin, p. 2.

Desrosiers, Claude (1950). « Méditations en ce jour de la St-Jean : revendiquons nos droits », 24 juin, p. 11.

Guertin, Waldo (1950). « Pour la fête nationale », 8 juin, p. 3.

Guertin, Waldo (1956). « Message du président de la FSSJB du Québec », 23 juin, p. 23.

L'Heureux, Camille (1950). « La Saint-Jean-Baptiste », 24 juin, p. 3.

L'Heureux, Camille (1951). « Jean précurseur », 23 juin, p. 2.

L'Heureux, Camille (1958). « La Saint-Jean-Baptiste, notre fête patronale », 24 juin, p. 2.

Viau, Edgard (1959). « Message du président de la SSJB d'Eastview », 20 juin, p. 10.

Livres et articles

Bock, Michel (2006). « La Providence, l'histoire et la conception groulxiste de l'Amérique française », dans Thomas Wien, Cécile Vidal et Yves Frenette (dir.), *De Québec à l'Amérique française : histoire et mémoire,* Québec, Les Presses de l'Université Laval, p. 209-225.

Boisvert, Donald Luc (1990). *Religion and Nationalism in Québec: the Saint-Jean-Baptiste celebrations in sociological perspective*, thèse de doctorat, Ottawa, Université d'Ottawa.

Frigault, Louis-Robert, et Ignace Olazabal (2000). « La fête de la Saint-Jean-Baptiste dans le quartier du Mile-End de Montréal : nouvelle signification pour un lieu de mémoire ? », *Revue européenne des migrations internationales*, vol. 16, n° 2, p. 143-152.

Gagnon, Marc-André (2011). « Édifier l'État québécois : la transformation du discours public au sein de la Fédération des sociétés Saint-Jean-Baptiste du Québec, 1947-1962 », *Bulletin d'histoire politique,* vol. 19, n° 3, p. 161-169.

Gagnon, Marc-André, et Serge Miville (2012). « L'horizon nationalitaire et l'avenir de la francophonie canadienne : le cas de la Saint-Jean-Baptiste (1968-1986) », *La Relève*, vol. 3, n° 1, p. 18-19.

Lang, Stéphane (2007). « L'œuvre par excellence de relèvement religieux et national de l'Ordre de Jacques-Cartier : les sections juvéniles de la Société Saint-Jean-Baptiste d'Ottawa dans les écoles franco-ontariennes (1936-1941) », dans Michel Bock (dir.), *La jeunesse au Canada français : formation, mouvements et identité*, Ottawa, Les Presses de l'Université d'Ottawa, p. 211-243.

Malausséna, Katia (2002). *Essai d'archéologie comparée des commémorations nationales anglaises, françaises et québécoises (1980-2000),* thèse de doctorat, Québec, Université Laval.

Ouimet, Marc (2011). *Le lys en fête, le lys en feu : la Saint-Jean-Baptiste au Québec de 1960 à 1990*, mémoire de maîtrise, Montréal, Université du Québec à Montréal.

Pigeon, Émilie (2011). *Providence, nationalisme et obligation sociale : l'histoire des scouts d'Ottawa, 1918-1948,* thèse de maîtrise, Ottawa, Université d'Ottawa.

Rivet, Laurier R. (1976). *La Saint-Jean-Baptiste à Ottawa, 1853-1953,* thèse de maîtrise, Ottawa, Université d'Ottawa.

L'ancrage culturel de la minorité française au Manitoba, d'après le discours sur la Saint-Jean-Baptiste dans *La Liberté* : du « geste de patriotisme pratique » au temps de la colonisation à la « fête franco-manitobaine » des années 1970[1]

Dominique Laporte
Université du Manitoba

> *La Liberté* a été, depuis dix ans au Manitoba, comme le *Patriote* dans la Saskatchewan, comme le *Droit* dans l'Ontario et l'*Evangéline* en Acadie, le lien des divers groupes français, le porteur des mots d'ordre nécessaires, l'aiguillon des courages, l'énergique soutien des bonnes volontés.
>
> Omer Héroux, *Le Devoir*

> Il y a quelque chose de pire que n'être patriote que le 24 juin, c'est de ne l'être pas même ce jour-là.
>
> Alexandre Dugré, *La Liberté*

Fondé le 20 mai 1913, le journal *La Liberté* a célébré son centième anniversaire en 2013, une occasion propice à une étude rétrospective de cet hebdomadaire et de la presse franco-manitobaine. Pour la circonstance, Jean-Pierre Dubé a publié une chronique, « *La Liberté* revisitée », qui comprend un article sur le premier journal français du Manitoba, *Le Métis* (1871-1881), dans l'édition de *La Liberté* du 22 au 28 mai 2013 (p. 9). Dans son article, Dubé se réfère à un éditorial du père Jean-Paul Aubry, « Le premier journal de langue française du Manitoba » (p. 4), destiné à souligner le centième anniversaire de la naissance du *Métis*, fondé par Joseph Royal et Joseph Dubuc, deux journalistes originaires du Québec. Publié dans *La Liberté et le Patriote*[2]

---

[1] Je suis reconnaissant à Gilles Lesage, Julie Reid et Monique Gravel de l'aide précieuse qu'ils m'ont apportée au Centre du patrimoine de la Société historique de Saint-Boniface.

[2] Après la fusion de *La Liberté* et du *Patriote de l'Ouest* en 1941, *La Liberté* porta le nom de *La Liberté et le Patriote* du 23 avril 1941 au 20 octobre 1971. Entre 1913 et

du 26 mai 1971, cet éditorial anticipe sur une chronique du père Aubry, « Les premiers journaux francophones du Manitoba », qui se trouve à la page 5 des éditions du 26 mai et des 2, 9, 16, 23 et 30 juin 1971. Le numéro du 16 juin retiendra notre attention, car il inclut, outre la chronique du père Aubry sur *Le Métis*, un article non signé, « Il y a cent ans on commençait à fêter la St-Jean au Manitoba » (p. 9), où un compte rendu de la première célébration de la Saint-Jean-Baptiste à Saint-Boniface, paru dans *Le Métis* du 29 juin 1871, est cité. En retraçant le commencement de la presse et celui de la fête nationale des Canadiens français au Manitoba en 1871 d'après *Le Métis*, cette édition de *La Liberté et le Patriote* témoigne non seulement de l'autoréférentialité de la presse franco-manitobaine, mais aussi de sa capacité à contribuer rétrospectivement au récit fondateur du Manitoba français en tant que « nation imaginée » (Anderson, 2002). La chronique du père Aubry évoque d'ailleurs la tendance du *Métis* à défendre les intérêts de la colonie de la Rivière-Rouge après l'entrée du Manitoba dans la Confédération en 1870.

Or l'éditorial du père Aubry publié dans le même numéro et intitulé « Faut-il encore fêter la St-Jean ? » (p. 4) ramène à d'autres proportions la Saint-Jean-Baptiste au Manitoba :

> On voulut en faire ici aussi, une occasion de ralliement pour toute la population francophone. Y a-t-on jamais réussi ? Il ne semble pas, du moins au plan provincial. Les circonstances géographiques, telles que l'état des routes, les distances, ne s'y prêtaient pas beaucoup. Cela explique peut-être pourquoi en nos milieux la St-Jean se transforma en une solennité exclusivement religieuse.

À l'époque où le père Aubry écrit ces lignes, la tradition de la Saint-Jean au Manitoba ne persiste que dans la municipalité rurale de La Broquerie, au sud-est de Winnipeg, grâce à la Société Saint-Jean-Baptiste (ci-après SSJB) de La Broquerie. Fondée en 1897, cette SSJB célèbre ses soixante-quinze ans en 1972 et devient la seule encore en activité au Manitoba en 1975, après la dissolution de la SSJB de Winnipeg (1890-1975) dans la paroisse du Sacré-Cœur de la capitale manitobaine (Martin, 2010 : 96-105). D'autres SSJB avaient auparavant organisé la Saint-Jean localement, dont la plus ancienne fondée à Saint-Boniface en 1871[3] et active jusqu'en 1955. Établie en 1884,

---

1971, le journal fut rédigé successivement par Hector Héroux (de 1913 à 1923), par Donatien Frémont (de 1923 à 1941) et par des pères oblats (de 1941 à 1971).

3 La doyenne des SSJB du Manitoba porta successivement les noms suivants : Association Saint-Jean-Baptiste de Manitoba (1871-1894), Association Saint-Jean-

celle de Saint-Pierre (Saint-Pierre-Jolys) célébra son cinquantenaire en 1934[4] et maintint la tradition de la Saint-Jean en région jusqu'à ce qu'une fête bilingue locale la supplante en 1970 (les *Folies grenouilles = Frog Follies*). Cela dit, le père Aubry surestime à certains égards l'éloignement des lieux de peuplement francophones dans cette province, car les populations qui fêtaient la Saint-Jean dans leur paroisse avaient l'habitude d'inviter celles d'autres paroisses pour la circonstance.

Il n'empêche que la disparition de la SSJB de Saint-Boniface en 1955 accentua la régionalisation de la Saint-Jean au Manitoba, car la SSJB de Winnipeg demeura une association paroissiale au centre-ville de la capitale manitobaine jusqu'en 1975. Dans ce contexte, le père Aubry approuve dans son éditorial la relance provinciale de la Saint-Jean à La Broquerie. Son exhortation à la concevoir comme « la fête nationale de toute la population canadienne qui se veut de langue et de culture françaises » trahit ses réticences à l'égard de « la fête nationale des "Québécois" », qu'il considère comme un « provincialisme » nuisible à la tentative de rapprochement national faite à La Broquerie. Avant de signer son dernier éditorial le 15 septembre 1971 et de céder la place à un rédacteur laïque, le père Aubry ne pouvait en revanche escompter à titre d'éditorialiste la collaboration de *La Liberté*, de la Société franco-manitobaine (ci-après SFM) et de la SSJB de La Broquerie à la réorganisation de la Saint-Jean-Baptiste en une « fête franco-manitobaine ».

Au premier abord, ce changement d'appellation corrobore la tendance des minorités francophones du Canada à redéfinir leurs symboles identitaires selon leur province d'origine après la rupture des liens traditionnels entre le Québec et le reste du pays à l'issue des États généraux du Canada français de 1967 (Martel, 1997). Or la montée de l'indépendantisme

---

Baptiste de Saint-Boniface (1894-1912), Société Saint-Jean-Baptiste de Saint-Boniface (1912-1955).

[4] Ce cinquantenaire coïncida avec le centenaire de la fondation de la SSJB par Ludger Duvernay, le tricentenaire de la fondation de Trois-Rivières et le quatre centième anniversaire de l'arrivée de Jacques Cartier au Canada. À l'occasion de la Saint-Jean à Saint-Pierre en 1934, une parade historique donna à voir les instruments aratoires des pionniers de l'Ouest (Lacerte, 1934). À la même époque, *La Liberté* exhorte au coopératisme agricole pour remédier au chômage dans les villes sur un fond de crise économique et de « désertion des campagnes ». La SSJB de Saint-Boniface forme à cette fin un comité de retour à la terre en 1932 (Frémont, 1935 : 3).

québécois n'a pas provoqué la « franco-manitobanisation » de la Saint-Jean-Baptiste. En fait, la campagne médiatique menée en faveur de la fête franco-manitobaine de La Broquerie à partir de 1970 se situe en aval plutôt qu'en amont de l'évolution des discours institutionnels sur la Saint-Jean au Manitoba. Tout en la présentant comme la fête patronale et nationale des Canadiens français, le journal *La Liberté*, la SSJB de Saint-Boniface et d'autres institutions tendent, dès les années 1910, moins à rappeler l'histoire du Canada français qu'à *faire* celle du Manitoba français, et à contribuer, en conséquence, au développement d'un patrimoine culturel régional plutôt que national.

Le patriotisme pratique au temps de la colonisation

Pendant la Première Guerre mondiale, Hector Héroux, premier rédacteur de *La Liberté* et frère d'Omer, rédacteur du *Devoir*, lance une souscription en faveur d'une colonisation canadienne-française dans les paroisses rurales du Manitoba après des tentatives plus ou moins fructueuses de la part du clergé (Lalonde, 1979 ; Painchaud, 1987). Dans l'espoir d'y attirer des Canadiens français du Québec et d'y rapatrier des Franco-Américains de la Nouvelle-Angleterre, il enjoint à ses lecteurs, le 23 mai 1917, non seulement d'inscrire leur nom sur la liste des souscripteurs publiée dans *La Liberté*, mais aussi de s'impliquer dans la campagne de colonisation en fournissant la « bonne liste de noms de cultivateurs, ou de fils de cultivateurs de Québec ou d'ailleurs auxquels adresser la **Liberté** pendant trois mois » (« Notre Liste », p. 1 ; en caractères gras dans le texte). Le journal s'engage en retour à publier gratuitement pendant un an toute réclame susceptible d'inciter des colons à s'établir dans les paroisses prospères du Manitoba français. Pour cette « propagande de colonisation » ou « propagande colonisatrice », selon la terminologie de son temps, Héroux reçoit l'appui de la Ligue de la presse catholique de langue française[5] et peut compter sur l'aide des cercles manitobains de l'Association catholique de la jeunesse canadienne-française (ci-après ACJC), dont ceux de Saint-Boniface (Cercle La Vérendrye[6]) et de la paroisse rurale de Saint-Jean-

[5] Voir « Aux Nôtres » et « Remerciements » à la une de *La Liberté* du 30 mai 1917.

[6] Fondé en 1907 au Collège de Saint-Boniface, le Cercle La Vérendrye était le doyen des cercles manitobains de l'ACJC.

Baptiste (Cercle Saint-David[7]). Un correspondant manitobain du *Devoir* publie quant à lui trois articles sur la colonisation canadienne-française au Manitoba dans le quotidien de Montréal (Belart, 1917), dont l'empathie pour les minorités françaises ne se démentira pas au cours des décennies suivantes. De son côté, l'abbé Joseph-Norbert Jutras, curé de Letellier et chroniqueur agricole de *La Liberté*, donne l'exemple en inscrivant son nom sur la liste des souscripteurs, où il figure à la une à partir du 13 juin 1917.

Dans la foulée, Héroux encourage ses lecteurs à mettre en pratique leur patriotisme après avoir célébré la Saint-Jean. Comme il l'écrit le 4 juillet 1917 en première page, sous le titre « Notre Campagne »,

> [l]a Saint-Jean-Baptiste a été fêtée la semaine dernière; on a peut-être bercé notre patriotisme dans le berceau des souvenirs du passé. Ce n'est pas mal, mais songeons au présent et à l'avenir. Posons un acte, si petit soit-il, comme preuve que la Saint-Jean-Baptiste n'a pas été pour nous une vaine fête.

Avant de devenir le leitmotiv de l'éditorial de *La Liberté* à l'occasion de la Saint-Jean, cet appel réitéré à un « geste de patriotisme pratique » (Belart, 1917) se répercute dans les colonnes de la rubrique « En Province ». Le plaidoyer d'un correspondant anonyme de Sainte-Anne-des-Chênes à la cause de la colonisation dans le numéro du 23 mai 1917 (p. 7) se révèle à cet égard doublement significatif : en plus de louer le patriotisme de cette paroisse, de sa SSJB et de son école, il constitue une « défense et illustration de la langue française » dans le contexte de la résistance à la proscription de l'enseignement du français dans les écoles publiques du Manitoba en 1916, en vertu de la loi Thornton.

> Nos amis du Québec qui voudraient s'établir à Sainte-Anne n'ont pas besoin de craindre de ne pouvoir faire apprendre le français à leurs enfants. [...] Nous n'en sommes pas encore réduits à « la dernière leçon de français[8] ». [...] Un

---

[7] Une lettre de J. D. Létourneau, du Cercle Saint-David, adressée à N. Fournier, de Saint-Boniface, et datée du 30 avril 1917 atteste l'implication de ce cercle rural dans la campagne de colonisation : « À propos de votre lettre du 16 courant, je dois vous dire que toutes les copies de la Liberté que nous pouvons nous procurer nous les adressons a [*sic*] des parents et amis des États-Unis, nous faisons cela depuis quelques [*sic*] temps » (« Cercle La Vérendrye de l'ACJC : correspondance 1915-1929 », Société historique de Saint-Boniface [ci-après SHSB], Fonds Raymond Bernier, 69/530/20).

[8] Allusion à « La dernière classe », l'un des *Contes du lundi* d'Alphonse Daudet paru dans *L'Événement* du 13 mai 1872, au lendemain de l'annexion de l'Alsace à l'Allemagne. Ce conte est publié le 27 septembre 1916 par *La Liberté*, dans le contexte de la Première Guerre et de la résistance à la loi Thornton (Poliquin, 2012).

> concours de grammaire auquel nous assistons, le soir de l'Ascension, nous en donnait une nouvelle preuve. On se rappelle que notre Société Saint-Jean-Baptiste décidait, il y a quelque temps, de donner des prix aux écoliers de la paroisse pour les encourager dans l'étude du français et de l'histoire du Canada[9].

À cette apologie s'ajoute le compte rendu d'une assemblée générale de la SSJB de Sainte-Anne-des-Chênes, publié dans *La Liberté* du 30 mai 1917 (p. 4). Ce compte rendu est suivi de cette annonce à l'intention de colons potentiels : « **Terres à vendre** [...] Ces deux terres peuvent être achetées ensemble ou séparément. Pour plus de renseignements, s'adresser au Secrétaire de la Société Saint-Jean-Baptiste » (en caractères gras dans le texte). Les terres de Saint-Adolphe font, elles aussi, l'objet d'une annonce publiée dans *La Liberté* du 26 juin 1918 (p. 4) et signée d'un « J'y reste ». Cette annonce ne s'adresse pas en particulier à des colons originaires du Québec ou des États-Unis, mais exhorte les lecteurs de *La Liberté* au patriotisme pratique prôné par Héroux :

> La meilleure proposition que nous pourrions faire à nos compatriotes manitobains serait de les engager à venir visiter ces riches terres à l'occasion de la grande célébration de la Saint-Jean-Baptiste [...]. Ici, tout en vous récréant, vous pourrez faire œuvre patriotique en vous instruisant sur les merveilleuses ressources de nos paroisses, qui doivent avant tout appartenir aux nôtres.

Le voyage de « Liaison française »

Au cours des années 1920, la recrudescence de l'émigration de Canadiens français du Québec aux États-Unis pousse l'abbé J.-A. Ouellette, directeur du bureau fédéral de colonisation, à organiser, en 1924, le premier voyage de « Liaison française » dans l'Ouest à seule fin de rapatrier des émigrés. Environ cent ecclésiastiques du Québec et des États-Unis participent à cette excursion pour « voir leurs compatriotes de l'Ouest chez eux et recueillir des informations de première main sur leur situation religieuse,

[9] En 1976, Sainte-Anne-des-Chênes franchit le cap de son centenaire tout en conservant sa réputation de « village gaulois ». Le 24 juin 1976, la motion du commissaire O'Rourke contre Normand Boisvert, directeur général de la Division de la Rivière-Seine favorable à l'école française, fut défaite par un vote majoritaire des commissaires après l'écoute de quarante-quatre mémoires. « Ainsi célèbre-t-on, à Sainte-Anne, la Saint-Jean-Baptiste, Fête nationale des Canadiens Français », lit-on à la une de *La Liberté* du 1er juillet, sous le titre « Une soirée mémorable marque la Saint-Jean à Sainte-Anne ».

scolaire, économique et nationale », lit-on à la une de *La Liberté* du 1er juillet 1924, sous le titre « Le Manitoba souhaite la bienvenue aux excursionnistes de "Liaison française" ». Pour marquer le coup, la SSJB de Saint-Boniface parraine une réception en leur honneur, tandis que tous les quotidiens canadiens-français envoient chacun un représentant, comme le rapporte *La Liberté* du 1er juillet 1924, sous le titre « Les voyageurs sont arrivés à Saint-Boniface » (p. 1). Dans *La Liberté* du 8 juillet 1924, cette réception fait l'objet d'un article qui rapporte les discours prononcés pour la circonstance par J.-A. Marion, président de la SSJB de Saint-Boniface de 1922 à 1923 et président de la Commission scolaire de Saint-Boniface, et par l'honorable Joseph Bernier, député de Saint-Boniface et ancien président de la SSJB de Saint-Boniface de 1911 à 1912 (« La Liaison française à St-Boniface et dans l'Ouest », p. 1). Dans son discours, Bernier pare au plus pressé : « Il nous faut des colons de la province de Québec et nous regrettons de voir nos compatriotes prendre le chemin des États-Unis ». Il compte en outre sur l'appui du Québec pour la reconstruction du Collège de Saint-Boniface après l'incendie de 1922. À l'inverse, Marion répond à l'attente des excursionnistes en leur faisant un bilan des progrès de Saint-Boniface et en leur décrivant du même coup les réalisations de la SSJB et de la commission scolaire de cette ville :

> Le président de la Saint-Jean-Baptiste rappelle que Saint-Boniface est le portique de l'Ouest français et catholique [...]. C'est de là que sont partis les premiers missionnaires, les premiers évêques. La ville s'enorgueillit de posséder des institutions puissantes sur lesquelles repose notre avenir comme groupe et la population y est restée foncièrement canadienne-française, fidèle aux traditions du vieux Québec.

De ce portrait de Saint-Boniface se dégage une dualité identitaire qui situe « ce portique » dans l'entre-deux culturel des Canadiens français du Québec et de leur diaspora dans l'Ouest. D'où la double allégeance de Saint-Boniface à « l'Ouest français et catholique » et à l'Est canadien-français, non sans incidence sur la perception de l'histoire et le développement d'un récit fondateur par les institutions de Saint-Boniface.

La double allégeance de Saint-Boniface au Manitoba et au Canada français

La double identité de la minorité française du Manitoba au Canada français se traduit dans les années 1920 et 1930 par une vie culturelle oscillant entre l'attachement à l'histoire de la Nouvelle-France dans l'Est, du Bas-Canada et du Québec, d'une part, et une appropriation de celle du Nord-Ouest, de la vallée de la Rivière-Rouge et du Manitoba, de l'autre. Ces deux tendances se reflètent, entre autres, dans l'organisation et la commémoration de la fête de Dollard des Ormeaux et de la Saint-Jean à un mois d'intervalle, comme il ressort de *La Liberté* et d'archives institutionnelles. Au Manitoba, l'anniversaire de l'exploit du Long-Sault est célébré pour la première fois en 1921, sur l'initiative de l'Union canadienne, un cercle sportif alors présidé par William Raymond. Pour acclimater cette fête au Manitoba, *La Liberté* en expose la nécessité nationale le 10 mai 1921, malgré la distance entre le Manitoba et le Québec : « Tout le Canada célébrera ce jour-là. Il semble que Saint-Boniface et Winnipeg devraient en prendre note et démontrer que leur éloignement des assises de la race n'altère en rien le souvenir des héros qui ont composé notre histoire » (« La journée de Dollard : le 24 mai », p. 1). L'année suivante, l'ACJC du Manitoba emboîte le pas sous l'impulsion de son aumônier général, le père Beaupré. À l'occasion du vingtième anniversaire de la fondation de l'ACJC au Québec en 1904, ce père jésuite donne une conférence rapportée dans *La Liberté* du 24 juin 1924 (« L'A. C. J. C. fête ses vingt ans », p. 1). Après « [avoir] compar[é] le groupement actuel de la jeunesse au mouvement providentiel qui suscita l'acte de Dollard et de ses compagnons, en 1660, pour sauver la patrie des désastres accumulés sur elle », il propose ce modèle de patriotisme à son auditoire acéjiste, pour lequel l'action doit compléter la piété et l'étude selon le credo de leur association. La fête de Dollard leur donne, en conséquence, l'occasion de prouver qu'ils forment une élite patriote prête à « se dévouer et déloger l'ennemi aux avant-postes », comme la décrit le père Beaupré selon la terminologie militaire des minorités françaises en temps de lutte linguistique et scolaire.

Parallèlement au modèle de Dollard et de ses compagnons, importé du Québec, celui de La Vérendrye offre aux acéjistes et à leurs concitoyens l'occasion d'étudier l'histoire de la découverte du Nord-Ouest. En témoigne, par exemple, le compte rendu d'une réunion du Cercle La Vérendrye de l'ACJC tenue le 4 mai 1924 :

> Le camarade [Joseph] Leblanc a pris pour sujet : "La Vérendrye". Il repasse sa vie qui fut occupée à la découverte de l'Ouest canadien. En face d'obstacles considérables, de grandes misères, malgré les oppositions qu'on lui fit, La Vérendrye continua son œuvre d'exploration et érigea un nombre considérable de forts. Il fut le premier blanc à pénétrer dans l'Ouest et c'est un honneur pour notre race que le découvreur de cette partie du pays est un Canadien français[10].

La SSJB de Saint-Boniface s'engage, elle aussi, à honorer la mémoire de La Vérendrye en 1926, année de sa constitution civile d'après les lois de la *Charitable Association Act* de la province du Manitoba. Elle adopte alors une nouvelle constitution comprenant la disposition suivante : « L'érection et le maintien d'un "monument La Vérendrye" élevé à la mémoire de Pierre Gaultier de Varennes, Sieur de La Vérendrye, découvreur du Nord-Ouest[11] ». En fait, l'idée de construire un monument en l'honneur de La Vérendrye à Saint-Boniface date de loin : conçue en 1886 par Mgr Alexandre Taché, deuxième archevêque de Saint-Boniface, elle est reprise en 1912 par la SHSB qui nomme un comité pour lancer une souscription, comme le rapporte le 7 février 1912 le journal *Le Manitoba* (1881-1925), successeur du *Métis*[12]. Quatorze ans plus tard, la SSJB de Saint-Boniface, de concert avec la SHSB[13], donne suite au projet, pour lequel elle reçoit l'appui de l'ACJC, à l'issue de la réunion des secrétaires des cercles de l'ACJC sous la présidence du comité régional, tenue le 28 février 1926 au Collège de Saint-Boniface[14]. Dans son plan de

---

10 « Cercle La Vérendrye de l'ACJC : procès-verbaux 1924-1927 », SHSB, Fonds Raymond Bernier, 69 / 530.

11 « Société Saint-Jean-Baptiste : constitution et règlements, correspondance, imprimés, coupures de presse 1926-1972 », SHSB, Collection générale de la SHSB, 1.2 / 65 / 328.

12 Composé de Joseph Lecomte, président, et de l'abbé Denys Lamy, secrétaire-trésorier, le Comité du monument de La Vérendrye lance le 1er février 1912 un « [a]ppel aux Canadiens-français [*sic*] » qui sera publié en 1938, année de l'inauguration du monument, par *Les Cloches de Saint-Boniface* (Lecomte et Lamy, 1938). Fondée en 1902 par Mgr Adélard Langevin, troisième archevêque de Saint-Boniface, cette revue ecclésiastique et historique mensuelle fut publiée jusqu'en 1984.

13 À l'occasion de son assemblée générale tenue à l'hôtel de ville de Saint-Boniface le 28 février 1926, la SSJB de Saint-Boniface assiste à une allocution du juge Louis-Arthur Prud'homme, président de la SHSB de 1916 à 1933, dans laquelle « [il] fait un court historique de la vie du Grand Découvreur, et du mouvement en faveur de l'érection d'un monument à sa mémoire, et des efforts de Mgr Taché dans ce sens » (« Procès-verbaux 1923-1934 », SHSB, Fonds Association Saint-Jean-Baptiste de Saint-Boniface, 0372 / 528 / 002).

14 « Cercle La Vérendrye de l'ACJC : procès-verbaux 1926-1928 », SHSB, Fonds Raymond Bernier, 69 / 530 / 16. Une lettre de C. N. Dupas, secrétaire de l'ACJC,

financement, elle vise à prélever 25 000 $ sur ses fonds, sur ceux de la SHSB et sur la recette provenant de sa campagne de perception, pour laquelle elle demande le patronage de la SHSB[15].

Participation de *La Liberté* au projet du monument La Vérendrye

Le journal *La Liberté* prête son concours à l'occasion de sa quatrième tournée artistique. Lancée en 1919, la tournée de *La Liberté* était destinée au départ à remettre le journal à flot dans la conjoncture de l'après-guerre et à sensibiliser le public à la cause de la presse catholique[16]. En échange d'un abonnement annuel au journal, le public avait droit à des sièges réservés pour les spectacles théâtraux et musicaux donnés dans les paroisses où se rendaient les « artistes-recruteurs d'abonnés » (LaFlèche, 1980 : 133) mis à contribution par *La Liberté*, dont des acéjistes. Présentée dans vingt-six paroisses entre le 16 mai et le 27 juin 1926, la quatrième tournée de *La Liberté* est marquée par le retour au Manitoba d'Armand Duprat et de sa femme, France Ariel, qui faisaient partie de la troupe folklorique d'Albert Larrieu, de passage au Manitoba en 1922. Leur répertoire s'inscrivait dans le mouvement régionaliste de La Bonne Chanson, lancé en France par Théodore Botrel, avant de s'enraciner au Canada français (Saint-Jacques et Lemire, 2005 : 349-350). Pour la quatrième tournée de *La Liberté*, Donatien Frémont, successeur de Héroux, peut compter sur le zèle de France Ariel Duprat qui « [...] fait ressortir la valeur de la **Liberté** comme organe des Canadiens français voué à la défense de leurs intérêts religieux et nationaux [...] », comme le rapporte *La Liberté* du 26 mai 1926 après le premier concert de

datée du 4 mars 1926 et adressée à la SSJB confirme la participation de l'ACJC au projet (« Cercle La Vérendrye de l'ACJC : correspondance 1915-1929 », SHSB, Fonds Raymond Bernier, 69/530/20).

15 Lettre de J.-H. Daignault, secrétaire de la SSJB de Saint-Boniface, datée du 18 novembre 1926 et adressée au président de la SHSB (« Société Saint-Jean-Baptiste : constitution et règlements, correspondance, imprimés, coupures de presse 1926-1972 », SHSB, Collection générale de la SHSB, 1.2/65/328).

16 Annette Saint-Pierre a relevé neuf tournées au total entre 1920 et 1932 (1980 : 96-99, 285). D'après notre dépouillement de *La Liberté*, elles eurent lieu respectivement en 1919, 1920, 1925, 1926, 1927, 1928, 1929, 1930 et 1932, si l'on excepte la série de concerts, non parrainée par *La Liberté*, du chanteur provençal Albert Larrieu et des membres de sa troupe en 1922.

l'artiste à Saint-Boniface (« Quatrième tournée artistique de la "Liberté" : le concert Duprat à St-Boniface », p. 1 ; en caractères gras dans le texte). S'abonner au journal pour assister en échange à un concert de la tournée représentait, en conséquence, un geste de patriotisme pratique, à plus forte raison à l'occasion de la Saint-Jean à Saint-Boniface, dont le programme officiel, publié par l'Imprimerie de *La Liberté*, comprend, outre le programme du concert de France Ariel Duprat, cette requête en capitales : « AIDEZ A LA CONSTRUCTION DU MONUMENT LA VERENDRYE EN DEVENANT MEMBRE ACTIF DE LA SOCIETE SAINT-JEAN BAPTISTE DE SAINT-BONIFACE INCORPOREE ET EN SOUSCRIVANT UNE ACTION OU PLUS[17] ».

Le monument tant attendu est inauguré à Saint-Boniface le 11 septembre 1938, à l'occasion du bicentenaire de l'arrivée de La Vérendrye à la Rivière-Rouge, et compte parmi les lieux de mémoire de l'Ouest canadien (Roy et Allaire, 2009). Précédé d'un *pageant*[18] et d'une parade nautique reconstituant le voyage du découvreur, l'inauguration du monument[19] marque le point culminant d'une année commémorative au cours de laquelle Frémont apporte sa contribution à l'étude des forts fondés par La Vérendrye dans une chronique historique intitulée « La Conquête de l'Ouest » et publiée dans *La Liberté* du 27 juillet et des 3 et 17 août 1938 (p. 3)[20]. De son côté, l'Association d'éducation des Canadiens français du

---

17 « Société Saint-Jean-Baptiste : constitution et règlements, correspondance, imprimés, coupures de presse 1926-1972 », SHSB, Collection générale de la SHSB, 1.2 / 65 / 328. En capitales dans le texte.

18 Arthur Boutal, directeur de la troupe du Cercle Molière de 1928 à sa mort en 1941 et imprimeur à *La Liberté* (Duguay, 2008 : 71-95), personnifia La Vérendrye dans ce *pageant* représenté à l'Auditorium de Winnipeg du 6 au 10 septembre 1938, comme le rapporte *La Liberté* du 7 septembre 1938 (« L'histoire de La Vérendrye racontée en tableaux vivants », p. 1).

19 Cette cérémonie fait la une de *La Liberté* du 14 septembre 1938, sous le titre « 25,000 personnes au pied du Monument de La Vérendrye ».

20 L'article du 17 août 1938, intitulé « La découverte du Fort Saint-Charles », évoque l'excursion à l'origine de la fondation de la SHSB en 1902. Le juge Prud'homme en faisait partie et en souligna l'importance historique en tant que collaborateur de *La Revue canadienne* (Prud'homme, 1903). De son côté, l'abbé Antoine d'Eschambault, président de la SHSB de 1933 à 1960, publia en 1938 une série d'articles intitulée : « Histoire du groupe français au Manitoba », dans *Les Cloches de Saint-Boniface*. Comme il le rappelle au début de son premier article, « [i]l y a deux cents ans cette année que La Vérendrye a pris possession du Manitoba au nom de la France » (d'Eschambault, 1938 : 45). Les pages des *Cloches de Saint-Boniface* où cette série

Manitoba, fondée en 1916 en réaction contre la proscription légale de l'enseignement du français dans les écoles publiques de cette province, exprime le vœu que le jour de la fête nationale soit l'occasion d'honorer la mémoire de La Vérendrye dans les écoles, comme le rapporte le compte rendu de la Saint-Jean publié dans *La Liberté* du 29 juin 1938, sous le titre « La Saint-Jean-Baptiste à l'École Provencher » (p. 4). Cette école de Saint-Boniface y contribua effectivement en devenant le lieu de départ de la procession de la Saint-Jean, dont la fanfare La Vérendrye (1912-1970) avait coutume de faire partie.

La mémoire franco-catholique de saint Jean-Baptiste et de La Vérendrye

Il n'empêche que la Saint-Jean-Baptiste demeure pour les Canadiens français leur fête patronale, ce que Mère-Grand dans « Le Coin des Jeunes » de *La Liberté* a pour tâche d'enseigner à la jeunesse. Au cours des années 1940, seules l'invocation du saint patron des Canadiens français, la connaissance de l'histoire de la SSJB et la célébration de la fête nationale y sont inculquées comme valeurs patriotiques à l'approche de la Saint-Jean. Au reste, d'autres cérémonies jalonnant cette décennie sont destinées à rappeler le souvenir de la mission de la Rivière-Rouge et contribuent par ricochet à présenter les explorations de La Vérendrye comme le début de la civilisation franco-catholique dans l'Ouest. Il s'agit de l'inauguration à un an d'intervalle des deux monuments qui forment avec le monument La Vérendrye la triade du parc La Vérendrye de Saint-Boniface : celui aux Sœurs grises (1944), commémorant le centième anniversaire de leur arrivée à la mission de la Rivière-Rouge en 1844; et le monument Taché (1945), commémorant le centième anniversaire de l'arrivée des Oblats de Marie-Immaculée dans l'Ouest en 1845. L'inauguration le 1er juillet 1945 du monument en l'honneur de Mgr Taché est précédé, par surcroît, d'un *pageant* représenté à l'Auditorium de Winnipeg du 19 au 22 juin de la même année. Dans *La Liberté et le Patriote* du 15 juin 1945 (p. 1-2), cette composition historique par le père Laurent Tremblay, o. m. i., fait l'objet

---

d'articles fut publiée sont conservées à la SHSB (« Travaux d'histoire : Histoire du groupe français du Manitoba », SHSB, Fonds Antoine d'Eschambault, 29/213/68). Au cours de la même année, cette revue publia également un article posthume sur La Vérendrye de l'historien Adrien-Gabriel Morice, o. m. i., mort en 1938 (Morice, 1938).

« Devant le monument La Vérendrye »

Au cours de leur visite à travers Saint-Boniface, dimanche dernier, les invités ruraux de la Société Saint-Jean-Baptiste ont été rendre hommage au Découvreur de l'Ouest. On voit ici un groupe de notables photographiés devant le monument. De gauche à droite : M. Léon Bruyère, de Letellier; M. J.-B.-T. Hébert, président du comité de réception, de Saint-Boniface; M. Henri d'Eschambault, président de la Société Saint-Jean-Baptiste de Saint-Boniface; l'hon. Sauveur Marcoux, ministre sans portefeuille; M. l'abbé A. d'Eschambault, président de la Société Historique; M. Omer Pelletier, vice-président de la Société Saint-Jean-Baptiste; M. Ulric Lambert, président du Cercle Ouvrier (*La Liberté*, 1er novembre 1939, p. 1).

d'une annonce qui met en évidence le rôle précurseur des explorateurs du Nord-Ouest dans l'histoire de la mission apostolique accomplie par les missionnaires oblats :

> Cette mise en scène a pour but de faire revivre aux héritiers d'une tradition de Foi et de labeur, les événements héroïques du temps passé et de graver en leur cœur les leçons de l'histoire.

> Explorateurs, Coureurs-de-bois [*sic*], trappeurs, soldats, gendarmes, planteurs de croix, tous ont passé par la Rivière Rouge en route vers le poste où les appelait la Providence (« 200 personnes prendront part au pageant », p. 1).

Inaugurée le 27 mai 1946, Radio Saint-Boniface (CKSB) est perçue comme un autre véhicule de cette histoire par Albert Le Grand dans *La Liberté et le Patriote* du 5 juillet 1946 (p. 7) : « Radio-Saint-Boniface nous intéresse, à priori, simplement par son verbe français. [...] Que le verbe français exploite incessamment les vastes réservoirs artistiques de l'Ouest : notre histoire, petite et grande, nos coutumes, nos fêtes nationales et religieuses, nos grandes figures [...] » (« Radio Saint-Boniface : l'ouverture... et après »)[21]. Le programme de la Saint-Jean est d'ailleurs radiodiffusé le 24 juin suivant. La SSJB de Saint-Boniface avait compté auparavant sur le clergé pour faire connaître les SSJB de l'Ouest sur les ondes, comme en fait foi le prototype de la lettre datée du 9 juin 1946 et adressée aux prêtres par le bureau du secrétaire[22].

Derniers feux de la Saint-Jean à Saint-Boniface

Dans l'histoire du Canada français, le début des années 1950 est marqué par le troisième Congrès de la langue française, qui se tient du 18 au 26 juin 1952 à Québec, Trois-Rivières et Montréal, et auquel participent des représentants du Manitoba, dont Mgr Maurice Baudoux, alors coadjuteur de l'archevêque de Saint-Boniface, et trois délégués de la SSJB de Saint-Boniface[23]. Le 25 juin à Montréal, Léon Bruyère, président de la SSJB de Saint-Boniface au cours de cette année-là, se charge de déposer une couronne au pied du monument Duvernay[24]. Un an plus tôt, la SSJB de Saint-Boniface avait célébré son quatre-vingtième anniversaire

---

21 Pour un historique de la fondation du premier poste de radio français dans l'Ouest, voir Vien (1977) et Bocquel (1996).

22 « Correspondance sortie 1934-1955 », SHSB, Fonds SSJB de Saint-Boniface, 0372 / 1168 / 020.

23 Lettre de Léon Bruyère, président de la SSJB de Saint-Boniface, datée du 22 mai 1952 et adressée à un destinataire inconnu (« Société Saint-Jean-Baptiste de Saint-Boniface », SHSB, Fonds Benoist – Marius, 9 / 483).

24 « Programme itinéraire du Voyage à Québec à l'occasion du 3e Congrès de la Langue française du 18 au 24 juin 1952 » (« Activités 1922-1952 », SHSB, Fonds SSJB de Saint-Boniface, 0372 / 1168 / 013).

à l'occasion de la Saint-Jean, pour laquelle un « Comité de Publicité[25] » avait été formé. « Parce que nous sommes fiers d'être Canadiens français, nous voulons [...] offrir [...] le spectacle d'un peuple qui est fier de ses origines, qui admire ses chefs religieux et laïcs, qui, en s'arrêtant pour constater le travail accompli, est bien déterminé à poursuivre sa tâche jusqu'au bout », écrit Bruyère, président du comité de publicité, dans *La Liberté et le Patriote* du 1er juin 1951, sous le titre « Pourquoi célébrer notre fête nationale » (p. 5). Dans ses numéros des 8, 15 et 22 juin, de même que dans le programme distribué pour la circonstance[26], *La Liberté et le Patriote* reproduit des photos de tableaux représentant les chars allégoriques prévus pour la parade de la fête nationale. Ces chars allégoriques développaient le thème général « Pour améliorer nos positions » en trois idées : « Notre histoire », « Nos organisations » et « Notre vie ». La première série de chars allégoriques retraçait l'histoire de la Nouvelle-France (« Jacques Cartier prend possession du Canada », « La Vérendrye explore l'Ouest au nom du roi de France ») et celle de la colonie de la Rivière-Rouge (« Fondation de l'Église de l'Ouest » par Mgr Provencher, « Les premières religieuses de l'Ouest, les Sœurs Grises », etc.) ; la deuxième représentait les organisations canadiennes-françaises du Manitoba, y compris la Société Saint-Jean-Baptiste[27], le journal *La Liberté et le Patriote* et la radio française (CKSB) ; et la troisième, les composantes de la vie canadienne-française, dont le culte de saint Jean-Baptiste.

Malgré une campagne publicitaire d'exception et le nombre élevé de participants[28], la Saint-Jean de 1951 ne satisfait pas pleinement Bruyère,

---

25 « Programmes 1951 », SHSB, Fonds SSJB de Saint-Boniface, 0372/1168/016. Roland Couture, Brunelle Léveillé, directeur-gérant de Canadian Publishers et éditeur de *La Liberté et le Patriote*, et le curé Léo Blais, aumônier de la SSJB de Saint-Boniface, formaient ce comité présidé par Léon Bruyère.

26 « La Saint-Jean-Baptiste. Le 24 juin 1951. Saint-Boniface, Manitoba » (« Programmes 1951 », SHSB, Fonds SSJB de Saint-Boniface, 0372/1168/016).

27 Le programme imprimé par *La Liberté et le Patriote* comprend « La Fondation de la Société Saint-Jean-Baptiste de Saint-Boniface » par Noël Bernier. Il ne s'agit pas d'un texte inédit, mais plutôt d'une réédition partielle d'un article publié vingt-six ans plus tôt dans *La Liberté* par le président de la SSJB de Saint-Boniface, de 1917 à 1918 (Bernier, 1925).

28 Voir le compte rendu à la une de *La Liberté et le Patriote* du 29 juin 1951 (« Les Canadiens français célèbrent avec éclat leur fête nationale : 15,000 personnes ont participé aux démonstrations dimanche »).

dont les impressions rapportées dans le procès-verbal de la réunion tenue au foyer Saint-Jean-Baptiste le 12 mai 1952 traduisent le décalage entre les ambitions de la Société et l'insuffisance de ses moyens avant la fin de ses activités en 1955 :

> [I]l y eut lacune pour la vente des programmes et des rubans de la fête. [...] Nous aurions dus [*sic*] inviter le bureau national du film ou une agence de nouvelles cinématographique à filmer le défilé. [...] La soirée n'a pas éte [*sic*] suffisament [*sic*] organisée pour amuser et distraire la grande foule présente au Parc Provencher. Il aurait fallut [*sic*] une plateforme illuminée avec un programme artistique de plusieurs numéros au microphone [...][29].

Après les ratés de 1951, Bruyère cherche en 1952 à rallier la SSJB de Saint-Boniface à l'idée d'une Saint-Jean plus attrayante auprès du public et plus lucrative pour la Société, mais sans succès[30]. Pourtant, une motion en faveur de l'affiliation de la Société à la Fédération des organisations sociales et récréatives de Saint-Boniface avait déjà été acceptée à l'issue d'une réunion des directeurs, tenue le 26 janvier 1950 à la salle Jubinville[31]. Aux prises avec la difficulté de recruter des membres et de prélever leurs souscriptions, la Société ne peut améliorer autrement l'état de ses finances, comme il ressort des procès-verbaux de ses dernières assemblées. Ayant pressenti sans doute la fin de la SSJB à Saint-Boniface, Bruyère donne sa démission à l'issue d'une assemblée ordinaire orageuse tenue le 20 août 1952.

Le recul du français au Manitoba

Replacé dans le contexte des années 1950, le déclin de la SSJB et de la Saint-Jean à Saint-Boniface creuse le fossé qui sépare l'élite nationaliste d'une population urbaine s'intégrant progressivement dans la société de consommation moderne au contact de la culture majoritairement anglophone de Winnipeg et sous l'influence des médias de masse anglais. La rédaction oblate de *La Liberté et le Patriote* en fait un bilan paternaliste sous la rubrique « Notes de la semaine » du numéro du 6 juillet 1951, sous le titre « Donnons un lendemain à la St-Jean-Baptiste » (p. 3) :

---

29 « Procès-verbaux 1952-1955 », SHSB, Fonds SSJB de Saint-Boniface, 0372 / 1168 / 004.

30 Procès-verbal de la réunion du Comité spécial tenue le 22 juin (« Procès-verbaux 1952 », SHSB, Fonds SSJB de Saint-Boniface, 0372 / 1168 / 005).

31 « Procès-verbaux 1929-1952 », SHSB, Fonds SSJB de Saint-Boniface, 0372 / 1168 / 003.

> Le défilé des chars allégoriques [...] avait pour thème général : « Améliorons nos positions ». Or, nous avouerons sans détour que cette manifestation de patriotisme cadrait mal avec le visage presque exclusivement anglais que la ville de St-Boniface s'est donné au cours des dix dernières années. On y remarque des inscriptions de rues, des affiches de maisons d'affaires et de grands panneaux-réclames rédigés exclusivement en anglais.

Après avoir fait ses recommandations aux lecteurs à l'approche du recensement de 1951[32], elle cherche à les détourner des médias de masse anglophones en faisant jouer la fibre patriotique. « Ecouter à la radio des programmes français. [...] S'abonner aux journaux et revues de langue française, et spécialement au journal local **La Liberté et le Patriote** », lit-on dans le numéro du 29 juin, sous le titre « Résolutions pour le lendemain de la St-Jean-Baptiste » (p. 4 ; en caractères gras dans le texte). Cet article est accompagné dans le même numéro du compte rendu de la Saint-Jean rapportant le sermon du père Léo Lafrenière, directeur du journal[33] : « Il invita la population française à profiter de sa fête patronale pour porter sur ses actions comme groupe un examen de conscience collectif » (« Les Canadiens français célèbrent avec éclat leur fête nationale », p. 1).

L'ironie veut que Mgr Baudoux, qui avait donné une impulsion à la création de Radio Saint-Boniface en 1946 en reprenant le mot d'ordre : « Si vous voulez du français, c'est à vous d'en mettre[34] » (cité dans Bocquel, 1996 : 317), remarqua des enseignes anglophones à l'entrée du village de Saint-Pierre-Jolys, au sud-est de Winnipeg, à l'occasion de la Saint-Jean de 1953, « et conclu[t] en disant que les ralliements franco-manitobains se devaient d'avoir un lendemain, contrairement aux feux de la St-Jean-Baptiste », comme le rapporte Norbert Préfontaine dans *La Liberté et le Patriote* du 3 juillet, sous le titre « Un ralliement mémorable a eu lieu à St-Pierre-Jolys » (p. 5). De là l'équivoque que laissent subsister les slogans patriotiques de circonstance contenus dans les messages publicitaires d'entreprises locales publiés dans *La Liberté et le Patriote* du 19 juin : « Soyons fiers de nos origines ! » (St-Pierre Body Shop), « Soyons de fiers Canadiens français » (Les Frères Roy), « Sachons lutter pour nos droits ! » (George's Sheet Metal), « Gardons notre Langue et notre Foi » (Garage

[32] « Aidons au recensement ! Répondons franchement aux questions posées. Exigeons des formules françaises et des énumérateurs bilingues », lit-on à la une de *La Liberté et le Patriote* du 1er juin 1951.

[33] Il occupa ce poste de 1941 à 1956.

[34] Citation de Mgr Arthur Béliveau, archevêque de Saint-Boniface de 1915 à 1955.

Martel), « Gardons le doux parler ancestral » (Lavergne Sash & Door), « Maintenons nos droits ! » (Art's Service).

Après le recensement décennal de 1961, le père Roméo Bédard, rédacteur adjoint de *La Liberté et le Patriote*[35], monte en chaire le 24 juin à La Broquerie pour « tracer le tableau exact des positions actuelles de la minorité franco-manitobaine [...] grâce à des chiffres précis sur [s]a répartition actuelle [...], sur sa diminution en campagne et son augmentation croissante dans les villes, [...] sur les difficultés présentes et aussi les germes d'espoir et d'optimisme », comme le rapporte le numéro du 30 juin 1961, sous le titre « La Broquerie, centre patriotique du Manitoba français, le 24 juin » (p. 1 et 8). Ces « germes d'espoir et d'optimisme » découlaient du congrès tenu quelques semaines plus tôt à Ottawa par la Fédération des SSJB du Québec et la Fédération des SSJB de l'Ontario. Ce congrès annuel avait débouché sur un programme d'aide interprovinciale annoncé dans *La Liberté et le Patriote* du 9 juin 1961 et « a[vait] fourni des indices précieux », tel « l'appui moral et économique de la province de Québec », comme le rapporte le numéro du 23 juin, sous un titre de circonstance : « "Vive la Canadienne" » (p. 3). Or la Révolution tranquille et ses répercussions dans les relations Québec-Canada changent rapidement la donne. En témoigne, par exemple, un article du *Magazine Maclean* reprochant à la rédaction oblate de *La Liberté et le Patriote* de garder la population franco-manitobaine dans un « catholicisme fermé et étroit », ce à quoi riposte l'éditorial de *La Liberté et le Patriote* du 25 mai 1962 (p. 3). À Saint-Boniface même, *Le Courrier de Saint-Boniface*, lancé en 1964, vise à saper les fondements traditionnels de *La Liberté et le Patriote* et du Manitoba français (Hébert, 2012).

Après avoir dirigé *Le Courrier de Saint-Boniface* pendant près de trente ans dans l'esprit de la survivance des groupes canadiens-français et de la presse catholique dans l'Ouest, les pères oblats vendent *La Liberté et le Patriote* en 1970 à la compagnie Presse-Ouest ltée, dont la Société franco-manitobaine devient, un an plus tard, le principal actionnaire. Fondée en 1968 par des laïcs, la SFM s'était donné pour but de défendre les intérêts des Franco-Manitobains dans les domaines de la politique, de l'économie, de l'éducation et de la culture. En changeant de propriétaire, *La Liberté et le Patriote,* qui redeviendra *La Liberté* le 27 octobre 1971,

[35] Il succédera au père Raymond Durocher, en 1962, à titre de rédacteur de chef.

se transforme graduellement en un instrument de conscientisation laïque, qui préparera la communauté franco-manitobaine à relever le défi de sa refrancisation dans les années 1970 et contribuera à redéfinir son identité. Cependant, la nouvelle orientation de *La Liberté* ne s'impose pas d'un seul coup : d'après les résultats du recensement de 1971, le journal se ressent des progrès de l'assimilation ; tiré à 12 000 exemplaires, il est lu par 30 % de la population parlant encore le français à la maison et par moins de 14 % des Franco-Manitobains dans leur totalité[36]. En contrepartie, la Saint-Jean au Manitoba s'offre comme une tradition séculaire à réinventer.

La fête franco-manitobaine de La Broquerie[37]

À partir de 1970, la Saint-Jean est rebaptisée « fête franco-manitobaine » et sert de dénominateur à des messages mobilisateurs publiés dans *La Liberté et le Patriote* ou dans *La Liberté* et adressés aux Franco-Manitobains par le président de la SFM (17 juin 1970 et 14 juin 1972), le préfet de la municipalité de La Broquerie (17 juin 1970 et 14 juin 1972) et le président de la SSJB de La Broquerie (20 juin 1973). Cette nouvelle dénomination s'accompagne d'un programme redéfini qui, tout en conservant le rituel traditionnel (messe, défilé de chars allégoriques, cuisine canadienne, feu de la Saint-Jean), comprend, en 1973, un concours de gigue et de violoneux renouant avec la culture franco-métisse, une exposition d'artisanat franco-manitobain et des spectacles donnés par des organismes comme la chorale des Intrépides, les Gais Manitobains (l'actuel Ensemble folklorique de la Rivière-Rouge) et le 100 Nons, emblème de la relève musicale francophone au Manitoba (Gaborieau, 1992). À ces composantes spécifiquement franco-

---

[36] Nos calculs sont basés sur les données suivantes : « De 1961 à 1971, les Franco-Manitobains sont passés de 83,936 à 86,515, alors que de 1951 à 1961 leur nombre avait augmenté de plus de 15,000. […] Selon le recensement de 1971, [s]euls 39,600 d'entre eux [les Canadiens français au Manitoba] parlent encore le français chez eux, soit moins de la moitié. En trente ans, le pourcentage des Franco-Manitobains à ne savoir que l'anglais a presque triplé, passant de 12 % en 1941 à 33 % en 1971 » (Lesieur, 1976).

[37] Pour alléger les références de cette section et de celle qui suit, nous indiquerons entre parenthèses seulement les dates des numéros de *La Liberté et le Patriote* et de *La Liberté* auxquels nous nous référons et qui couvrent une période de sept ans (1970-1977).

manitobaines, s'ajoute à partir de 1972 le couronnement de la « Reine du Manitoba-Français » (14 juin 1972), lauréate du « Concours Mlle Manitoba français » auquel étaient admissibles les adolescentes « a[yant] une connaissance suffisante de la langue française » (14 juin 1972) et représentant un « centre français » (14 juin 1972) du Manitoba. Selon le règlement, « [l]a Reine [était] reconnue pour une période d'un an par la Société Franco-Manitobaine et pou[vait] être demandée à la représenter à certaines fonctions publiques » (14 juin 1972). À en juger d'après l'origine respective des candidates en 1972, représentant les trente-cinq centres français invités à la Saint-Jean (14 juin 1972), la SFM, de concert avec la SSJB de La Broquerie, cherche à cette époque à faire de la Saint-Jean de La Broquerie un point de ralliement donnant aux Franco-Manitobains l'occasion de célébrer leur culture et « de ressentir cette coordination provinciale qui se développe vers une force centrale qui déjà fait valoir la francophonie [...] », selon le vœu de Roger Collet, président de la SFM (14 juin 1972). Il n'empêche que la mémoire du Canada français subsiste alors dans la culture franco-manitobaine, à telle enseigne que la Saint-Jean de 1977 est appelée indifféremment « [l]a Fête franco-manitobaine » (16 juin 1977) et la « fête des Canadiens français, une tradition à La Broquerie » (30 juin 1977).

L'héritage de la Saint-Jean au Manitoba

Ce que la rubrique « La SFM vous informe » de *La Liberté* nomme, le 6 juin 1973, « la plus grande expression publique de la vie francophone au Manitoba » s'essoufflera, il est vrai, au fur et à mesure que le Festival du Voyageur, inauguré à Saint-Boniface en 1970, gagnera en importance et en popularité dans un milieu urbain à proximité du centre-ville de Winnipeg. Alors que le Festival du Voyageur compte aujourd'hui parmi les principales attractions touristiques du Manitoba, la Saint-Jean de La Broquerie est devenue au fil des ans un vestige local américanisé de la culture canadienne-française. Or le Festival du Voyageur ne remplaça pas instantanément la fête nationale dans la culture franco-manitobaine ; il fut conçu à l'origine comme un événement bilingue dans la foulée de l'adoption de la *Loi sur les langues officielles* en 1969 et d'un fédéralisme fondé sur l'unité nationale, mais jugé insuffisamment francophone par des Franco-Manitobains dans *La Liberté* (Keller, 2013). À l'inverse, la Saint-Jean conserve à la même époque ses vertus nationalistes d'antan. Au cours du débat hautement médiatisé sur les écoles françaises[38], elle inspire à la compagnie Les Assurances Forest un slogan mobilisateur : « Mettons-en du français ! Vive la langue française ! Vive La Broquerie ! » (24 juin 1976). Ces mots d'ordre pouvaient-ils laisser soupçonner l'ampleur que prendrait la contestation de Georges Forest en raison d'une contravention unilingue anglaise qu'il avait reçue à Saint-Boniface en 1976[39] ? Pourtant, le militantisme de Forest ne date pas uniquement de cette époque : aussitôt qu'il est admis à la SSJB de Winnipeg à l'occasion de l'assemblée générale tenue le 15 janvier 1961[40], il propose, entre autres, que la Société entre en contact avec le premier ministre John Diefenbaker au sujet des formulaires de recensement. Au cours de l'assemblée générale suivante, tenue le 26 mars de la même année, il propose que la Société s'aligne sur un mémoire diffusé par la Fédération des SSJB du Québec en faisant part au premier ministre Jean Lesage de sa bonne disposition à l'égard de la formation du ministère des Affaires culturelles[41] et de son soutien aux candidats Pierre Laporte et Roger Cyr[42].

La contribution de Forest à la cause du français au Manitoba va de pair avec son implication dans la création du Festival du Voyageur, qu'il centre sur l'histoire des pionniers de l'Ouest à titre de premier Voyageur officiel en 1970. Ce festival hivernal évoluera au cours des décennies jusqu'à devenir le point de ralliement annuel des Franco-Manitobains, sans pour autant rompre avec la tradition manitobaine de la Saint-Jean. Dès le départ, et à plus forte raison depuis son édition de 2013, marquée

---

38 Voir la note 9 *supra*. Pour un bilan nuancé de cette question, voir Turenne (1981).

39 En 1979, la Cour suprême du Canada trancha la question en invalidant l'abolition en 1890 de l'article 23 de l'Acte de Manitoba (1870) sur le statut officiel du français dans cette province. À ce sujet, voir Blay (1987).

40 « Procès-verbaux 1956-1974 », SHSB, Fonds SSJB de Winnipeg, 0098/1230/06. En 1971, le nom de Forest figure encore dans la liste des membres de cette SSJB (« Liste des membres 1949-1971 », SHSB, Fonds SSJB de Winnipeg, 0098/1230/02).

41 Sur la création du ministère des Affaires culturelles du Québec en avril 1961 et du Département du Canada français d'outre-frontières en septembre 1963, voir Panneton (2000 : 141-154).

42 « Les futurs sous-ministre et directeur du Service doivent provenir des rangs de l'Ordre. Son exécutante, la Fédération des Sociétés Saint-Jean-Baptiste, presse les associations patriotiques d'appuyer la candidature du journaliste Pierre Laporte au poste de sous-ministre. Le choix du ministre Lapalme s'arrête toutefois sur Guy Frégault en avril 1961 » (Martel, 1995 : 138). Sur l'Ordre de Jacques-Cartier, voir Robillard (2009).

par la participation de la compagnie de La Vérendrye[43], il renoue avec l'œuvre commune de la SSJB de Saint-Boniface, de la SHSB et de l'ACJC, ayant contribué par le passé à inscrire le souvenir des explorateurs de l'Ouest et des coureurs des bois[44] dans la mémoire collective, à l'occasion de la fête nationale ou d'autres anniversaires. Parallèlement, *La Liberté* continue en tant que journal centenaire à conforter sa communauté de lecteurs à son sentiment d'appartenance à leur histoire commune et à confirmer du même coup la continuité du fait français au Manitoba depuis les premières migrations dans l'Ouest.

BIBLIOGRAPHIE

Archives

Société historique de Saint-Boniface (ci-après SHSB)
Collection générale de la SHSB, 1.2 / 65
Fonds Antoine d'Eschambault, 29 / 213
Fonds Association Saint-Jean-Baptiste de Saint-Boniface, 0372 / 528
Fonds Benoist – Marius, 9 / 483
Fonds Raymond Bernier, 69 / 530
Fonds Société Saint-Jean-Baptiste (ci-après SSJB) de Saint-Boniface, 0372 / 1168
Fonds SSJB de Winnipeg, 0098 / 1230

Journaux

La Liberté (1913-1941, 1971-2013)

La Liberté et le Patriote (1941-1971)

Ouvrages et articles

« Notre Campagne », *La Liberté*, 30 mai 1917, p. 1.

[43] Cette contribution au Festival du Voyageur a souligné le 275e anniversaire de la construction du fort Rouge.

[44] En 1971, la SHSB réédita des études historiques sur les premiers explorateurs de l'Ouest (Champagne, 1971), dont une série d'articles sur le Voyageur publiés par l'abbé Antoine d'Eschambault dans la revue *Le Canada français* de l'Université Laval entre décembre 1941 et février 1942.

ANDERSON, Benedict ([1996] 2002). *L'imaginaire national : réflexions sur l'origine et l'essor du nationalisme*, traduit de l'anglais par Pierre-Emmanuel Dauzat, Paris, La Découverte / Poche.

BELART, Paul (1917). « Voix manitobaine », *Le Devoir*, 5, 11 et 12 avril, p. 1.

BERNIER, Noël (1925). « La Saint-Jean-Baptiste, 1871-1925 », *La Liberté*, 17 juin, p. 3.

BLAY, Jacqueline (1987). *L'Article 23 : les péripéties législatives et juridiques du fait français au Manitoba (1870-1986)*, Saint-Boniface, Éditions du Blé.

BOCQUEL, Bernard (1996). *Au pays de CKSB : 50 ans de radio française au Manitoba : grand reportage*, Saint-Boniface, Éditions du Blé.

CHAMPAGNE, Antoine (éd.) (1971). *Petite Histoire du Voyageur*, Saint-Boniface, La Société historique de Saint-Boniface.

D'ESCHAMBAULT, Antoine (1938). « Histoire du groupe français au Manitoba », *Les Cloches de Saint-Boniface*, vol. XXXVII, n° 1 (janvier), p. 45-52.

DUGRÉ, Alexandre (1923). « Saint Jean-Baptiste : le Saint, la Fête, la Société », *La Liberté*, 19 juin, p. 1, 7-8[45].

DUGUAY, Louise (2008). *Pauline Boutal : destin d'artiste, 1894-1992*, Saint-Boniface, Éditions du Blé.

FRÉMONT, Donatien (1935). « Tous pour le retour à la terre », *La Liberté*, 14 août, p. 3.

GABORIEAU, Antoine (1992). *Une histoire à chanter : historique du 100 Nons*, Saint-Boniface, Éditions du Blé.

HÉBERT, Raymond-M. (2012). *La révolution tranquille au Manitoba français : essai*, Saint-Boniface, Éditions du Blé.

HÉROUX, Omer (1923). « Le dixième anniversaire de "La Liberté" : réflexion de portée générale », *Le Devoir*, 18 juin, p. 1[46].

KELLER, Michelle (2013). *La perception des anglophones, des francophones et des Métis dans* La Liberté *et le St. Boniface Courier = Le Courrier de Saint-Boniface de 1970 à 1974*, thèse de maîtrise, Winnipeg, Université du Manitoba, p. 27-42.

LACERTE, Henri (1934). « Les Fêtes de Saint-Pierre », *La Liberté*, 27 juin, p. 3.

LAFLÈCHE, Armand (1980). « Souvenirs d'un comédien amateur, 1914-1974 », dans Gabrielle Roy *et al.*, *Chapeau bas : réminiscences de la vie théâtrale et musicale du Manitoba français*, première partie, Saint-Boniface, Éditions du Blé, p. 125-153.

LALONDE, A.-N. (1979). « L'intelligentsia du Québec et la migration des Canadiens français vers l'Ouest canadien, 1870-1930 », *Revue d'histoire de l'Amérique française*, vol. 33, n° 2 (septembre), p. 163-185.

[45] Il s'agit d'extraits d'une brochure du jésuite Alexandre Dugré intitulée *Saint Jean-Baptiste* et publiée par *L'Œuvre des Tracts* en 1923. L'ACJC se charge de vendre ce tract à Saint-Boniface à l'occasion de la Saint-Jean, comme l'annonce *La Liberté* du 19 juin 1923, sous le titre « Semons du patriotisme : pour nous préparer à la Saint-Jean-Baptiste » (p. 2).

[46] Cet article fit l'objet d'une republication à la une de *La Liberté* du 26 juin 1923.

LECOMTE, Joseph, et l'abbé Denys LAMY (1938). « Un monument à La Vérendrye : le découvreur de l'Ouest », *Les Cloches de Saint-Boniface*, vol. XXXVII, n°s 7-8 (juillet-août), p. 187-190.

LESIEUR, Jean (1976). « Pour un réseau d'écoles françaises », première partie : « D'hier à aujourd'hui », *La Liberté*, 28 avril, p. 3.

MARTEL, Marcel (1995). « Le Québec et les groupes minoritaires francophones : analyse des actions du réseau institutionnel et de l'État québécois, de la fin du XIXe siècle à 1969 », dans Province de Québec, Conseil de la langue française, *Pour un renforcement de la solidarité entre francophones au Canada : réflexions théoriques et analyses historique, juridique et sociopolitique*, Québec, le Conseil de la langue française, p. 119-151.

MARTEL, Marcel (1997). *Le deuil d'un pays imaginé : rêves, luttes et déroute du Canada français*, Ottawa, Les Presses de l'Université d'Ottawa.

MARTIN, Jeannette R. (2010). *100 ans et plus d'engagements et de luttes pour vivre en français à Winnipeg*, Winnipeg, chez l'auteur.

MORICE, A.-G. [Adrien-Gabriel] (1938). « P. de Lavérendrye : découvreur de l'Ouest canadien », *Les Cloches de Saint-Boniface*, vol. XXXVII, n°s 7-8 (juillet-août), p. 190-196.

PAINCHAUD, Robert (1987). *Un rêve français dans le peuplement de la Prairie*, Saint-Boniface, Éditions des Plaines.

PANNETON, Jean-Charles (2000). *Georges-Émile Lapalme : précurseur de la Révolution tranquille*, Montréal, VLB éditeur.

POLIQUIN, Laurent (2012). *De l'impuissance à l'autonomie : évolution culturelle et enjeux identitaires des minorités canadiennes-françaises dans les journaux et la littérature pour la jeunesse de 1912 à 1944*, thèse de doctorat, Winnipeg, Université du Manitoba, p. 95-98.

PRUD'HOMME, L.-A. (1903). « Découverte des ruines du fort Saint-Charles », *La Revue canadienne*, t. XLV, p. 22-53.

ROBILLARD, Denise (2009). *L'Ordre de Jacques Cartier : une société secrète pour les Canadiens français catholiques, 1926-1965*, Montréal, Éditions Fides.

ROY, Alain, et Gratien ALLAIRE (2009). « À propos de l'*Inventaire des lieux de mémoire de la Nouvelle-France* : La Vérendrye et ses traces dans le paysage canadien », dans Anne Gilbert, Michel Bock et Joseph Yvon Thériault (dir.), *Entre lieux et mémoire : l'inscription de la francophonie canadienne dans la durée*, Ottawa, Les Presses de l'Université d'Ottawa, p. 117-155.

SAINT-JACQUES, Denis, et Maurice LEMIRE (dir.) (2005). *La vie littéraire au Québec*, t. V : *1895-1918 : « Sois fidèle à la Laurentie »*, Sainte-Foy, Les Presses de l'Université Laval.

SAINT-PIERRE, Annette (1980). *Le rideau se lève au Manitoba*, Saint-Boniface, Éditions des Plaines.

TURENNE, Roger (1981). *Mon pays en noir et blanc : regards sur le Manitoba français*, Saint-Boniface, Éditions du Blé.

VIEN, Rossel (1977). *Radio française dans l'Ouest*, Montréal, Éditions Cahiers du Québec et Hurtubise HMH.

Le Droit et la rénovation de la Basse-Ville d'Ottawa : les balbutiements d'un journalisme engagé dans le dossier de l'aménagement urbain[1]

Anne Gilbert
Kenza Benali
et Caroline Ramirez
Université d'Ottawa

Le 21 mars 1966, le Conseil municipal d'Ottawa approuve pour l'est de la Basse-Ville, où se trouve le principal quartier francophone de la capitale, le plus vaste projet de rénovation urbaine jamais entrepris au Canada. Le journal *Le Droit* l'en félicite aussitôt, tout en souhaitant que le projet se concrétise rapidement (Bernier, 1966a). Selon le quotidien, « la vie sera plus agréable dans des logements pour le moins convenables, dans un paysage plus joli, avec des parcs et des commodités récréatives, sans oublier le domaine scolaire ». À peine deux ans plus tard, le journal se montre déjà plus circonspect envers le projet, s'interrogeant sur la nécessité de « tout détruire, simplement pour le fait de répondre aux demandes d'un plan d'ensemble » (Béland, 1968a). Le journal finira par critiquer la rénovation de plus en plus vigoureusement, jusqu'à dénoncer « les lenteurs et les erreurs des saltimbanques municipaux » (Ouimet, 1977a).

La capacité d'évaluer directement sur le terrain les effets de la rénovation sur le paysage et sur les changements de population dans le quartier (Brunet, 1973a, 1973b et 1973c) explique en partie que la position du journal se soit modifiée puisqu'aucun observateur à l'époque ne pouvait nier que la communauté avait été fragilisée. *Le Droit* s'interroge même sérieusement, dès le tournant des années 1970, sur le rôle de la Ville dans le dossier : aurait-elle « failli à ses obligations » (Dugas, 1972) ? Mais d'autres facteurs, qui relèvent davantage de la pratique journalistique que des réalités du terrain, influencent aussi le positionnement du journal

[1] La recherche a été réalisée dans le cadre du Chantier Ottawa, projet mené au CRCCF grâce à une subvention de développement de partenariat du Conseil de recherches en sciences humaines du Canada (2011-2014, n° 30629-122099).

dans le dossier de la rénovation urbaine de la Basse-Ville. C'est la thèse que nous explorons ici à travers l'analyse de contenu du journal sur une période de près de quinze ans.

Il existe un certain nombre d'études consacrées à l'analyse des pratiques journalistiques en milieu minoritaire francophone au Canada (Watine, 1993; Corriveau, 1998; Fabris et Beauchamp, 2002; Beauchamp et Watine, 2006; Bernier, 2010). Elles attestent toutes le militantisme des journalistes qui travaillent dans la presse écrite ou encore dans les médias électroniques au Canada français, soumis comme ils le sont à ce que Marc-François Bernier (2010) nomme la « pression communautaire » en milieu minoritaire. Celle-ci se manifesterait surtout lors des rencontres des journalistes avec leurs sources, parmi lesquelles les dirigeants institutionnels et les porte-paroles officiels occupent une place importante. De l'avis des journalistes qui ont participé à la recherche menée par Papillon Fabris et Michel Beauchamp sur la pratique journalistique en Ontario français, les leaders de la communauté s'attendraient à bénéficier de la meilleure couverture médiatique possible et à voir leurs opinions reprises par les journalistes (Fabris et Beauchamp, 2002). Ces derniers ont ainsi, pour la plupart, le sentiment d'être les relayeurs d'information des chefs de file francophones de leur milieu. La popularité des dossiers reflète les liens étroits qu'entretiennent ces journalistes œuvrant en milieu minoritaire avec les élites locales : ces dossiers se répartissent selon trois champs d'intérêt, soit la langue, la politique et l'éducation, domaines dans lesquels les organismes franco-ontariens, par exemple, se sont le plus investis historiquement et ont mené les luttes les plus vigoureuses.

Alors que s'entame le projet de rénovation de la Basse-Ville Est, la ville et son aménagement ne font pas partie des préoccupations de la communauté franco-ontarienne. Les rues, les maisons, les commerces, les institutions, les parcs et autres éléments constituant le cadre de vie physique des habitants retiennent moins l'attention que les connaissances tissées au fil du quotidien et les activités scandant le rythme des semaines et des saisons[2]. Les enjeux municipaux se limitent alors aux questions d'aqueduc et d'égout, de collecte des ordures ménagères, etc. Les taxes étant peu élevées, on vote davantage pour les candidats que l'on connaît

[2] L'ouvrage produit à partir des témoignages de résidents de la Basse-Ville en 1977, intitulé *La Basse-Ville Ouest c'était...*, le montre bien (Bonin *et al.*, 1977).

et dont on apprécie la personnalité qu'en fonction de leur capacité à prendre des décisions face à ces différents enjeux. Affectés à la couverture du plan de rénovation urbaine de la Basse-Ville, les journalistes, parmi lesquels ceux du *Droit*, seul quotidien de langue française en Ontario, possèdent également peu d'expérience en matière d'urbanisme. Ce manque d'expertise deviendra problématique lorsqu'il leur faudra trouver les principales sources d'information pour documenter le dossier. Si les journalistes peuvent, dans certains cas, se servir de contacts personnels, tels les échevins ou les maires de langue française qu'ils connaissent, ils doivent le plus souvent avoir recours aux sources officielles, comme celles qui émanent du bureau du directeur du réaménagement urbain. Leur logique d'action traditionnelle est ainsi modifiée, du moins dans les premières années du projet. Ce changement transparaît dans la couverture des événements et la ligne éditoriale du journal. La création du Comité du réveil de la Basse-Ville Est en 1968 viendra changer la donne, les journalistes trouvant chez les membres de l'organisme des interlocuteurs capables de les renseigner et de les aider à développer une opinion différente de celle véhiculée par la Ville d'Ottawa et ses partenaires des gouvernements provincial et fédéral. Le journal deviendra en quelque sorte le relais du comité de citoyens, comme il l'était déjà pour divers organismes franco-ontariens dans d'autres dossiers. La nomination de courriéristes municipaux, qui développeront une expertise en urbanisme, aura aussi un impact sur la position du *Droit*.

Notre objectif est d'analyser la couverture de la rénovation urbaine de l'est de la Basse-Ville d'Ottawa telle qu'offerte par le *Droit*, depuis la naissance du projet au milieu des années 1960 jusqu'aux derniers commentaires du journal en 1978. Quelque 85 articles ont été utilisés, sélectionnés parmi une collection de plus de 420 articles sur le quartier constituée par nos soins[3]. Jugés particulièrement représentatifs de la position du *Droit*, seuls les articles figurant à la une du journal, les

---

[3] Une lecture systématique des microfilms du *Droit* a été menée pour la période de 1960-1967. Les autres articles ont été tirés des revues de presse réalisées par le Comité du réveil de la Basse-Ville et conservées dans les archives du Centre de recherche en civilisation canadienne-française (CRCCF). Nous remercions Dany Boutin, Kayla Cloutier, Kathleen Goulet, Laurence Côté-Roy et Jacob Sammon de leur appui dans ce travail ainsi que le Programme d'initiation à la recherche au premier cycle (PIRPC) de l'Université d'Ottawa. Caroline Ramirez a assuré la coordination de la recherche.

éditoriaux, les textes accompagnés de photographies ainsi que les grands dossiers ou reportages produits sur le sujet ont été retenus aux fins de cette étude. Nous avons consigné les grandes idées du contenu dans un tableur, en portant une attention particulière aux acteurs cités et à leur vision du quartier et des enjeux entourant ses transformations. Nous avons procédé à une classification des articles, selon qu'ils prenaient position pour ou contre le projet de rénovation urbaine ou tentaient d'adopter un ton neutre. Nous présentons les résultats de la recherche de façon chronologique, en nous attachant, d'une part, à la façon dont le journal présente la rénovation urbaine de la Basse-Ville Est – au « cadrage » qu'il lui donne, pour reprendre un terme cher aux études sur les médias (Gilbert et Brosseau, 2002) – et, d'autre part, au vocabulaire utilisé pour traiter du grand « chambardement humain » qu'a causé le réaménagement du quartier (Bernier, 1966c). Nous distinguons trois grandes étapes : celle de l'appui du *Droit* au projet, celle de sa remise en question et, enfin, celle de sa véritable critique, avec pour chacune d'entre elles le recours à des sources passablement différentes. La position du *Droit* sera présentée à l'aide d'articles choisis, illustrant ces trois « moments » de la couverture des événements reliés à la rénovation de la Basse-Ville Est.

Le Droit, 1965-1968 : l'écho des urbanistes municipaux

« Le visage de la Basse-Ville sera entièrement transformé : un vaste projet de rénovation [est] à l'étude pour ce secteur d'Ottawa », révèle la une du *Droit*, le 4 novembre 1965 (Rocque, 1965). « Donnera-t-elle un souffle de vie nouveau à la Basse-Ville ou la conduira-t-elle à la disparition? », s'interroge ensuite le journaliste, faisant écho aux propos tenus par l'échevin Jules Morin, avant d'ajouter aussitôt que celui-ci n'est pas « contre le projet » à moins qu'il n'implique le déplacement contre son gré de la population du quartier. Suit un ensemble d'information sur l'étude, les premières recommandations et l'accord de principe de la Ville au projet. Le texte présente la liste exhaustive des mesures préconisées par les « spécialistes » à ce stade, mesures portant essentiellement sur le réaménagement du réseau routier et la réfection des infrastructures. L'article évoque aussi le projet de construction d'une école secondaire. Enfin, sont nommés des organismes du quartier qui participent à l'étude. L'article qui se veut informatif présente un contenu neutre. La légende qui accompagne la photo d'un taudis, indiquant que « ceci disparaîtrait avec la rénovation urbaine », ne laisse aucun doute quant à l'appui du journal au projet, ce dont témoignent les trois premiers éditoriaux qui portent sur la rénovation urbaine. Le 23 mars 1966, Gérard Bernier affirme que « notre journal ne peut que féliciter les édiles d'avoir approuvé ce vaste programme et souhaite qu'il se concrétise complètement » (1966a). Le projet « a d'autant plus de mérite qu'il a tenu compte de la démographie, ainsi que du caractère résidentiel et commercial de cette partie de la ville ». Le surlendemain, Bernier souligne le potentiel de transformation sociale du quartier qu'entraînerait la construction d'une école secondaire (1966b). Et, le 20 juin, il conclut en soutenant que le projet « est en soi une amélioration considérable pour la ville et les premiers intéressés » (Bernier, 1966c).

Le journaliste est toutefois catégorique : *Le Droit* n'appuiera le projet de réaménagement de la Basse-Ville d'Ottawa qu'à la « condition *sine qua non* que l'on respecte intégralement l'entité sociale propre à ce secteur » (Bernier, 1966a). Gérard Bernier le rappellera une nouvelle fois dans son éditorial du 20 juin, avant d'inviter les autorités municipales à prendre certaines précautions pour éviter un exode massif de la population du quartier (Bernier, 1966c). Il évoque aussi la menace que constituerait la construction d'une école secondaire de langue anglaise à l'égard du caractère francophone et catholique du secteur.

Le ton est ainsi donné aux textes que publiera *Le Droit* sur cette question durant les deux années suivantes, soit jusqu'à la mise en chantier du projet à l'été 1968 et à la mobilisation citoyenne qu'elle engendrera. Les quelque 25 articles « substantiels » publiés sur la question durant cette courte période, parmi lesquels cinq éditoriaux et une invitation au débat[4], adoptent en effet sensiblement la même position, celle de l'appui à la rénovation urbaine si le projet respecte la volonté des résidents de demeurer dans le quartier, puisque les journalistes s'abreuvent aux mêmes sources, parmi lesquelles les autorités municipales tiennent le haut du pavé.

Ainsi, *Le Droit* tient ses lecteurs informés de la progression du dossier. Il rend compte, entre autres, des études et des plans (Rocque, 1966a ; Béland, 1967 et 1968b[5]), des projets immobiliers (*Le Droit*, 1968a),

[4] Le texte est placé sous la rubrique « Question du jour ».

[5] Nous faisons référence aux articles les plus représentatifs du cadrage utilisé pour présenter le dossier.

du projet d'école (*Le Droit*, 1966a, 1966b et 1967c), des engagements financiers de la Ville (Béland, 1968d), des subventions de la Société centrale d'hypothèques et de logement (Béland, 1968b), des achats et expropriations (Rocque, 1967), des programmes d'aide aux propriétaires déplacés (*Le Droit*, 1967a), et des logements sociaux (*Le Droit*, 1967b). On y donne quantité de renseignements sur les échéanciers et les aménagements projetés, reprenant les déclarations du maire, des commissaires, du directeur du service d'urbanisme, et de Peter Burns, directeur du réaménagement urbain. Le propos est résolument positif.

Un texte publié le 12 mars 1968 constitue un très bon exemple du type d'articles publiés au cours de cette période (Béland, 1968b). « Le grand plan de réaménagement urbain de l'est de la Basse-Ville sera enfin réalisé. Dès cet été, la ville d'Ottawa sera dotée de plusieurs autres logements publics », souligne *Le Droit*, tout en rappelant les importantes contributions financières des gouvernements fédéral et provincial au projet. Les sous-titres ainsi que la légende de la photo qui accompagne l'article sont particulièrement évocateurs de l'enthousiasme du journal pour la rénovation qui s'annonce. Guy Béland, signataire de l'article, rappelle la tenue de soirées d'information : « Les résidents de la Basse-Ville seront renseignés sur toutes les phases et les détails du projet de réaménagement ». Il souligne que l'aspect physique du quartier ne sera pas modifié et que les familles pourront y demeurer, comme elles le souhaitent en grande majorité. Le journaliste reprend également à son compte les propos tenus par Peter Burns : les familles à faible revenu pourront obtenir des logements à loyer modique qui seront construits dans le secteur. L'article présente les pronostics établis par le directeur du réaménagement urbain quant à l'offre et à la demande de logements sociaux et endosse son commentaire dans lequel il donne l'assurance que l'espace nécessaire à leur construction est prévu par le plan.

Le Droit n'exprime ses réserves qu'à de rares occasions. L'épisode au cours duquel quelque 500 résidents signent une lettre remettant en question l'approche choisie en matière de logement a été marquant à cet égard (Rocque, 1966b). Ces propriétaires, réunis au sein d'un comité présidé par Pierre Mercier, s'érigent contre l'absence de terrains réservés à la construction de maisons individuelles ou de duplex et déposent une lettre de protestation auprès des instances municipales, un événement largement couvert par *Le Droit*. Cependant, le journal s'empresse dès le lendemain de souligner que le dialogue a été rétabli entre les citoyens du secteur et l'administration municipale (Rocque, 1966c). Le maire Don Reid n'aurait « jamais eu vent des doléances des contribuables du secteur ». Gérard Bernier, dans un éditorial paru quelques jours plus tard, qualifiera d'ailleurs la situation d'« imbroglio », en raison de l'importance accordée « aux conditions spéculatives » (1966c). Le journaliste n'en conclut pas moins son texte en invitant les citoyens à être vigilants. « Il n'y a pas de fumée sans feu. Il ne faudrait pas croire que ce dernier ne couve pas encore sous la cendre... Il y aura une assemblée, à la salle Ste Anne, mardi soir, à 8h. Que toute la population concernée et nos représentants à l'hôtel de ville répondent avec empressement à cette invitation. Il y va de leur propre intérêt et de celui de l'élément francophone en général. »

Le Droit assure aussi la couverture d'une autre controverse, celle qui oppose Mgr Charles-Auguste Demers, curé de la paroisse Sainte-Anne, à Peter Burns concernant la décision de la Ville de privilégier la construction de logements à loyer modique. Le premier demande qu'on ne néglige pas les propriétaires plus fortunés, grâce auxquels s'est édifiée la paroisse, bien qu'il reconnaisse la très grande vulnérabilité socioéconomique d'une forte proportion des familles du quartier. Le second défend son intention de favoriser le logement social. Le journal tentera d'afficher une certaine neutralité dans le débat, soulignant au passage les compromis que la Ville accepterait de faire afin « d'accommoder ceux qui ne veulent pas rester en appartement » (Béland, 1968c). *Le Droit* adopte aussi un ton assez conciliant envers la Ville dans l'éditorial qu'inspirent les événements, rédigé le 19 mars 1968 par Marcel Gingras (1968a). Tout en reconnaissant la justesse des propos de Mgr Demers, le journaliste souligne que la Ville a l'intention de donner la priorité aux habitants du secteur lorsque sera venu le temps de le repeupler. Marcel Gingras rédigera un autre éditorial sur la question le 1er juin (1968b). Puisant cette fois à même le contenu d'un numéro spécial du périodique *Le Carrefour*, journal local de la Basse-Ville, il invite les résidents à la vigilance et à exiger que l'on construise suffisamment de logis pour les familles nombreuses. Le journaliste conclut en revanche que, dans ce contexte de « grand dérangement », « les avantages de l'entreprise l'emportent sur les désavantages ».

Au cours de la même période, un seul article détonne par son propos nettement plus critique. Il est signé par Guy Béland le 27 janvier 1968 et porte le titre suivant : « Le quartier By demeurera-t-il français? »

(1968a). Son auteur n'hésite pas à soutenir que les plans initiaux, visant à maintenir la population dans le quartier, ne sont pas respectés. De nombreuses familles qui ont vendu leur propriété à la Ville ont déménagé ailleurs, en attendant que soient construits les logements promis. Or « ces personnes seront si bien installées, qu'elles ne voudront probablement pas revenir ». Ce constat nourrit la crainte de voir le caractère francophone du quartier sérieusement compromis à long terme. Le texte s'appuie sur les allégations de Mgr Demers, selon lequel le projet « risque d'amener l'élimination de ce bastion canadien-français qu'est le secteur de la Basse-Ville ». En outre, l'article remet en question l'ampleur du projet. Tout en reconnaissant l'état de délabrement du quartier, son auteur se demande s'il faut « tout détruire, simplement pour le fait de répondre aux demandes d'un plan d'ensemble ». Guy Béland adoptera le même ton dans une série de quatre articles, qui paraîtront à la une du journal entre le 31 mars et le 3 avril de l'année suivante (1969a, 1969b, 1969c et 1969d). Ces textes seront l'amorce d'une prise de position beaucoup plus nuancée du *Droit* à l'égard du projet de rénovation urbaine.

Le Droit, 1968-1973 : la voix des citoyens

Le Comité du réveil de la Basse-Ville Est est mis sur pied le 28 novembre 1968. Le même jour, à la une, *Le Droit* salue avec enthousiasme la formation de ce nouvel organisme « unique en son genre », dont la direction et les projets « ne dépendront d'aucun corps politique, administratif ou religieux. Ce sont les résidents eux-mêmes qui seront invités à faire part de leurs problèmes et exprimer leurs opinions sur la manière d'envisager la réalisation de ce projet qui changera complètement la face de la Basse-Ville » (*Le Droit*, 1968b). Le journal publie dès le lendemain un article particulièrement étoffé sur les questions débattues lors de la rencontre d'inauguration du comité, au cours de laquelle plusieurs acteurs municipaux ont pris la parole. L'article fait ressortir jusque dans son titre à quel point le projet est source de « grandes préoccupations » pour les résidents du quartier (*Le Droit*, 1968c). Il présente les enjeux soulevés par Robert Lachaîne, président du nouveau comité : il y est notamment question du périmètre touché par la rénovation, de l'ampleur de la démolition, des normes régissant les coûts d'achat des propriétés, du processus d'évaluation, mais également des droits des résidents à être traités avec justice et humanité. Un éditorial signé Louis Rocque le 13 mars 1969 fait état des mêmes controverses, tout en évoquant aussi le coût des loyers proposé par la Ville pour les logements subventionnés (1969).

Les débats qui opposeront les autorités municipales aux résidents au cours des années suivantes sont ainsi annoncés. Parmi les sujets qui feront la manchette du *Droit* dans la trentaine d'articles[6] – incluant cinq éditoriaux – que nous avons analysés pour la période qui va de l'automne 1968 à l'été 1973, on trouve : les expropriations (Rocque, 1969), les compensations versées par la Ville aux propriétaires délogés (*Le Droit*, 1968c; Guibord, 1972c), la construction de logements sociaux (Béland, 1969a), le projet de coopérative d'habitations du parc Beausoleil (Demers, 1972; Guibord, 1972b), le besoin d'un centre communautaire (Béland, 1971), etc. L'attention du journal se déplace ainsi de la technicité du plan d'urbanisme vers les résidents et leurs préoccupations. On remarque aussi un changement de ton de la part du *Droit.* Ainsi, après avoir donné son appui au projet, le quotidien se fait maintenant plus critique. Il évoque le droit du citoyen à l'information ainsi que sa nécessaire participation à la prise de décision concernant l'aménagement du territoire qu'il occupe. De nombreux textes portent sur la mobilisation des résidents du quartier et sur leurs relations avec les élus et les fonctionnaires. C'est donc dans une tout autre perspective, et en s'appuyant sur des sources différentes de celles utilisées au cours de la période précédente, que le journal aborde désormais le dossier.

Soucieux de répondre aux « nombreuses demandes de renseignements au sujet du projet de réaménagement urbain de l'est de la Basse-Ville », *Le Droit* publie une série de quatre articles sur le dossier au printemps 1969. Il y est particulièrement sévère à l'égard du processus de rénovation, suite à une enquête menée auprès des responsables du projet et « de ceux [qui sont] intimement touchés par ses effets ». Guy Béland, l'auteur des textes, rappelle l'exaspération des résidents alors que « rien ne bouge encore… après trois ans » (1969a). Il relate à cet effet, à la une du journal, la rencontre qu'il a eue avec Peter Burns, et les explications que lui a fournies ce dernier. L'opposition des citoyens serait responsable des retards, soutiendra le directeur du réaménagement urbain. Pierre Mercier, ancien président

---

[6] Il y a très peu d'articles datant de 1970 et 1971 dans les dossiers du Comité du réveil de la Basse-Ville, période durant laquelle il n'y a apparemment pas eu de revue de presse systématique. Certains articles substantiels pourraient donc avoir été omis.

du défunt comité des résidents, alléguera au contraire que cette participation était nécessaire pour donner au projet sa dimension humaine. Ce deuxième article donne aussi la parole à Gérard Lévesque, l'éditeur du *Carrefour*. Celui-ci insiste sur la nécessité de fournir aux citoyens une « information permanente » (Béland, 1969b). Le troisième article porte cette fois sur l'absence de communication entre les technocrates et les résidents. De l'avis de Guy Béland, les deux groupes seraient favorables au projet, mais n'auraient pas eu l'occasion de se le dire, vu l'absence de participation des citoyens au comité mis en place par la Ville au début du projet, qui n'aurait pas eu la représentativité attendue. Par ailleurs, le Comité du réveil, créé l'année précédente, n'aurait pas, selon lui, les moyens de ses ambitions, ne faisant que « réagir aux décisions déjà prises » (Béland, 1969c). Toutefois, *Le Droit* donne encore une chance au projet : « Malgré tous ces tâtonnements, ces tiraillements, ces dérangements et ces craintes, le projet de réaménagement communautaire de la Basse-Ville reste une très belle expérience humaine », de déclarer Guy Béland dans le quatrième et dernier article de la série (1969d). Il invite les fonctionnaires, les politiciens et les citoyens à agir de concert, afin que tous puissent bénéficier du projet.

Le Droit est donc toujours en faveur du projet de rénovation urbaine de la Basse-Ville Est mené par la Ville. Pour Guy Béland, le plan revu et adopté par le Conseil municipal le 8 avril 1969 après trois ans de discussions entre les citoyens et les fonctionnaires, répondra aux besoins communautaires des Canadiens français du quartier, notamment par la construction d'une école secondaire française, d'une salle paroissiale et du Patro (1969e). Il précise que « tous les résidents du quartier pourront rester dans la Basse-Ville s'ils le désirent. Toutefois, il est clair que ces derniers devront demeurer dans des maisons en rangée ou dans des immeubles résidentiels ». Selon le journaliste, ce plan diffère très peu du premier qui avait été présenté en 1966.

C'est un des derniers articles du *Droit* à adopter un ton positif à l'égard de la rénovation urbaine de l'est de la Basse-Ville. À partir de 1969, le journal se fait plus critique, emboîtant ainsi le pas aux reproches de plus en plus virulents des représentants de la population. De nombreux articles font état de leur absence de participation à la prise de décision et de leur frustration devant le manque d'information. Les titres utilisés par le quotidien pour rendre compte du mécontentement des citoyens ne laissent aucun doute quant à ses propres allégeances : « Reid sommé de rencontrer les citoyens de la Basse-Ville » (Lévesque, 1969), « Sentiment de frustration chez les citoyens » (Guibord, 1972a), « Le comité de citoyens dénonce la bureaucratie » (Guibord, 1972b), « Les citoyens mettent en doute la logique du maire Benoit » (*Le Droit*, 1973b). *Le Droit* se fait par ailleurs l'écho des revendications des citoyens pour ce qui touche les espaces de vie communautaire, dont le maintien du Patro dans le secteur et la construction d'une piscine extérieure. La controverse autour de l'aréna lui fournit l'occasion de se positionner dès novembre 1970 aux côtés des résidents du quartier. « Une [*sic*] aréna, oui, mais pas chez nous », peut-on lire sous le titre « Les gens de la Basse-Ville savent ce qu'ils veulent » (Béland, 1970). Le journal continuera de jouer le rôle de porte-parole de la communauté dans ce dossier, par exemple, en approuvant la décision des citoyens de rejeter le projet de construction d'un aréna dans le quartier, considérant que « les priorités de 1972 devaient être la coopérative Beausoleil et la construction du centre communautaire » (Guibord, 1972a). L'article est accompagné d'une photo du conseiller Pierre Benoit, las et déstabilisé par une telle réaction. Dans un éditorial daté du 18 septembre 1972, Marcel Gingras considère comme « d'excellentes nouvelles pour la Basse-Ville » l'émission prochaine du permis de construction de la coopérative du parc Beausoleil et le fait que Pierre Benoit, devenu maire, « consultera les intéressés afin de savoir d'eux-mêmes où ils désirent voir s'élever l'aréna. [...] Voilà ce que l'on nomme de la démocratie de participation. Les citoyens participeront à la prise de décision » (Gingras, 1972). Le journaliste conseille au maire de poursuivre dans cette voie, ce qui « lui évitera de nombreux ennuis ». Il ajoute toutefois : « Il ne faut pas se méprendre. Il peut arriver et arrivera probablement que, même après consultation, M. Benoit devra prendre des décisions qui déplairont à quelques-uns ou même à plusieurs. Élu pour gouverner, un conseil municipal doit assumer ses responsabilités, même au risque de se rendre impopulaire à certains moments ». *Le Droit* se réserve ainsi la possibilité d'appuyer ce maire francophone, le temps venu.

Ce qu'il fera dans une série d'articles parus quelques mois plus tard, qui font état des « tiraillements » entre les représentants de la population et la Ville. Après avoir rappelé l'engagement du maire Benoit que « de la rénovation avec les bulldozers, il n'y en aura plus », le journal lui offre son soutien : « Le maire a donné libre cours à son amertume mardi » devant les critiques répétées des « leaders populaires » (Landry,

1973a). Le 3 avril 1973, « le maire soulign[e] de nouveau les problèmes occasionnés par la multiplicité des porte-paroles dans la Basse-Ville » ainsi que leurs incessantes volte-face (*Le Droit*, 1973a). *Le Droit* présente divers exemples utilisés par le maire pour étayer ses propos et reprend également ses déclarations selon lesquelles les « dits » représentants de la Basse-Ville se servent des médias pour alimenter la bisbille : « Ils nous parlent continuellement par l'entremise des journaux. Ça me fend la face » (*Le Droit*, 1973a). L'éditorial publié le même jour et intitulé « Une saine colère du maire Benoit » (Gingras, 1973c) confirme la position du journal : « La colère du maire s'explique donc. Elle se comprend et on l'approuve », écrit Marcel Gingras. Il s'empresse d'ajouter toutefois : « En approuvant sa colère, nous ne retirons nullement l'appui accordé au projet d'action juridique des citoyens de la Basse-Ville contre la municipalité. » Reprenant les propos mêmes du maire selon lequel la rénovation n'aurait jamais dû se faire telle qu'elle s'est faite et que, dans plusieurs cas, « il aurait fallu restaurer et non démolir et reconstruire », le journal soutient qu'une telle action judiciaire aurait même dû être exercée plus tôt, soit dès l'annonce de la rénovation du secteur. « La rénovation s'imposait dans le secteur, c'est indiscutable, mais on aurait dû y procéder avec plus d'égards à l'endroit des personnes touchées » (Gingras, 1973b).

Le Droit, 1973-1978 : la parole des journalistes

Le discours du *Droit* se durcira encore lors de la rentrée de 1973. Deux séries d'articles, signées par Gilbert Brunet et annoncées à la une du journal, donneront le ton. La première série présente le fruit d'une enquête menée par un groupe d'étudiants de la région et rendue publique en septembre (Brunet, 1973a, 1973b, 1973c). La seconde, publiée en octobre, rapporte les réactions du maire Benoit, de Lorry Greenberg, commissaire responsable de la rénovation urbaine, et de Douglas Wurtele, directeur du service d'aménagement communautaire, devant ces résultats (Brunet, 1973d, 1973e). *Le Droit* dresse ainsi le portrait de la population du quartier, tel que l'a présenté l'étude. Il fait état de la diminution de la population et de son vieillissement, de la proportion importante de locataires ainsi que du taux de chômage élevé. On met de l'avant le problème de l'anglicisation des résidents. Cette première série d'articles insiste également sur le lien direct entre la rénovation urbaine et l'appauvrissement du secteur : « Les travaux de rénovation du secteur Est ont provoqué le départ de plusieurs résidents qui avaient un revenu élevé : notamment, certains propriétaires des maisons expropriées, la fermeture des boutiques et autres services commerciaux, le départ de plusieurs locataires, etc. » (Brunet, 1973b). Si Gilbert Brunet affirme se distancier de certains liens de causalité suggérés par les auteurs de l'étude, il n'en reproduit pas moins leurs propos : « La rénovation urbaine a eu pour effet de remplacer de vieilles habitations par une grande quantité de logements à loyer subventionné ». Il mentionne qu'on n'entretiendrait plus guère de relations de voisinage dans le quartier, et qu'on n'y aurait plus recours aux organismes communautaires. Dans la deuxième série d'articles, le journaliste insiste sur le fait que les responsables municipaux utilisent des verbes conjugués au conditionnel pour répondre aux problèmes soulevés par l'étude : « Cette situation serait en voie d'amélioration et la communauté qui vit dans le secteur serait sur le point de refaire surface » (Brunet, 1973d). Il rappelle la promesse faite aux citoyens d'une renaissance communautaire, mais rapporte leurs propos concernant la difficulté d'arriver à un meilleur équilibre dans la hiérarchie sociale (Brunet, 1973e).

Par la suite, *Le Droit* consacrera encore plusieurs articles au dossier de la rénovation urbaine de la Basse-Ville. Nous en avons analysé plus de trente, pour la période allant de l'été 1973 à 1978, parmi lesquels les deux séries d'articles évoquées plus haut, mais aussi quatre éditoriaux et quatre « analyses » de Michel Gratton et de Pierre Ouimet, courriéristes municipaux. Les projets de logement (Landry, 1974 ; Gauthier, 1974a ; Gratton, 1976a ; Ouimet, 1977b), l'artère Saint-Patrick (Bergeron, 1976b ; Gratton, 1976c), le centre commercial (Ouimet, 1977c), le centre communautaire et, plus largement, la reconstruction du quartier et de la vie communautaire (Gauthier, 1974b et 1975 ; Bergeron, 1976a) sont les principaux sujets abordés. Les relations avec les autorités municipales sont à nouveau à l'ordre du jour. On reproche toujours aux élus et aux fonctionnaires de faire la sourde oreille devant les demandes des citoyens, leurs décisions unilatérales, voire leur mutisme (Degarie-Degani, 1974 ; Gratton, 1976b). Le ton est toutefois moins virulent que durant la période précédente, à cause sans doute de l'ouverture de la Ville à la participation des citoyens dans la révision du plan de rénovation. Michel Gratton reconnaît d'ailleurs sans ambages cette évolution dans la position de l'administration municipale (1977). Toutefois, la déception et l'amertume ont remplacé l'appel à la mobilisation. L'engagement du *Droit* se fait maintenant plus visible : les journalistes prennent plus librement la parole sur la rénovation urbaine, agissant comme de véritables acteurs dans le dossier[7]. S'ils consultent toujours les mêmes sources – le maire et les conseillers municipaux, les urbanistes, le Comité du réveil de la Basse-Ville –, ils n'hésitent plus à les critiquer, le contenu « éditorial » étant de plus en plus présent dans leurs articles.

Le dossier controversé du Patro fera couler beaucoup d'encre en 1973. Pour cette année seulement, une dizaine d'articles lui seront consacrés à la une ou dans des textes accompagnés de photos, parmi lesquels trois éditoriaux. En mars 1974 et mars 1975, deux importants reportages occuperont plusieurs pages du journal (Lemery, 1974a et 1974b; Timmerman, 1975). Le torchon brûle entre la direction du Patro et le diocèse d'Ottawa, qui possède les édifices où loge l'organisme communautaire depuis sa création 15 ans plus tôt par la congrégation de Saint-Vincent-de-Paul. Or le diocèse refuse de remettre au Patro la somme que lui a versée la Ville pour l'expropriation de ses édifices, rue Saint-Patrick. *Le Droit* fait grand état de la querelle, citant les propos de l'un et de l'autre, au grand dam de l'archevêque d'Ottawa, Mgr Joseph-Aurèle Plourde, qui, comme le maire l'avait fait quelques années plus tôt, déplore que la voix des journaux ait été préférée à celle du dialogue (Guibord, 1973a, 1973b et 1973c; Martel, 1973; Landry, 1973b). Pris entre l'arbre et l'écorce, le quotidien tente toutefois d'ouvrir le débat dans un éditorial publié le 24 mars : « Si le Patro fait face aujourd'hui à des difficultés financières, il les doit à la rénovation urbaine et il serait injuste de lui faire porter et de faire porter à la Corporation épiscopale un fardeau plus lourd que celui qui écrase l'un et l'autre présentement. La municipalité doit prendre à sa charge l'excédent de poids » (Gingras, 1973a). Le message aura visiblement été entendu, car une entente est ratifiée : la Ville d'Ottawa assumera la coordination et la construction d'un centre communautaire qui abritera le Patro gratuitement pendant 10 ans (Tremblay, 1973). Pierre Tremblay, qui signe l'éditorial, attribue le règlement du conflit au maire Benoit, tout en concluant que si d'aucuns voient dans la future construction un certain opportunisme de la

7 C'est la thèse que nous défendions dans la communication que nous avons livrée en mars 2013, lors du colloque *Les médias et la francophonie canadienne : Quel passé ? Quel présent ? Quel avenir ?*, organisé par le CRCCF de l'Université d'Ottawa. Le présent article s'inspire de cette communication, intitulée « *Le Droit* face à la rénovation urbaine de la Basse-Ville d'Ottawa : de simple spectateur à véritable acteur ».

municipalité, il préfère « croire qu'il s'agit d'une véritable préoccupation du mieux-être pour la population du quartier ».

Les critiques du *Droit* envers la réalisation du projet de rénovation urbaine se feront dès lors de plus en plus acerbes. Elles sont à peine voilées dans la plupart des articles publiés par le journal sur l'un ou l'autre aspect du projet. La question du logement s'y prête plus particulièrement. « Si c'était à recommencer, construirait-on encore les deux tours ? », se demande Michel Gratton, dans une analyse parue le 24 janvier 1976 (1976a). Remarquant que très peu de résidents de la Basse-Ville se sont installés dans les deux tours nouvellement construites « dans le fameux Bloc D »[8], le journaliste critique sans réserve les choix architecturaux de la Ville : les appartements de ces tours de béton d'une autre époque ne se prêtent pas à l'accueil de familles. Il relève aussi le fait que les promesses d'y assurer un certain équilibre entre les logements subventionnés et ceux qui ne le sont pas n'ont pas été tenues, au grand regret des citoyens. Dans ce texte particulièrement incisif, il reprend les propos de l'un des urbanistes de la Ville d'Ottawa, considérant que « la meilleure chose à faire avec cet édifice-là, ce serait de le raser au sol ».

Le litige qui oppose la Ville et les citoyens à propos d'un projet de construction de quelque 120 unités de logement fournit un autre exemple des prises de position du *Droit* dans le dossier. Forts d'une expertise développée grâce aux coopératives Beausoleil et Brébeuf, les citoyens refusent en effet que le projet soit confié à la Société de logement à but non lucratif d'Ottawa plutôt qu'à une coopérative dont ils seraient responsables. Michel Gratton publie le 25 juin 1977 une analyse sur cet enjeu, fustigeant l'intention de la Ville de « faire vite » pour « atteindre ses objectifs, fixés arbitrairement » (Gratton, 1977). « Devra-t-on pour cela sacrifier l'avenir d'une communauté qui désire prendre son destin en main ? », s'inquiète le journaliste. Publié le même jour, un éditorial signé Guy Lacombe prend nettement le parti du Comité du réveil de la Basse-Ville dans ce dossier, en concluant : « La Basse-Ville a déjà assez souffert depuis une dizaine d'années de décisions maladroites du conseil de ville sans qu'il soit nécessaire de détériorer davantage la situation » (Lacombe, 1977). Clinton Archibald prendra à son tour la plume un mois plus tard dans un éditorial, invitant les uns et les autres au dialogue (1977). La

[8] On se rappellera que le quartier a été divisé en blocs pour les fins de la rénovation urbaine.

réalisation du pont Saint-Patrick, évoquée dans le bilan que fait Michel Gratton des dossiers traités par l'Hôtel de ville d'Ottawa au cours de l'année 1976, essuie des commentaires négatifs (1976c) : ses six voies ne feront qu'encourager l'élargissement subséquent de la rue Saint-Patrick, qui ne compte que quatre voies, ce que la Basse-Ville, « déjà massacrée par les démolitions des années 60 », ne souhaite absolument pas. À mots à peine couverts, plusieurs articles font ainsi allusion à l'échec cuisant qu'a été le projet.

Les journalistes du Droit s'expriment quelquefois de manière encore plus directe. Un article publié le 28 mars 1977 a attiré notre attention à cet égard. Dans ce texte intitulé « La Basse-Ville 1976 : Ottawa a son village fantôme : une scène du Far West en plein milieu de la capitale nationale » et illustré par des photos on ne peut plus évocatrices de la désolation du paysage, l'auteur de l'article s'interroge sur le destin d'une trentaine de maisons placardées, pour certaines expropriées, pour d'autres visiblement abandonnées par leurs propriétaires (*Le Droit*, 1977). La rédaction de l'article ne semble liée à aucun événement particulier qui aurait marqué l'actualité dans les jours qui précèdent, à aucune intervention de l'un ou l'autre des protagonistes dont le journal relate habituellement les propos et les interventions. Comme si *Le Droit* n'avait plus besoin d'incitatifs pour prendre la parole dans le dossier et qu'il agissait de son propre chef.

Conclusion

Dans l'ouvrage collectif dirigé par Sandrine Lévêque et Denis Ruellan (2010), plusieurs auteurs s'interrogent sur la tension, inhérente à la pratique journalistique, entre engagement et distanciation. Ils montrent, par de nombreux exemples puisés à travers le monde, l'ambivalence dans laquelle se trouvent les journalistes, tiraillés entre un journalisme qui se veut « libre de toutes attaches, rapporteur des faits bruts et de la réalité » et celui qui se proclame « auxiliaire de la démocratie, défendant un projet de société, bref un journalisme de combat, chargé d'éclairer le peuple y compris en défendant ses propres idées ». Cette question de la frontière entre objectivité et militantisme constitue un sujet d'analyse récurrent. En effet, de nombreuses études se sont penchées sur le rapport qu'entretiennent les journalistes avec leurs sources d'information, sur la fabrication de l'actualité et la promotion de certains événements : le journalisme est ainsi considéré tantôt comme un moyen de diffuser l'information de façon neutre, un simple miroir de la vie sociale, un médiateur objectif exposant l'opinion publique, tantôt comme un instrument idéologique qui verse dans la propagande, voire le prosélytisme (Gilbert et Brosseau, 2002).

Ce dilemme entre engagement et mise à distance constitue un défi encore plus aigu pour les journalistes œuvrant en milieu minoritaire, par exemple, dans les communautés francophones du Canada anglais. Dans un débat intitulé « Indépendance, engagement et journalisme », Pierre Sormany, journaliste à Radio-Canada, affirmait qu'il était difficile de faire preuve d'objectivité dans une situation minoritaire : « C'est très difficile de choisir des faits », quand on se rend compte que « la grille d'analyse d'une minorité est [...] forcément biaisée » (Van Vliet, 2013). Cette idée vient conforter la thèse de nombreux auteurs qui avancent que le journalisme en milieu minoritaire francophone au Canada est inéluctablement un journalisme engagé, où le devoir moral de soutien à la minorité implique souvent de se positionner en marge des canons déontologiques.

Si le journalisme franco-ontarien a souvent donné lieu à ce qu'Ignacio Ramonet (1999) appelle, dans son fameux livre *La Tyrannie de la communication*, le « journalisme de révérence », à savoir un journalisme trop partisan, il semble qu'il n'en ait pas toujours été ainsi dans le chapitre de l'aménagement. Le positionnement initial du *Droit* dans le dossier de la rénovation urbaine de l'est de la Basse-Ville s'est parfois écarté de cette règle. En effet, au moment de l'annonce du projet en 1966, *Le Droit* a affiché un enthousiasme débordant, endossant presque tous les arguments de la municipalité, qui présentait ce projet urbanistique comme une opération de modernisation et d'embellissement du centre-ville d'Ottawa et une nécessité au nom de la salubrité. Si le projet a bénéficié au départ d'un engouement certain, voire d'une véritable euphorie, il faudra attendre plusieurs années, lorsqu'une grande partie du plan aura été réalisée, pour assister à un revirement dans la position du *Droit*. Ce changement d'attitude est toutefois apparu graduellement. C'est à partir de la deuxième année du projet (qui coïncide avec la mise sur pied du Comité du réveil de la Basse-Ville par des citoyens engagés, qui deviendront des interlocuteurs précieux pour les journalistes), que *Le Droit* a commencé à se montrer beaucoup plus critique. Le discours de mobilisation, largement aligné sur celui des citoyens exaspérés, portera moins sur le contenu du projet – sa dimension matérielle –, que sur la manière de faire – sa dimension procédurale. Le journal reprochera alors aux responsables le manque de consultation publique, les décisions hâtives ne faisant pas l'objet d'un débat démocratique local en amont ainsi que l'occultation des revendications citoyennes. Si les années 1970 sont marquées par l'essoufflement de la mobilisation citoyenne, elles constitueront pour les journalistes du *Droit* le moment d'une prise de position radicale face à un lourd bilan sur le plan social, économique et morphologique : diminution de la population d'origine et remplacement par une population largement locataire, chômage, vieillissement, anglicisation, disparition des liens communautaires, déstructuration du tissu urbain.

Ainsi, une fois passée l'euphorie de la rénovation, on assiste au retour du militantisme en faveur de la minorité francophone. Ce basculement peut être attribué à la perte de confiance à l'endroit de la Ville d'Ottawa, qui a commis plusieurs faux pas. Cependant, comme nous l'avons évoqué en introduction, d'autres facteurs, qui relèvent davantage de la pratique journalistique que des réalités du terrain, ont concouru à tempérer l'enthousiasme du *Droit* dans le dossier de la rénovation urbaine de la Basse-Ville. Les revers d'opinion du journal traduisent en fait le manque d'expertise des journalistes et leur méconnaissance, à l'époque, des enjeux propres à l'aménagement urbain. L'épisode de la rénovation de la Basse-Ville peut ainsi être considéré comme la mise à l'essai d'un nouveau type de journalisme : un journalisme engagé socialement dans la planification urbaine, plus connu dans le monde anglo-saxon sous le concept d'*advocacy planning*. Les leçons tirées de cette expérience auront des effets durables puisque, lorsque la ville envisagera au cours des années suivantes d'autres transformations dans les milieux francophones de la capitale fédérale (tels que la Côte-de-Sable, l'est et l'ouest de la Basse-Ville, Vanier, ou encore les plaines LeBreton), *Le Droit* se posera immédiatement en ardent défenseur du patrimoine matériel et immatériel des francophones (Ramirez et Benali, 2012 ; Benali, 2013a et 2013b). Fort des connaissances acquises lors de l'expérience de rénovation de la Basse-Ville, le journal deviendra un acteur essentiel dans le domaine de l'aménagement urbain, faisant preuve d'une connaissance approfondie des tenants et aboutissants des projets urbanistiques. Le chapitre de la rénovation de la Basse-Ville a ainsi constitué un moment charnière dans l'histoire du *Droit*, où les incertitudes et la confusion initiales en matière d'urbanisme ont fait place à une certaine détermination dans les positions exprimées par les journalistes, forts d'une nouvelle expertise.

BIBLIOGRAPHIE

Journal : *Le Droit*

(1966a). « Rénovation de la Basse-Ville : un manque de dialogue entre deux commissions », 5 juillet, p. 1.

(1966b). « Prêt à construire une école dans la Basse-Ville », 6 juillet, p. 1.

(1967a). « À la suite de la rénovation urbaine : aide accrue de l'Ontario aux proprios déplacés », 11 septembre, p. 1-2.

(1967b). « De la place pour tout le monde dans la Basse-Ville », 19 octobre, p. 1.

(1967c). « Le réaménagement urbain : la Basse-Ville sera dotée d'une école polyvalente », 20 octobre, p. 1.

(1968a). « Promesse d'avenir pour le secteur commercial de la rue Rideau : un premier gratte-ciel va s'élever dans la Basse-Ville d'Ottawa », 3 mai, p. 4.

(1968b). « Un rendez-vous important : toute la Basse-Ville doit être là ! », 28 novembre, p. 1.

(1968c). « Un bombardement de questions : la rénovation urbaine de la Basse-Ville cause de très grandes préoccupations », 29 novembre, p. 4 et 11.

(1973a). « "Finie la rénovation urbaine avec des bulldozers" – Benoit », 3 avril, p. 1.

(1973b). « Rénovation dans la Basse-Ville : les citoyens mettent en doute la logique du maire Benoit », 26 avril, p. 5.

(1977). « La Basse-Ville 1976 : Ottawa a son village fantôme : une scène du Far West en plein milieu de la capitale nationale », 28 mars, p. 8.

ARCHIBALD, Clinton (1977). « Coopérative ou cooptation ? », 27 juillet, p. 6.

BÉLAND, Guy (1967). « Le conseiller Jules Morin en a par-dessus la tête du Service de l'urbanisme », 6 septembre, p. 4.

BÉLAND, Guy (1968a). « Le quartier By demeurera-t-il français ? », sous la rubrique « Question du jour », 27 janvier, p. 14.

BÉLAND, Guy (1968b). « La rénovation urbaine : travaux dès cet été », 12 mars, p. 4.

BÉLAND, Guy (1968c). « Inquiétudes de Mgr C. A. Demers : la Basse-Ville perdra-t-elle son caractère français ? », 14 mars, p. 1.

BÉLAND, Guy (1968d). « Réaménagement de la Basse-Ville : dépense de 9 786,800 $ pour la première phase », 19 mars, p. 1.

BÉLAND, Guy (1969a). « Le réaménagement de la Basse-Ville (1) : rien ne bouge encore… après trois ans », 31 mars, p. 1.

BÉLAND, Guy (1969b). « Le réaménagement de la Basse-Ville (2) : le gros problème : les communications », 1er avril, p. 1.

Béland, Guy (1969c). « Le réaménagement de la Basse-Ville (3) : une non-participation de la masse! », 2 avril, p. 1.

Béland, Guy (1969d). « Le réaménagement de la Basse-Ville (4) : malgré tout... une belle expérience », 3 avril, p. 1.

Béland, Guy (1969e). « Accord du Conseil à la rénovation de la Basse-Ville », 9 avril, p. 1.

Béland, Guy (1970). « Les gens de la Basse-Ville savent ce qu'ils veulent : "une [*sic*] aréna, oui, mais pas chez nous" », 13 novembre, p. 1-2.

Béland, Guy (1971). « Soirée d'information sur le centre communautaire : quand les gens de la Basse-Ville rencontrent des hommes politiques », 1er octobre, p. 11.

Bergeron, Pierre (1976a). « Le Conseil adopte le plan de réaménagement de la Basse-Ville Est », 3 février, p. 4.

Bergeron, Pierre (1976b). « Le pont St. Patrick : six voies », 10 juin, p. 1.

Bernier, Gérard (1966a). « Le réaménagement de "By" », 23 mars, p. 6.

Bernier, Gérard (1966b). « La revalorisation de "By" », 25 mars, p. 6.

Bernier, Gérard (1966c). « À la population de "By" », 20 juin, p. 6.

Brunet, Gilbert (1973a). « Qui est le résidant de la Basse-Ville? (1) », 25 septembre, p. 3.

Brunet, Gilbert (1973b). « Qui est le résidant de la Basse-Ville? (2) : la Basse-Ville se vide et s'anglicise », 26 septembre, p. 3.

Brunet, Gilbert (1973c). « Qui est le résidant de la Basse-Ville? (3) : une vie communautaire diminuée », 27 septembre, p. 3.

Brunet, Gilbert (1973d). « La Basse-Ville au creux de la vague (1) : Benoit et Greenberg promettent une renaissance », 23 octobre, p. 5.

Brunet, Gilbert (1973e). « La Basse-Ville au creux de la vague (2) : depuis la rénovation, la Basse-Ville s'anglicise », 23 octobre, p. 6.

Degarie-Degani, Reine (1974). « Basse-Ville : les fonctionnaires ne sont pas les interlocuteurs désirés », 25 janvier, p. 5.

Demers, Edgar (1972). « La coopérative d'habitation parc Beausoleil : un projet original pour les citoyens de la Basse-Ville », 30 juin, p. 13.

Dugas, Norman (1972). « La Ville d'Ottawa a-t-elle failli à ses obligations? », 17 janvier, p. 3.

Gauthier, Claude (1974a). « La Basse-Ville Est devra devenir un quartier de maisons de rapport », 7 décembre, p. 3.

Gauthier, Claude (1974b). « Basse-Ville Est : les citoyens reprennent en main le plan de rénovation », 13 décembre, p. 3.

Gauthier, Claude (1975). « Basse-Ville : le plan d'aménagement est approuvé », 16 décembre, p. 5.

Gingras, Marcel (1968a). « La Basse-Ville d'Ottawa et les francophones », 19 mars, p. 6.

Gingras, Marcel (1968b). « La rénovation de la Basse-Ville », 1er juin, p. 6.

Gingras, Marcel (1972). « D'excellentes nouvelles pour la Basse-Ville », 18 septembre, p. 6.

GINGRAS, Marcel (1973a). « Le Patro, œuvre de suppléance », 24 mars, p. 6.

GINGRAS, Marcel (1973b). « Traiter les humains en humains », 2 avril, p. 6.

GINGRAS, Marcel (1973c). « Une saine colère du maire Benoit », 3 avril, p. 6.

GRATTON, Michel (1976a). « Basse-Ville : si c'était à recommencer construirait-on encore les deux tours ? », 24 janvier, p. 15.

GRATTON, Michel (1976b). « Plan de réaménagement de la Basse-Ville Est : le conseiller Bédard est furieux du mutisme de la bureaucratie municipale », 19 octobre, p. 8.

GRATTON, Michel (1976c). « 1976 à Ottawa : plusieurs projets sont mis de l'avant et les nouveaux conseillers acquièrent de l'expérience », 27 décembre, p. 3.

GRATTON, Michel (1977). « Basse-Ville : la chicane reprend entre la ville et les citoyens », 25 juin, p. 8.

GUIBORD, André (1972a). « L'aréna de la Basse-Ville : sentiment de frustration chez les citoyens », 18 février, p. 3.

GUIBORD, André (1972b). « Coopérative d'habitation du parc Beausoleil : le comité de citoyens dénonce la bureaucratie », 14 septembre, p. 3.

GUIBORD, André (1972c). « Basse-Ville : des dédommagements peu équitables », 13 octobre, p. 5.

GUIBORD, André (1973a). « Centre communautaire de la Basse-Ville : le conseiller Morin n'en sait pas plus long que les citoyens », 13 février, p. 2.

GUIBORD, André (1973b). « Patro : Plourde s'en prend aux "semeurs de zizanie" », 24 mars, p. 1.

GUIBORD, André (1973c). « Le "scandale" du Patro : attaque contre le diocèse? », 30 mars, p. 2.

LACOMBE, Guy (1977). « Sursis à la Basse-Ville », 25 juin, p. 6.

LANDRY, Philippe (1973a). « Dans la Basse-Ville : Benoit en a assez des "tiraillements" », 28 mars, p. 3.

LANDRY, Philippe (1973b). « "Je ne connais pas les demandes… ils ne me les communiquent pas" – Basse-Ville : Benoit en a "plein le casque" », 31 mars, p. 5.

LANDRY, Philippe (1974). « La rénovation prendra fin deux ans plus tôt », 4 mars, p. 3.

LEMERY, Marthe (1974a). « En 1957, le Patro naissait dans un champ de patates », 9 mars, p. 13-14.

LEMERY, Marthe (1974b). « Le Patro d'Ottawa : de la rénovation à la mobilisation », 9 mars, p. 15.

LÉVESQUE, Gérard (1969). « On désire participer aux décisions : Reid sommé de rencontrer les citoyens de la Basse-Ville », 24 juillet, p. 4.

MARTEL, Jacques (1973). « Basse-Ville : les citoyens passent à l'action », 23 mars, p. 1.

OUIMET, Pierre (1977a). « Les lenteurs et les erreurs des saltimbanques municipaux », 20 janvier, p. 3.

OUIMET, Pierre (1977b). « Projet de $ 39 millions : début de la construction dans la Basse-Ville d'Ottawa », 28 avril, p. 11.

OUIMET, Pierre (1977c). « Centre commercial de la Basse-Ville Est : les travaux débuteraient à l'automne », 21 juillet, p. 5.

ROCQUE, Louis (1965). « Le visage de la Basse-Ville sera entièrement transformé : un vaste projet de rénovation à l'étude pour ce secteur d'Ottawa », 4 novembre, p. 1.

ROCQUE, Louis (1966a). « Le quartier By demeure français : Ottawa approuve en principe le projet de la Basse-Ville », 22 mars, p. 1.

ROCQUE, Louis (1966b). « La rénovation urbaine : la population du quartier By est fortement déçue », 15 juin, p. 1.

ROCQUE, Louis (1966c). « La rénovation urbaine : le maire d'Ottawa rencontre les citoyens du quartier By », 16 juin, p. 1.

ROCQUE, Louis (1967). « La rénovation urbaine débutera incessamment dans la Basse-Ville », 7 avril, p. 1-2.

ROCQUE, Louis (1969). « Prudence dans les expropriations », 13 mars, p. 6.

TIMMERMAN, Darquise (1975). « Le Patro pour toute la famille », 29 mars, p. 19.

TREMBLAY, Pierre (1973). « Le Patro, carré Anglesea », 19 décembre, p. 6.

Livres et articles

BEAUCHAMP, Michel, et Thierry WATINE (dir.) (2006). *Médias et milieux francophones*, Québec, Les Presses de l'Université Laval.

BENALI, Kenza (2013a). « La densification urbaine dans le quartier Vanier : germe d'un renouveau urbain ou menace pour le dernier îlot francophone de la capitale canadienne ? », *Cahiers de géographie du Québec*, vol. 57, n° 160 (avril), p. 41-68.

BENALI, Kenza (2013b). « Le réaménagement des plaines LeBreton : une occasion de "rendre justice" à la communauté francophone d'Ottawa ? » *Recherches sociographiques*, vol. 54, n° 1 (janvier-avril), p. 29-57.

BERNIER, Marc-François (2010). « Les enjeux éthiques du journalisme en milieu minoritaire au Canada », Colloque *Les journalistes : réalités plurielles, éthique commune ?*, Université d'Ottawa, 8 mai.

BONIN, Normand, *et al.* (1977). *La Basse-Ville Ouest c'était...*, CRCCF, Brochure MRT 01-CRC 1977-13.

CORRIVEAU, Claire (1998). *Pratiques journalistiques en milieu minoritaire : le cas du Manitoba francophone*, thèse de maîtrise, Québec, Université Laval.

FABRIS, Papillon, et Michel BEAUCHAMP (2002). « La pratique du journalisme en milieu minoritaire canadien : le cas de l'Ontario français », *Les Cahiers du journalisme*, n° 10 (printemps-été), p. 156-181.

GILBERT, Anne, et Marc BROSSEAU (2002). « Le journal, acteur urbain ? *Le Droit* et la vocation du centre de Hull », *Recherches sociographiques*, vol. 43, n° 3 (septembre-décembre), p. 517-548.

LÉVÊQUE, Sandrine, et Denis RUELLAN (dir.) (2010). *Journalistes engagés*, Rennes, Presses universitaires de Rennes.

RAMIREZ, Caroline, et Kenza BENALI (2012). « Les luttes patrimoniales à l'heure de la densification urbaine : le cas de la Basse-Ville Est d'Ottawa », *Canadian Journal of Urban Research = Revue canadienne de recherche urbaine*, vol. 21, n° 1, p. 109-150.

RAMONET, Ignacio (1999). *La Tyrannie de la communication*, Paris, Éditions Galilée.

VAN VLIET, Simon (2013). « Un débat à poursuivre : indépendance, engagement et journalisme », *Ensemble*, 27 mars, [En ligne], [http://www.journalensemble.coop/article/2013/03/ind-pendance-engagement-et-journalisme-un-d-bat-poursuivre/366] (27 juillet 2013).

WATINE, Thierry (1993). *Pratiques journalistiques en milieu minoritaire : la sélection et la mise en valeur des nouvelles en Acadie*, thèse de doctorat, Lille, Université de Lille III.

Les rapports entre les jeunes et *La Liberté* : des rubriques « par et pour » les jeunes au discours sur les « causes jeunesse » d'aujourd'hui

Michelle Keller
Université du Manitoba

On a vu au cours des années 2000 une augmentation importante des recherches sur les jeunes en milieu minoritaire francophone au Canada. Ces recherches ont souvent été menées auprès des jeunes et traitent surtout des questions identitaires, langagières ou scolaires (Dallaire, 2004 ; Gérin-Lajoie, 2003 ; Lafontant, 2002 ; Pilote, 2003)[1]. Mais à l'exception de quelques travaux (Denis et Ollivier, 2001 ; Laflamme, 2007), peu d'entre elles ont porté sur les problématiques concernant les médias. Or ces analyses, et notamment celle des rapports entre les jeunes[2] et les journaux communautaires, sont d'une importance primordiale pour ces journaux dont la durée repose sur la relève chez les journalistes et chez les lecteurs.

Pour des journaux déjà anciens comme *La Liberté*, qui fêtait en 2013 son 100e anniversaire, cette relève peut être difficile à recruter. Si les journaux veulent plaire aux abonnés de longue date, qui représentent généralement la majorité des lecteurs, ils veulent aussi intéresser une nouvelle génération de lecteurs.

La capacité de rejoindre la relève journalistique pose un défi de taille en raison de ce que Jean-Paul Lafrance nomme « la tourmente électronique » (2008 : 16) après « le déclin de la culture écrite », que rappelle Jean de Bonville (2008 : 128-136). En effet, la tendance à se

---

[1] *Francophonies d'Amérique* a consacré son 12e numéro (automne 2001), intitulé « Jeunesse et société francophone minoritaire en mouvance », à une réflexion sur la jeunesse. L'ouvrage *La jeunesse au Canada français : formation, mouvements et identité* (2007), dirigé par Michel Bock et publié par les Presses de l'Université d'Ottawa, réunit aussi des textes sur la jeunesse.

[2] Nous nous référons surtout aux personnes âgées de 14 à 25 ans, soit le public cible du Conseil jeunesse provincial du Manitoba.

Francophonies d'Amérique, n° 35 (printemps 2013), p. 141-157

tourner vers d'autres médias se reflète dans les choix culturels des jeunes francophones du Manitoba au cours des dernières années, comme en témoignent le court métrage *FM Youth,* tourné par Stéphane Oystryk en 2009, et la vidéo *Ceci est notre message*, réalisée par Gabriel Tougas deux ans plus tard. Le contenu de ces initiatives récentes, qui remettent en question le *statu quo* au sein de la communauté franco-manitobaine, suggère qu'il y a lieu de considérer d'autres facteurs pouvant expliquer la distance qui existe aujourd'hui entre les jeunes et *La Liberté*.

Pour cerner ces raisons, nous proposons une étude des rapports entre les jeunes et *La Liberté*[3], de la fin des années 1960 jusqu'à maintenant. À l'aide de journaux[4] et de quelques documents d'archives, nous examinerons, dans un premier temps, la collaboration de jeunes à *La Liberté* avant et après la création du Conseil jeunesse provincial (CJP) en 1974, soit de 1968 à 1973, de 1977 à 1979 et de 1989 à 1990. Nous soulignerons, tout particulièrement, le point de vue du journal sur les jeunes, mais aussi la perception des jeunes sur le journal et le journalisme. Nous nous demanderons ce qui leur donnait le goût de publier dans le journal et comment *La Liberté* y justifiait leur « place ». Dans un deuxième temps, nous nous pencherons sur le discours du journal à l'occasion de certaines « causes jeunesse », notamment la proposition de changer le nom de la Société franco-manitobaine (SFM) entre 2004 et 2006 et la manifestation en faveur de services bilingues dans l'espace commercial du pont piétonnier l'Esplanade Riel en 2004. Ces deux événements, qui suscitent des réactions différentes de la part de *La Liberté*, feront ressortir, selon nous, la raison pour laquelle il existe un fossé entre les jeunes et le journal communautaire aujourd'hui.

---

3 *La Liberté* a aussi porté le nom de *La Liberté et le Patriote,* de 1941 à 1971, après sa fusion avec *Le Patriote de l'Ouest* de la Saskatchewan. Nous désignerons les deux journaux par leur titre respectif.

4 Sauf pour le numéro du 2 février 1972, qui n'est pas disponible en ligne, nous nous sommes servie de la base de données *Peel's Prairie Provinces* de l'Université de l'Alberta ([http://peel.library.ualberta.ca/index.html]) pour consulter les journaux *La Liberté* et *La Liberté et le Patriote*.

La collaboration des jeunes à *La Liberté* avant et après la fondation du Conseil jeunesse provincial

Les rubriques et les « journaux des jeunes » de 1968 à 1973

Entre octobre 1968 et mai 1973, *La Liberté et le Patriote* a ouvert ses pages à des jeunes du collégial ou du secondaire. Sous forme de rubrique ou de « journal des jeunes », le journal a publié « L'Aube à l'envers » (d'octobre 1968 à juin 1970), « Place aux jeunes » (de juillet à décembre 1970) et « Journal Jeunesse » (de janvier 1972 à mai 1973). Ces contributions étaient entièrement rédigées par un ou plusieurs jeunes étudiants du Manitoba, et même de la Saskatchewan, et ont paru à des intervalles plus ou moins réguliers pendant une période de cinq à vingt et un mois.

La première édition du mensuel estudiantin « L'Aube à l'envers » paraît le 16 octobre 1968 dans *La Liberté et le Patriote*, moins de deux mois avant le remplacement de l'Association d'éducation des Canadiens français du Manitoba (AECFM) par la Société franco-manitobaine[5] et après la création de postes de radio et de télévision francophones au Manitoba en 1946 et 1960, respectivement. Ce journal de deux ou trois pages était dirigé par une équipe du Collège de Saint-Boniface et comprenait un éditorial, des articles de la rédaction et de jeunes collaborateurs, des transcriptions d'entrevues avec des personnes plus ou moins connues, des photos, des critiques de disques, des poèmes rédigés par des jeunes, des caricatures et des listes d'émissions de radio et de télévision susceptibles d'intéresser son lectorat.

« Place aux jeunes » est le titre donné par le journal *La Liberté et le Patriote* à la rubrique qu'il publie à partir du 22 juillet 1970, soit environ un mois après la disparition de « L'Aube à l'envers ». Cette rubrique hebdomadaire, qui paraît normalement à la sixième page du journal, est un genre d'éditorial rédigé par Rémi Smith, un jeune de l'école Précieux-Sang qui avait commencé à collaborer au journal un mois plus tôt sous une rubrique intitulée « Vu et entendu chez les jeunes[6] ». Ses éditoriaux portent non seulement sur les jeunes, mais également sur les adultes

---

5 La transformation a eu lieu le 7 décembre 1968 et a marqué pour *La Liberté et le Patriote* « la fin d'une époque et le début d'une ère nouvelle au Manitoba français » (*La Liberté et le Patriote*, 1968).

6 Cette rubrique a aussi paru sous le titre « Vu et entendu par les jeunes ».

et des institutions telles la Société franco-manitobaine et le Collège de Saint-Boniface.

Le journal *La Liberté* remplace *La Liberté et le Patriote* en 1971. Privée de rubriques et de pages estudiantines depuis un an, la nouvelle entité commence à publier le « Journal Jeunesse » à partir du 19 janvier 1972. Ce bimensuel de deux pages comparable à « L'Aube à l'envers » est dirigé par un groupe d'étudiants des écoles francophones urbaines et rurales et regroupe des articles portant sur divers sujets : activités scolaires et parascolaires, réflexions ou opinions sur divers sujets, poèmes, invitations à certains événements, caricatures et photos de jeunes.

Avant la parution de « L'Aube à l'envers » le 16 octobre 1968, les étudiants du Collège de Saint-Boniface, la plus vieille institution post-secondaire francophone de l'Ouest canadien, sont en période de transition entre les journaux *Frontières* et *Populo*[7]. À cette époque, *La Liberté et le Patriote* a peu de jeunes lecteurs. D'après une étude menée à partir de 1964 auprès des francophones du Manitoba, 31 % des jeunes de 15 à 20 ans et 42 % des jeunes de 21 à 29 ans ne lisent pas le journal et parmi ceux qui le font, la plupart des jeunes âgés de 15 à 20 ans le lisent « très peu » et la plupart de ceux âgés de 21 à 29 ans le lisent « en partie » seulement (Labossière, 1969 : 97-98). Labossière constate que « [p]our intéresser plus de gens à lire beaucoup, il faudrait donc davantage de reportages variés, d'articles qui intéresseraient les jeunes surtout » (1969 : 112). Le journal et les jeunes ont donc tout intérêt à collaborer. Et le 16 octobre 1968, le père Jean-Paul Aubry, rédacteur de *La Liberté et le Patriote* à l'époque, ne manque pas d'annoncer la parution du journal des jeunes « L'Aube à l'envers » dans ses pages : « Nous tentons aujourd'hui une expérience. Nous ouvrons nos pages à une équipe de jeunes qui se promettent d'intéresser leurs compagnons et de gagner leur collaboration à une section mensuelle intitulée "L'Aube à l'envers" (ce titre est de leur choix) » (1968). Aubry ajoute ceci à la fin de son article :

> Quant à notre rôle à nous, les "croulants", il cherchera à être discret. Bien sûr que nous serons inexorables quant aux fautes d'orthographe ou de syntaxe ainsi qu'à la date limite où les articles doivent être rentrés. Nous pensons bien, d'autre part, que les jeunes sauront nous faire découvrir et apprécier le meilleur

[7] L'histoire des journaux étudiants francophones de l'Université de Saint-Boniface (anciennement Collège universitaire de Saint-Boniface et Collège de Saint-Boniface) remonte à 1943, au moment de la publication du *Bonifacien*.

de leurs réflexions et de leurs expériences. Ce sera aussi une occasion de trouver parmi eux les vrais talents de journalistes prêts à servir la vérité (1968).

La Liberté et le Patriote appuie cette « expérience » sans s'y engager beaucoup, une approche qui a sans doute plu à l'équipe de « L'Aube à l'envers ». Raymond-M. Hébert, qui avait été le premier rédacteur de la section française du *St. Boniface Courier / Le Courrier de Saint-Boniface*, un journal bilingue lancé en 1964, rappelle les rapports conflictuels vécus par les jeunes au journal *La Liberté et le Patriote,* sous la direction du père Raymond Durocher :

> Alors que reprochaient, au juste, « les jeunes » ou « les militants » au journal? D'abord la censure. Plusieurs d'entre nous avions tenté de faire publier des articles dans *La Liberté* au cours des années, ce qui nous avait été refusé; parfois il nous avait été recommandé de modifier nos textes pour les rendre acceptables, une censure par un autre nom. La plupart d'entre nous refusions de rentrer dans ce moule, essentiellement clérical, que l'on cherchait à nous imposer (Hébert, 2012 : 232-233).

Claude Boux, qui rédige l'éditorial du premier numéro de « L'Aube à l'envers », écrit : « La jeunesse canadienne-française de Saint-Boniface et de ses environs ruraux n'est pas assez connue, et cela, parce qu'on n'a sans doute jamais pu s'apercevoir qu'elle avait quelque chose à dire » (1968). Boux laisse entendre que le discours des jeunes ne sera pas toujours conforme au discours du journal, mais cette possibilité ne semble pas poser problème à *La Liberté et le Patriote.* Au contraire, quand celui-ci annonce la collaboration de Smith sous sa première rubrique « Vu et entendu chez les jeunes », le journal n'est pas réticent à cette nouvelle « approche journalistique » :

> Certes, il pourra bien arriver que notre jeune collaborateur aborde des sujets explosifs, qu'il suscite des hochements de tête chez les adultes bien en place, qu'il porte des jugements d'une logique plus implacable que n'oserait le faire le rédacteur même du journal. Notre hebdomadaire ne peut cependant pas prétendre devenir le fidèle reflet de notre société s'il se refuse à laisser la parole aux jeunes (*La Liberté et le Patriote*, 1970b).

Maurice Gauthier, nouveau directeur laïque de *La Liberté et le Patriote* à l'époque[8], fait écho à cette assertion quand il justifie la « Place aux jeunes » que Smith rédige à leur intention : « En mettant à leur disposition une page spéciale, nous voulons réaffirmer notre volonté de voir le

---

[8] Maurice Gauthier devient directeur-gérant de *La Liberté et le Patriote* à compter du 1er mai 1970 (1970a).

journal refléter de plus en plus toutes les tendances des lecteurs auxquels il s'adresse » (Gauthier, 1970). Le journal prévoit bien l'approche provocante de ce jeune étudiant, qui suscite plus d'une fois des réactions défavorables de la part de ses lecteurs. Smith, qui se voulait « le porte-parole de la jeunesse » (Smith, 1970a), insiste pour que des jeunes plutôt que « des journalistes adultes » (1970b) parlent aux jeunes.

Après deux mois de contribution de la part de Smith, et sans doute à cause de son approche incisive, *La Liberté et le Patriote* nuance sa position sur la « place » des jeunes :

> Place aux jeunes ? Sans doute. Mais place aussi aux adultes, à leur expérience, aux institutions qu'ils ont dû mettre en place pour assurer l'avenir du Manitoba français. Et ajoutons, en terminant, que prétendre que nos adultes sont « bourgeois » parce qu'ils ont atteint les hauts rangs de leur profession ou parce qu'ils s'intéressent à épanouir ou à accomplir leur personnalité par la culture, ce n'est pas un indice d'ouverture d'esprit et de grandeur d'âme (Aubry, 1970).

Dans son éditorial, Aubry prend un certain recul par rapport aux jeunes et désapprouve les critiques de Smith. Cela explique peut-être la parution du « Journal Jeunesse » un an après la disparition de « Place aux jeunes ».

Mais *La Liberté et le Patriote*, qui compte dans son équipe de nouveaux rédacteurs laïques[9], voit peut-être aussi une occasion de renouveler ses liens avec les jeunes. L'hebdomadaire accorde donc, à nouveau, deux pages à la publication du « Journal Jeunesse », qu'il annonce à la une du 15 décembre 1971 : « Les jeunes furent unanimes à réclamer un journal qui relierait les étudiants francophones du Manitoba. [...] Il fut décidé d'utiliser une section dans le seul hebdomadaire francophone du Manitoba » (*La Liberté et le Patriote*, 1971). Et les jeunes voient toujours dans *La Liberté* un outil de communication destiné à la jeunesse des milieux urbains et ruraux qui cherche sa « place » dans la communauté. Ernest d'Auteuil, étudiant de Lorette et trésorier du comité central du « Journal Jeunesse », déclare : « La Liberté est au service de tous ! C'est à nous de nous en servir. La presse est le moyen idéal de faire savoir nos sentiments, nos idées, ainsi que d'apprendre celles d'autrui, sans se battre. Erreur n'est pas compte » (1972a). Mais cette « place » n'est pas revendiquée par tous les jeunes francophones. À peine deux mois après le

9 Aubry rédige l'éditorial du journal jusqu'au 15 septembre 1971 (La Direction, 1971), avant d'en devenir collaborateur spécial. Arthur Dupuis, qui succède à Aubry à titre de rédacteur, occupe ce poste de septembre 1971 à avril 1972, et Hubert Pantel d'avril 1972 à juillet 1974.

lancement du « Journal Jeunesse », d'Auteuil déplore l'absence d'articles rédigés par des jeunes de Lorette : « Réveillez-vous les jeunes! Ce journal est à vous. Si vous n'y contribuez pas, il mourra, et les adultes diront, et avec raison, que ce n'était qu'une autre de nos idées frivoles, une autre cause désespérée... » (1972b). Quelques années auparavant, « L'Aube à l'envers » s'était également heurté à ce manque d'intérêt de la part des jeunes :

> "L'Aube" a tenté de réaliser ses intentions en établissant l'esquisse d'un système de correspondance avec toutes les écoles francophones de la province. Jusqu'à date, nous n'avons reçu que six lettres, alors que nous nous attendions à recevoir au moins une lettre de chaque école; c'est-à-dire, vingt et une lettres (Boux, 1969).

Les problèmes que soulève Ronald Lavallée, étudiant du Collège de Saint-Boniface, semblent insolubles :

> D'abord soyons francs. Notre participation dans le passé n'a jamais été tout à fait glorieuse! Les abonnements à La Liberté, par exemple, n'ont eu de succès qu'auprès des plus vieux. Bien sûr, nous avons maintes fois déploré le peu d'intérêt que pouvait avoir ce journal pour les jeunes (1972).

Le « Journal Jeunesse » s'essoufflera en mai 1973 et une autre collaboration remarquable entre *La Liberté* et les jeunes ne se réalisera qu'avec l'aide du CJP vers la fin des années 1970.

Le Conseil jeunesse provincial et le journalisme chez les jeunes

Au cours d'une période de plus de dix ans (1977-1990), le CJP collabore avec *La Liberté* pour offrir aux jeunes une formation en journalisme et, en même temps, s'assurer de les mettre à contribution et de leur donner une voix dans le seul journal hebdomadaire francophone de la province. Cet organisme porte-parole « par et pour » les jeunes de 14 à 25 ans voit le jour en 1974 et célébrera son 40e anniversaire en 2014.

Quoique le vœu du jeune Roger de Lune ne se réalise pas[10], le CJP et *La Liberté* lancent, en 1977, une rubrique intitulée « Jeunesse ». Pendant huit semaines environ, Lise Lavergne, employée du Conseil jeunesse provincial et de *La Liberté*, rédige des articles sur des sujets susceptibles

[10] En 1976, il demande à *La Liberté* d'accorder aux « entrepreneurs du futur » une section avec « des dessins humoristiques (comics) traitant sur des [*sic*] sujets contemporains, des poèmes, de la musique, de l'astrologie et un peu de ce qui a trait à l'avant-garde » (de Lune, 1976 : 25).

d'intéresser les jeunes, dont le Festival Folk de Winnipeg. D'après un sondage effectué auprès d'étudiants[11] au sujet de leur perception habituelle des médias du Manitoba (presse, radio et télévision), cette rubrique est une des plus populaires parmi ce groupe de plus de 150 jeunes[12]. En réponse à cette enquête, qui conclut qu' « il serait peut-être à souhaiter que La Liberté continue à allouer de l'espace pour une rubrique jeunesse[13] », le CJP et *La Liberté* lancent, le 30 novembre 1978, une page « par et pour » les jeunes intitulée « La relève ». Cette page hebdomadaire, qui consiste généralement en deux articles rédigés par une des quatre personnes responsables de la page, a pour but « de form[er] et d'éveil[ler] des jeunes francophones à leur milieu » (*La Liberté*, 1978). *La Liberté* annonce parfois en sommaire le contenu de cette rubrique et, en mars 1979 (p. 6), le journal offre un stage aux rédacteurs de cette page. Mais ce projet, censé prendre fin le 22 juin 1979, se termine presque deux mois plus tôt. Une lettre adressée à André-Yves Rompré, rédacteur en chef de *La Liberté*, et écrite par Roger Lagassé, un des rédacteurs de « La relève », révèle certains « défis » auxquels ont fait face ces rédacteurs et le directeur du projet :

> Vers la fin mars, La Relève était arrivée à une impasse. On constatait qu'on n'avançait plus dans notre apprentissage en journalisme. Après consultation avec l'équipe, le directeur du projet journal du Cjp, M. Louis Kirouac, vous avait présenté un plan d'apprentissage accéléré. On demandait qu'un stagiaire de La Relève soit placé à La Liberté pour s'occuper de la page des jeunes. Cela n'aurait pas coûté un sou à La Liberté. Mais vous aviez refusé[14].

Cette lettre révèle aussi que la dernière édition de « La relève » était censée paraître le 3 mai, mais *La Liberté* a remplacé le contenu de cette page par une réplique à une lettre que le président du CJP avait adressée à *La Liberté*. Lagassé réagit ainsi : « Il est difficile de voir dans votre geste autre chose que de la tromperie, pure et simple. Pourquoi vous n'aviez pas consulté l'équipe de La Relève avant d'insérer un tel article dans notre

---

11 Ces étudiants étaient âgés de 14 à 24 ans et fréquentaient ou avaient fréquenté des écoles secondaires urbaines ou rurales du Manitoba.

12 « Sondage sur les media [*sic*] », [s. l.], juillet à août 1977, Société historique de Saint-Boniface (ci-après SHSB), Fonds Conseil jeunesse provincial (ci-après Fonds CJP), 140/1176/217.

13 *Ibid.*

14 Roger Lagassé, Lettre adressée à André-Yves Rompré, Saint-Boniface, 7 mai 1979, SHSB, Fonds CJP, 140/1176/220.

page[15] ? » Nous ne retrouvons une collaboration semblable à « La relève » que dix ans plus tard avec *Foule en Folie* (1989) et *Jeunesse Jaze* (de 1989 à 1990). *Foule en Folie* découle d'un atelier en journalisme auquel des jeunes ont participé lors du rassemblement Foule Faire organisé par le Conseil jeunesse provincial en 1989. Ce journal de quatre pages paraît comme supplément au numéro du 6 au 12 octobre 1989 de *La Liberté*. Enfin, avec l'aide de Bernard Bocquel, journaliste à *La Liberté* à cette époque, et de Danielle Dumesnil, coordonnatrice des projets du CJP, des groupes de jeunes rédigent quatre numéros de *Jeunesse Jaze,* entre le 15 décembre 1989 et le 6 avril 1990. Cette publication voit le jour deux mois après la parution du *Journal des jeunes* en septembre 1989.

Le discours sur les « causes jeunesse » d'aujourd'hui

Nous pourrions croire qu'avec le lancement du *Journal des jeunes*, *La Liberté* avait trouvé la solution gagnante à la difficulté de rejoindre les jeunes. Ce supplément bimensuel de quatre pages comprend un éditorial à la une, l'actualité nationale et internationale, et une page détente. Il publie aussi les réponses des jeunes à une question posée dans la section « À votre avis ». Mais, à la différence des rubriques et des journaux précédents, ce journal « pour » les jeunes est rédigé par un journaliste de *La Liberté*, Laurent Gimenez. Il s'agit, selon *La Liberté*, d'un prolongement du « Petit Coin » de Bicolo, une section pour enfants lancée par l'hebdomadaire en 1972 : « Grâce au "Journal des jeunes", une fois plus grands, ils vont pouvoir continuer à lire un journal en français. Et un jour, ils deviendront des mordus de La Liberté ! » (Bocquel, 1989). Mais les jeunes sont-ils « des mordus » de ce journal francophone aujourd'hui ? Selon le sondage *Parlons médias* réalisé en 2010 et 2011, « [l]a moitié [des francophones] (50 %) disent lire principalement en anglais » et parmi ceux qui lisent en français, seulement 10 % le font uniquement en français (Alliance des médias minoritaires de langues officielles, 2012 : 6).

Comparons, en dernier lieu, deux événements ou « causes jeunesse », pour mieux comprendre ce qui sépare les jeunes et les journaux communautaires aujourd'hui.

15 *Ibid.*

La proposition de changer le nom de la Société franco-manitobaine

L'organisme porte-parole des francophones du Manitoba, la SFM, voit le jour en décembre 1968 après que la communauté francophone eut exprimé le désir d'avoir un organisme qui ne se préoccupe pas que des enjeux scolaires (Blay, 1987 : 78-79), ce qui avait été le fer de lance de l'AECFM de 1916 à 1968. Le 23 octobre 2004, lors de l'assemblée générale annuelle de la SFM tenue à la Maison du Bourgeois du Fort Gibraltar, un participant lance un débat sur le nom de l'organisme. Cette proposition, qui ne connaîtra de conclusion que deux ans plus tard, se démarque de plusieurs manières. D'abord, la proposition est venue d'un membre de l'assemblée et non du conseil d'administration de l'organisme, comme cela avait été le cas en Alberta en 2005 (Dalley et Ruest-Paquette, 2010 : 88). Ensuite, elle est venue d'un jeune de la communauté francophone, Aimé Boisjoli. Celui-ci, alors représentant du CJP, propose que la SFM soit rebaptisée la Société francophone du Manitoba parce que, entre autres, « [...] le terme "franco-manitobain" a une connotation plutôt exclusive[16] »[17]. Mais cet enjeu identitaire, qui remet en question la notion d'« espace francophone » lancée par l'organisme porte-parole trois ans auparavant, ne retient pas beaucoup l'attention de *La Liberté*, malgré ce « moment tournant dans la vie de l'organisme porte-parole de la communauté franco-manitobaine » (Bocquel, 2006 : 133). Quoique le journal suive l'évolution de cette proposition pendant deux ans, entre son numéro du 28 octobre au 3 novembre 2004 et celui du 1er au 7 novembre 2006[18], *La Liberté* ne prend pas position, mais semble, avec ses titres provocateurs comme « SFM... ou SFM ?[19] », douter de la nécessité de changer le nom de l'organisme. Son éditorial du 28 octobre au 3 novembre 2004, qui porte sur l'assemblée générale annuelle de la SFM, n'offre aucune réflexion sur le changement de nom possible pour l'organisme porte-parole. Autrement dit, *La Liberté* n'alimente pas le débat et ne remet pas en question le *statu quo*.

---

16 « Procès-verbal de l'assemblée générale annuelle tenue le samedi 23 octobre 2004 à la Maison du Bourgeois Saint-Boniface (Manitoba) », SHSB, Fonds Société franco-manitobaine (ci-après Fonds SFM), PA1845, AGA 2005.

17 Ce jeune homme avait déjà mené une réflexion identitaire. Voir à ce sujet l'étude de Bernard Bocquel (2006 : 131-140).

18 Ce numéro porte sur la forte participation des jeunes à l'assemblée générale annuelle en 2006.

19 Paru dans *La Liberté* du 7 au 13 décembre 2005, p. 1.

Cette réaction ne reçoit pas l'approbation d'Eric Plamondon, jeune rédacteur de la chronique « *Politiké* » lancée par le CJP, qui se prononce contre la recommandation du conseil d'administration de la SFM, en 2006, de maintenir le nom initial de l'organisme[20]. Cette chronique, qui est affichée sur Internet du 9 novembre 2005 au 23 décembre 2009 et dont certains articles paraissent aussi dans les pages de *La Liberté*, se présente comme une « ressource politique complète pour les jeunes » (*Politiké*, 2005). Comme pour une quarantaine d'autres sujets, Plamondon n'hésite pas à partager son point de vue sur le changement de nom de la SFM dans sa chronique datée du 24 septembre 2006[21] et intitulée « Changement de nom : une question communautaire et visionnaire ». Au moment où cet article est rédigé, le conseil d'administration de la SFM prévoit retenir le nom actuel de l'organisme et Plamondon, qui porte un regard critique sur cette décision, constate que

> [l]e CA de la SFM veut l'inverse. En recommandant le *statu quo*, il cherche à convaincre l'ensemble de la communauté, malgré ses réticences, d'entrer dans le moule d'un projet communautaire impliquant l'identification de tous au terme franco-manitobain ; sois [*sic*] un projet de construction social [*sic*] accumuler [*sic*] sur 3 décennies, et qui fut construit, développé et perpétué par la SFM elle même [*sic*] (2006b).

Quelques mois auparavant, Plamondon avait exposé la crise identitaire que, selon lui, vivent certains organismes francophones communautaires au Manitoba en insistant sur le fait que « [n]os organismes doivent se moderniser et se doter d'une vision qui reflète une réalité contemporaine ». Dans cet article intitulé « Crise instituto-identitaire », il affirme également que « [l]e statu quo ne fonctionne pas. Le statu quo ne vient pas chercher le cœur de la clientèle francophone » (2006a).

La Liberté, le Conseil jeunesse provincial et la Division scolaire franco-manitobaine

En 2005, quand le Conseil jeunesse provincial invite les écoles d'immersion à participer à un rassemblement des jeunes appelé la « Furie », *La Liberté* n'en fait pas une couverture comparable à celle du rassemblement des écoles françaises, le RIFRAF. Plamondon juge ce compte rendu de

[20] « Procès-verbal de l'assemblée générale annuelle tenue le samedi 22 octobre 2005 à la Maison du Bourgeois Saint-Boniface (Manitoba) », SHSB, Fonds SFM, PA1851, AGA 2006.

[21] Cet article a également paru dans *La Liberté* du 27 septembre au 3 octobre 2006, p. 4.

l'événement inadéquat : « Malheureusement, *La Liberté* a réduit ce grand moment à un simple attachement à une couverture d'un événement similaire (mais aussi important) et longtemps vécu par les jeunes des écoles de la DSFM » (2005). Alors que l'attention qu'accorde *La Liberté* à cet événement s'accroît au cours des années suivantes, le journal ne prend pas position quand la Division scolaire franco-manitobaine (DSFM) commence à retirer ses écoles francophones de l'événement à cause de la forte présence des écoles d'immersion française. Il devient de plus en plus évident, d'après les chroniques de Plamondon et de la vidéo *Ceci est notre message* de Tougas, que certains jeunes francophones ont une attitude critique envers la DSFM. En faisant le bilan de l'année 2007, Plamondon écrit que « [l]a DSFM boycotte le plus grand rassemblement francophone au Manitoba » (2008). Dans la chronique intitulée « Le nez au mur! », on[22] rapporte l'hostilité des jeunes face aux mesures prises pour les inciter à parler français dans les écoles francophones (*La Liberté*, 2009). Cette attitude critique n'est pas aussi évidente dans *La Liberté*. Le journal ne remet pas en question le fait que d'autres organismes décident de ne pas élargir l'« espace francophone ». Mais une nuance s'impose. Comment le journal *La Liberté* pouvait-il remettre en cause les décisions d'un organisme qui assure environ la moitié des abonnements du journal (*La Liberté*, 2004a) par l'entremise de la rubrique « Dans nos écoles »[23]? Et pourquoi le journal aurait-il voulu que l'on change le nom de l'organisme qui est, depuis le début des années 1970, l'actionnaire principal de Presse-Ouest limitée, la société éditrice du journal? Cette difficulté correspond à ce que Marc-François Bernier nomme « les défis éthiques de la proximité » (2006). *La Liberté* finit par s'autocensurer pour ne pas créer de rapports tendus avec d'autres organismes communautaires, tels la SFM et le Cercle Molière[24], même au détriment de ses rapports avec les jeunes.

Les services bilingues dans l'espace commercial du pont piétonnier l'Esplanade Riel

La distance entre les jeunes et *La Liberté* diminue, voire disparaît, quand la critique n'est plus dirigée contre la communauté. Il en est ainsi, vers la

[22] Cette chronique n'est pas signée par Plamondon.

[23] Cette rubrique est lancée en 2002, en collaboration avec la DSFM, pour assurer une couverture des activités des écoles francophones.

[24] Lise Gaboury-Diallo souligne l'absence d'articles critiques sur les pièces du Cercle Molière pour ne pas « froisser qui que ce soit » (2003 : 215).

fin de 2004, quand la Ville de Winnipeg cesse d'exiger que les entreprises ayant soumis une proposition pour occuper l'espace commercial sur le nouveau pont piétonnier l'Esplanade Riel offrent des services bilingues. Ce pont, construit le long du pont Provencher, relie aujourd'hui Saint-Boniface à La Fourche de Winnipeg. *La Liberté*, qui suit de près l'évolution de ce dossier, prend position :

> C'est une véritable gifle que viennent d'admonester aux francophones les membres du comité exécutif de la Ville de Winnipeg, en décidant que la nécessité de fournir des services bilingues ne figurerait plus aux conditions que devront respecter les gens d'affaires qui soumettront des propositions pour la plaza commerciale du pont piéton (*La Liberté*, 2004b).

Pour montrer son désaccord, le conseil d'administration du CJP propose une manifestation sur le pont, que *La Liberté* annonce dans son numéro du 9 au 15 décembre 2004 et à laquelle il donne son appui dans son éditorial :

> Soyons nombreux et nombreuses le 13 décembre à répondre à l'appel de ces jeunes qui veulent occuper l'Esplanade Riel sur l'heure du midi. Manifester notre appui à leur initiative, c'est leur donner la meilleure des raisons de célébrer leur fierté et les soutenir dans un geste public devenu nécessaire (Lanthier, 2004).

On doit constater l'ironie de la situation : bien que le journal communautaire et les jeunes se rejoignent sur la question de l'avenir de la francophonie manitobaine et veillent ensemble à ce que cette francophonie ait un avenir, leurs démarches s'opposent, et cette opposition risque en conséquence d'éloigner la relève francophone de la presse communautaire. Le journal adopte des positions qui sont susceptibles d'être suivies par d'autres organismes clés, mais hésite devant des prises de position qui vont à l'encontre de la communauté. Voilà le défi des journaux communautaires : ils ont le mandat de soutenir « la communauté », et désirent le faire, mais, en même temps, on se demande dans quelle mesure ils peuvent porter un regard critique sur l'actualité pour faire réfléchir davantage et mobiliser les organismes… et rejoindre les jeunes, « l'avenir de la communauté ». C'est la situation précaire dans laquelle se trouvent *La Liberté* et les journaux communautaires en milieu minoritaire.

BIBLIOGRAPHIE

Archives

Société historique de Saint-Boniface

Fonds Conseil jeunesse provincial

Fonds Société franco-manitobaine

Journaux

Les journaux étudiés sont disponibles sur la base de données *Peel's Prairie Provinces* de l'Université de l'Alberta, à l'adresse suivante : [http://peel.library.ualberta.ca/index.html].

La Liberté

(1978). Section « La relève », 30 novembre, p. 17.

(1979). « "La Relève" en stage à La Liberté », 1er mars, p. 6.

(2004a). « Mot de la direction : *La Liberté*, entre passé et avenir », 4 au 10 novembre, p. 4.

(2004b). « Éditorial : pour une vision vivante du patrimoine », 18 au 24 novembre, p. 4.

(2005). « SFM… ou SFM? », 7 au 13 décembre, p. 1.

(2009). « Le nez au mur! », sous la rubrique « Chronik Politiké », 25 février au 3 mars, p. 5.

Bocquel, Bernard (1989). « Une première au Manitoba français : le Journal des jeunes », 15 au 21 septembre, p. 1.

d'Auteuil, Ernest (1972a). « c'est pourquoi ce journal jeunesse? [*sic*] », dans la section « Journal Jeunesse », 2 février, p. 17.

d'Auteuil, Ernest (1972b). « Aux étudiants de Lorette », dans la section « Journal Jeunesse », 1er mars, p. 11.

de Lune, Roger (1976). « Les "entrepreneurs du futur" », sous la rubrique « Lettres à La Liberté », 5 mai, p. 21 et 25.

Lanthier, Sylviane (2004). « Éditorial : sur le pont », 9 au 15 décembre, p. 4.

Lavallée, Ronald (1972). « Éditoriaux », dans la section « Journal Jeunesse », 19 janvier, p. 8.

Plamondon, Eric (2005). « Un moment historique passe inaperçu », sous la rubrique « À vous la parole », 19 au 25 octobre, p. 4.

La Liberté et le Patriote

(1968). « Le Congrès-Rallye lance la Société Franco-Manitobaine », 11 décembre, p. 1.

(1970a). « M. Maurice Gauthier nommé gérant de La Liberté et le Patriote », 8 avril, p. 1.

(1970b). « Le point de vue des jeunes », 10 juin, p. 4.

(1971). « Des jeunes passent à l'action », 15 décembre, p. 1.

AUBRY, Jean-Paul [J.-P. A.] (1968). « La page des jeunes », 16 octobre, p. 2.

AUBRY, Jean-Paul [J.-P. A.] (1970). « Éditorial : place aux jeunes? », 16 septembre, p. 4.

AUBRY, Jean-Paul [J.-P. A.] (1971). « Éditorial : libre mais pas indifférent », 13 janvier, p. 4.

BOUX, Claude (1968). « Les Fleurs du Bien », dans la section « L'Aube à l'envers », 16 octobre, p. 11A.

BOUX, Claude (1969). « Qu'est-ce ça mange, en hiver, un journal pour les jeunes », dans la section « L'Aube à l'envers », 16 avril, p. 13A.

LA DIRECTION (1971). « Collaboration spéciale », 15 septembre, p. 5.

GAUTHIER, Maurice (1970). « Place aux jeunes », 15 juillet, p. 6.

SMITH, Rémi (1970a). « Vu et entendu chez les jeunes », 10 juin, p. 4.

SMITH, Rémi (1970b). « "Ma génération" », sous la rubrique « Place aux jeunes », 22 juillet, p. 6.

Site Web *Politiké*

(2005). « Bienvenue à Politiké, une initiative du Conseil Jeunesse Provincial! », [http://conseil-jeunesse.mb.ca/politike/index.php] (21 avril 2013).

PLAMONDON, Eric (2006a). « Crise instituto-identitaire », 17 mai, [http://conseil-jeunesse.mb.ca/politike/chronik.php?id=170506] (21 avril 2013).

PLAMONDON, Eric (2006b). « Changement de nom : une question communautaire et visionnaire », 24 septembre, [http://conseil-jeunesse.mb.ca/politike/chronik.php?id=240906] (21 avril 2013).

PLAMONDON, Eric (2008). « Revue 2007 », 7 janvier, [http://conseil-jeunesse.mb.ca/politike/chronik.php?id=070108] (21 avril 2013).

Vidéos

OYSTRYK, Stéphane (2009). *FM Youth*, [vidéo en ligne], 5 décembre, 1 min 37 s. Repéré sur le site YouTube, [http://www.youtube.com/watch?v=KSCDQBg3qkA] (8 octobre 2012).

TOUGAS, Gabriel (2011). *Ceci est notre message (partie un) – non censuré*, [vidéo en ligne], 18 mai, 12 min 47 s. Repéré sur le site YouTube, [http://www.youtube.com/watch?v=u7ZqIwfZqz0] (8 octobre 2012).

Livres et articles

ALLIANCE DES MÉDIAS MINORITAIRES DE LANGUES OFFICIELLES (2012). « Faits saillants : communautés francophones : provinces de l'Ouest », dans *Étude sur les habitudes médias des communautés en situation minoritaire*, sur le site *Parlons médias*, [http://www.parlonsmedias.ca/wp-content/uploads/2012/04/AMM_Rapport-regional-Provinces-Ouest_WebF.pdf#] (14 août 2013).

BERNIER, Marc-François (2006). « Être journaliste en milieu minoritaire : les défis éthiques de la proximité », dans Michel Beauchamp et Thierry Watine (dir.), *Médias et milieux francophones*, Québec, Les Presses de l'Université Laval, p. 115-139.

Blay, Jacqueline (1987). *L'Article 23 : les péripéties législatives et juridiques du fait français au Manitoba (1870-1986)*, Saint-Boniface, Éditions du Blé.

Bocquel, Bernard (2006). *CKSB : la radio du Petit-Canada : émission radiographique*, Saint-Boniface, Les Éditions du Blé.

Dallaire, Christine (2004). « "Fier de qui on est… nous sommes francophones!" : l'identité des jeunes aux Jeux franco-ontariens », *Francophonies d'Amérique*, nº 18 (automne), p. 127-147, [En ligne], [http://www.erudit.org/revue/fa/2004/v/n18/1005356ar.pdf] (15 août 2013).

Dalley, Phyllis, et Anne-Sophie Ruest-Paquette (2010). « (Re)nommer l'Association canadienne-française de l'Alberta : un débat entre l'homogénéité et le fractionnement identitaire », dans Nathalie Bélanger *et al.* (dir.), *Produire et reproduire la francophonie en la nommant*, Sudbury, Éditions Prise de parole, p. 81-100.

de Bonville, Jean (2008). « La lecture des journaux quotidiens au Québec du xixe au xxie siècle », dans Éric Le Ray et Jean-Paul Lafrance (dir.), *La bataille de l'imprimé à l'ère du papier électronique*, avec la collaboration de Frédéric Barbier, Patrice J. Mangin et Jacques Michon, Montréal, Les Presses de l'Université de Montréal, p. 117-139.

Denis, Ann, et Michèle Ollivier (2001). « Nouvelles technologies d'information et de communication : accès et usages chez les jeunes filles et garçons francophones en Ontario », *Francophonies d'Amérique*, nº 12 (automne), p. 37-49, [En ligne], [http://www.erudit.org/revue/fa/2001/v/n12/1005143ar.pdf] (15 août 2013).

Gaboury-Diallo, Lise (2003). « Théâtre et dramaturgie en français dans l'Ouest canadien : bilan et perspectives », dans Hélène Beauchamp et Gilbert David (dir.), *Théâtres québécois et canadiens-français au xxe siècle : trajectoires et territoires*, Québec, Presses de l'Université du Québec, p. 197-219.

Gérin-Lajoie, Diane (2003). *Parcours identitaires de jeunes francophones en milieu minoritaire*, Sudbury, Éditions Prise de parole.

Hébert, Raymond-M. (2012). *La révolution tranquille au Manitoba français : essai*, Saint-Boniface, Les Éditions du Blé.

Labossière, Gérald (1969). *Les Franco-Manitobains et leurs media* [*sic*] *de communication : étude sociologique sur le rayonnement de la presse et de la radio-télévision de langue française auprès des Canadiens français du Manitoba*, thèse de maîtrise, Montréal, Université de Montréal.

Laflamme, Simon (2007). « Usage d'Internet et exposition aux autres médias : représentation de la communauté de résidence chez les élèves du nord-est de l'Ontario », *Francophonies d'Amérique*, nos 23-24 (printemps-automne), p. 111-137, [En ligne], [http://id.erudit.org/iderudit/1005394ar] (15 août 2013).

Lafontant, Jean (2002). « Langue et identité culturelle : points de vue des jeunes francophones du Manitoba », *Francophonies d'Amérique*, nº 14 (automne), p. 81-88, [En ligne], [http://id.erudit.org/iderudit/1005185ar] (15 août 2013).

Lafrance, Jean-Paul (2008). « Présentation », dans Éric Le Ray et Jean-Paul Lafrance (dir.), *La bataille de l'imprimé à l'ère du papier électronique*, avec la collaboration de Frédéric Barbier, Patrice J. Mangin et Jacques Michon, Montréal, Les Presses de l'Université de Montréal, p. 11-16.

Pilote, Annie (2003). « Sentiment d'appartenance et construction de l'identité chez les jeunes fréquentant l'école Sainte-Anne en milieu francophone minoritaire », *Francophonies d'Amérique*, n° 16 (automne), p. 37-44, [En ligne], [http://www.erudit.org/revue/fa/2003/v/n16/1005216ar.pdf] (15 août 2013).

Recensions

Philippe Fournier, *La Nouvelle-France au fil des édits : chronologie reconstituée d'après les principaux édits, ordonnances, lois et règlements émis sous le Régime français*, Québec, Éditions du Septentrion, 2011, 607 p.

Pour connaître les édits d'ordonnances, d'arrêtés, de lois et de règlements qui avaient cours en Nouvelle-France, il fallait jusqu'à tout récemment fouiller dans divers fonds d'archives. Le site *Notre mémoire en ligne / Early Canadiana Online*, organisme sans but lucratif voué à la conservation et à la diffusion d'anciennes publications canadiennes, ne présente en effet l'intégralité des textes que sur abonnement. C'est cette masse de documents qui a permis à Philippe Fournier de reconstituer une chronologie sélective de manière à rendre compte de la vie journalière, du « mode de vie de nos ancêtres en relation intime et directe avec la multiplicité des édits, ordonnances, règlements et codes de vie que les autorités n'ont pas tari de leur imposer » (p. 9). Aussi son ouvrage vient-il véritablement combler une lacune en donnant accès à 1956 documents émis par l'autorité de la Nouvelle-France, qui sont ici transcrits, résumés et commentés.

Le lecteur pourra donc prendre connaissance des nouveaux règlements de la police (18 avril 1689), des hommages du Conseil souverain au docteur Michel Sarrazin (14 mai 1699), du règlement visant à faire construire les premiers trottoirs le long de la batterie Dauphine (l'actuelle rue Dalhousie, près de Saint-Antoine) (30 juillet 1720), des ordonnances multiples visant l'amélioration de la ville de Montréal. Si ces édits et règlements peuvent paraître austères en raison du langage administratif et juridique utilisé, ils permettent néanmoins d'avoir accès à la vie quotidienne et matérielle de nos ancêtres et de retrouver l'intimité d'un temps révolu. Car, comme Philippe Fournier le souligne à plusieurs reprises, il s'agit moins de lire ces documents pour eux-mêmes que de constater leur impact direct et réel sur la vie des gens ordinaires. On relève ainsi l'interdiction faite aux gens ordinaires de porter l'épée (8 janvier 1676) ; la défense faite aux habitants de la Prairie de la Magdeleine (La Prairie) de tenir cabaret afin de contenir l'habitude des Sauvages de s'enivrer (22 septembre 1676) ; l'ordonnance qui oblige à baliser les chemins en hiver (1er février 1706) ; l'achat de seaux en cuir pour combattre les incendies (21 mars 1706) ; le règlement qui force les boulangers à mettre en vente du pain de toutes les qualités sous peine d'amende (1er février 1706) ; le nouveau règlement de police qui rend obligatoire la présence de latrines dans les maisons, contesté par une vingtaine de citoyens le 28 juin 1706, qui se disent incapables de se soumettre à un tel règlement.

De ce point de vue, le projet, qui relève autant de l'histoire de la Nouvelle-France que de l'histoire culturelle, est important, voire essentiel. Pourtant, le chercheur sera déçu de retrouver une orthographe modernisée et des résumés (sans transcription des textes d'origine) de plus en plus nombreux. Une douzaine de documents ne sont pas dotés d'un numéro de référence archivistique. Le grand public ou le passionné d'histoire sera aussi déçu de ne pas toujours retrouver une mise en contexte susceptible de bien faire comprendre le contexte et les répercussions entourant ces lois, ordonnances et édits. La « défense faite aux gens ordinaires de porter l'épée » (8 janvier 1676) (p. 136), par exemple, a d'autant plus d'importance si on connaît les privilèges accordés au port de l'épée de même que sa valeur nobiliaire. De la même façon, on aimerait avoir plus de détails sur le procès qui amena le Conseil souverain à demander au roi, le 16 novembre 1681, que tous les procès se tiennent désormais « en ce pays et non en France » (p. 168).

L'ouvrage s'adresse donc à la fois aux chercheurs et au grand public. De plus, cette volonté de montrer l'incidence des lois et ordonnances sur la vie quotidienne des habitants de Nouvelle-France se double d'un souci chronologique. Les textes sont présentés en ordre chronologique et chaque chapitre correspond au mandat d'un gouverneur ou de son substitut intérimaire et débute par une section intitulée « Un brin d'histoire », qui renseigne le lecteur sur le gouverneur et son époque, sur les principaux faits survenus sous sa gouverne et sur les caractéristiques principales des documents de son mandat. Comme la diversité des sujets abordés est considérable, l'index qui permet, par exemple, de retrouver rapidement tous les règlements concernant tel ou tel corps de métier (boulangers, bouchers, marchands, cabaretiers), tel ou tel aspect de la vie civile (organisation de l'espace, chasse, hygiène, sécurité) ou religieuse (dîme, construction d'église, distribution de bancs, mariage) est nécessaire et facilite la consultation de cet ouvrage de plus de 600 pages (sur deux colonnes).

Malgré les défauts signalés un peu plus haut, qui relèvent à mon sens essentiellement de la difficulté à bien cerner le public visé, il reste que la lecture de l'ouvrage est agréable et permet de donner facilement accès à des documents peu lus, voire complètement oubliés. Si, comme le mentionne la quatrième de couverture, « vous avez raté les plus récentes audiences du roi, les séances ordinaires du Conseil souverain, les décisions controversées du gouverneur général ou les règlements édictés par l'intendant de service », l'ouvrage de Philippe Fournier vous permettra d'explorer la vie sociale en Nouvelle-France avec ses contraintes, ses difficultés, ses problèmes, mais aussi ses solutions, ses défis, ses joies et ses petits bonheurs.

Lucie Desjardins
Université du Québec à Montréal

Gaétan St-Pierre, *Histoires de mots solites et insolites,* Québec, Éditions du Septentrion, 2011, 334 p.

L'ouvrage *Histoires de mots solites et insolites* est un recueil de quelque centaines d'étymologies surprenantes de la langue française. L'auteur y expose le même genre d'information que dans les chroniques qu'il signe depuis 2008 dans la revue *Correspondances*, sous l'intitulé « Curiosités étymologiques ». L'ouvrage « s'intéresse d'abord et avant tout à l'histoire des mots, à l'histoire du vocabulaire français et à celle des mots et expressions du français québécois » (p. 10).

Les mots retenus ont « une origine surprenante, une histoire hors du commun » (p. 14). À travers l'histoire particulière de ces mots dont l'étymologie étonne et fait parfois sourire, l'auteur offre un survol des diverses influences étrangères sur la langue française. Mais, surtout, il présente les nombreuses ressources dont dispose le lexique français pour s'enrichir, que ce soit les mots hérités du latin, ceux empruntés aux langues étrangères qui l'ont influencé, ou encore les mots obtenus par les procédés de création internes à la langue française.

Le livre est divisé en cinq sections, elles-mêmes divisées en chapitres, chacun étant consacré à une langue en particulier ou à un procédé de création de mots. La première section se penche sur ce que l'auteur nomme l'origine du vocabulaire français, et regroupe « les mots hérités des Romains, des Gaulois et des Francs ». Deux chapitres distincts sont consacrés au latin – un pour les mots hérités « naturellement » du latin et un autre pour les emprunts plus tardifs.

La deuxième section s'intéresse aux « mots venus des quatre coins du monde ». Comme on présente les langues dans l'ordre chronologique de leur influence sur le français, l'arabe et le néerlandais forment le même chapitre sur le Moyen Âge. Un chapitre est consacré aux emprunts à l'italien durant la Renaissance ; un autre est dédié aux emprunts à l'espagnol, qui se fait aussi passeur de mots venus des langues du Nouveau-Monde. On s'intéresse ensuite aux mots issus des langues régionales de France (picard, normand, wallon, etc.). Un chapitre regroupe les emprunts à des langues dont l'apport est plus modeste : l'allemand, l'écossais, l'irlandais, le norvégien, le suédois, le russe, le polonais et le tchèque. Un chapitre est consacré aux mots « venus de très loin », c'est-à-dire d'Afrique, de l'océan Indien, de la Polynésie ou de l'Asie. Enfin, un chapitre est réservé à l'anglais, et il s'ouvre en fait sur les emprunts que cette langue a faits au français (*ticket, court, interview, salon*...).

Avec la troisième section, on s'éloigne des langues étrangères pour s'attarder aux mots formés par les propres ressources du français, soit la dérivation, la composition, la troncation et le transfert de sens. La quatrième section regroupe les mots hérités de l'argot, les dérivés de noms propres et les archaïsmes.

Si St-Pierre mentionne parfois au passage quelques traits du français québécois, l'essentiel de l'information sur cette variété de français se trouve dans la dernière section de l'ouvrage. On y présente les quatre sources auxquelles puise le français québécois : les archaïsmes et les dialectalismes, les emprunts à l'anglais, les emprunts aux langues amérindiennes et les québécismes de création. Comme c'est souvent le cas lorsqu'on présente le français québécois uniquement par ce qui le distingue du tronc commun du français, la presque totalité des mots et expressions présentés appartiennent au registre familier ou à la langue populaire (*gosseux, poupoune, cossin, ostineux, pantoute, baboune, bâdrer*), si l'on exclut les équivalents proposés à certains anglicismes (*clavarder* ou l'éternel *courriel*) ou quelques mots servant à dénommer des réalités québécoises (*cégep*).

Les chapitres débutent par une très brève mise en contexte historique ou par une explication du procédé, mais on arrive rapidement à la partie « Histoire de mots », où l'étymologie des mots sélectionnés est présentée. On y rassemble des renseignements de nature diverse. Par exemple, l'auteur fait quelques mises en garde contre les étymologies populaires, c'est-à-dire des « faussetés, [...] des hypothèses plus ou moins fantaisistes ou, dans certains cas, des embellissements étymologiques » (p. 13). Ainsi, « l'étymologie qui fait remonter *assassin* à *haschich* [...] est aujourd'hui contestée et très probablement fausse » (p. 13). De la même manière, St-Pierre met en doute l'origine de *bonhomme sept heures*, expression québécoise qu'on fait parfois remonter à l'anglais « *bone setter* », sorte de ramancheur. Il conclut en posant la question : « et si *bonhomme sept heures* n'était pas tout simplement un québécisme de création [...] ? » (p. 307)[1]. L'auteur met également au jour des liens entre des mots qu'on ne croirait pas apparentés de prime abord. C'est ainsi qu'il relie *quête, quérir* et *question* à l'étymon latin *quaerere,* ou encore qu'il réunit dans la même famille étymologique *franc, franchir, franchise* et *franc-parler*. Mais le plus souvent, il est question de l'évolution surprenante d'un mot du point de vue de la phonétique (comme *tante,* qui vient de l'agglutination du possessif *ta* et de l'ancien français *ante*) ou de la sémantique (« Qui [...] voit aujourd'hui dans *étonner* l'effet du tonnerre, dans *rival* une rive, et dans *remords* une morsure ? » (p. 20)).

D'autres mots se retrouvent plus simplement dans des listes constituées du mot en question, de sa date d'entrée dans la langue française et de son étymon, parfois défini. Ces séries de mots, se poursuivant tantôt sur un paragraphe (emprunts à l'espagnol), tantôt sur une page (emprunts aux dialectes de France) ou encore sur plusieurs pages (emprunts à l'anglais), sont nettement moins intéressantes pour le lecteur.

Gaétan St-Pierre ne mentionne qu'exceptionnellement les sources qu'il consulte – il ne les cite que lorsqu'il expose une étymologie encore obscure ou qui ne fait pas l'unanimité, comme c'est le cas pour *bilboquet* ou pour « l'échapper belle ». Dans les autres cas, le lecteur déduit que l'étymologie présentée ne soulève aucun doute, mais il n'est pas mis au

---

[1] D'autres recherches font de cette expression québécoise un héritage des régions de France, ce dont ne fait pas mention St-Pierre. C'est ce que le dictionnaire *Usito* indique sous *bonhomme.*

parfum de la démarche de l'auteur. Cela aurait été souhaitable dans la mesure où certaines indications soulèvent des questions. Par exemple, on retrouve dans la liste des emprunts du français à l'anglais des « faux anglicismes », c'est-à-dire des mots à l'apparence anglaise qui ne sont pas attestés dans cette langue, comme *brushing*, *lifting* ou *recordman*. Autre exemple : on se demande pourquoi l'auteur fait remonter *cheval* au gaulois (par l'intermédiaire du latin), alors que le *Robert historique* indique que l'origine du mot est obscure – on avance une origine gauloise ou balkanique, ou encore un nom ethnique – et que le site de l'ATILF (*Analyse et traitement informatique de la langue française*) ne mentionne pas le gaulois.

Comme il n'y a pas d'index, la seule manière d'accéder à un mot est de consulter le chapitre sous lequel il est susceptible de se trouver – et il faut donc déjà en connaître la langue d'origine. Un index aurait été particulièrement utile dans le cas des listes de mots qui ne figurent dans aucun titre ou sous-titre.

Si l'approche par anecdote adoptée par l'auteur se défend, surtout pour un ouvrage à vocation non scientifique, elle permet surtout un survol des étymologies obscures et de certains cas étonnants plutôt qu'une réelle histoire de la langue française à travers ses mots. L'ouvrage offre certes un aperçu des différentes langues et des divers procédés auxquels s'abreuve la langue française pour s'enrichir tout au long de son histoire, mais l'accent est ici mis sur l'exception. Cet ouvrage n'en satisfera pas moins les amoureux de la langue française, friands d'histoires de mots « solites » et insolites.

Mireille Elchacar
Université de Sherbrooke

Maggie Siggins, *Marie-Anne : la vie extraordinaire de la grand-mère de Louis Riel*, traduit de l'anglais par Florence Buathier, Québec, Éditions du Septentrion, 2011, 288 p. (Édition originale : *Marie-Anne: The Extraordinary Life of Louis Riel's Grandmother*, Toronto, McClelland & Stewart, 2008.)

Dans l'introduction de *Marie-Anne : la vie extraordinaire de la grand-mère de Louis Riel*, Maggie Siggins explique comment elle a découvert un filon très riche à exploiter en s'intéressant pendant de longues années à l'histoire de Louis Riel. Après un prologue amusant où nous lisons une lettre que Marie-Anne Gaboury adresse à son petit-fils – une correspondance, sans doute fictive[1] –, l'auteure relate les épisodes de la vie de la première femme blanche à venir s'installer dans l'Ouest canadien. En intégrant à la fois l'explication et la résonance historiques à son récit, Siggins présente la vie d'un témoin privilégié du passé de l'Ouest canadien.

Divisé en trois parties[2] – « Le Voyage » (chapitres I à VI), « Les forts des Prairies » (chapitres VII à X) et « L'installation » (chapitres XI à XV) –, l'ouvrage de Siggins débute par la présentation d'une jeune fille pieuse, « élevée dans la soumission, la retenue et l'habitude » (p. 15), née à Rivière-du-Loup (aujourd'hui Louiseville), au Québec, en 1780, et qui se distinguait à la fois par sa beauté et son intelligence (p. 22 et 23). Pourtant, malgré ces atouts, elle est restée célibataire jusqu'à l'âge de 26 ans. C'est alors qu'elle rencontre le fier Jean-Baptiste Lagimodière[3] et décide de l'épouser en 1807. Le jeune homme avait l'intention, une fois marié, de s'installer comme fermier au Québec. Toutefois, comme le précise l'auteure, « [t]outes les sources[4] se recoupent pour dire [...] qu'il avait été rapidement contrecarré dans ses desseins par un grave manque de terres » (p. 32). Marie-Anne décidera alors de suivre son mari qui ne peut résister à l'attrait d'une vie d'homme libre. Ainsi commencent les aventures de Marie-Anne Gaboury.

Cette première partie, très descriptive, foisonne de détails historiques, géographiques et socioculturels. Nous suivons Marie-Anne dans ses périples, découvrant comme elle, l'étendue d'un vaste pays où l'attendent de nombreuses épreuves. Outre les allusions aux péripéties liées à un voyage difficile, souvent dangereux, Siggins évoque les conditions de vie rudimentaires du groupe. Elle relate aussi comment, peu à peu, Marie-Anne s'adapte suite à son contact avec « ses premiers Indiens, des Ojibwés du Nord » (p. 55). « Ce fut le commencement de son "indianisation", une transformation qui la rendait sans aucun doute mal à l'aise » (p. 58).

---

1 N'étant pas historienne, j'aurais bien aimé savoir si le prologue est tiré d'une source première ou s'il relève tout simplement de l'imagination de l'auteure.

2 De plus, trois cartes (p. 14, 116 et 180) permettent de nous situer dans la géographie de l'Ouest canadien. Signalons également que cet ouvrage inclut 16 pages de notes et 10 pages de bibliographie.

3 Siggins retrace brièvement la généalogie de la famille de ce jeune coureur des bois.

4 L'auteure affirme simplement que « toutes les sources se recoupent... » (p. 32), sans pour autant préciser quelles sont toutes ces sources.

Que l'auteure ait jugé nécessaire de rajouter ce commentaire laissera sans doute perplexes tous ceux qui avaient oublié qu'il ne s'agit pas ici d'une biographie. En effet, Siggins précise qu'elle va « essayer de recréer » à partir de sources historiques la vie de sa protagoniste (p. 10). Nonobstant ce désir de rester fidèle aux sources, Siggins fait preuve d'une grande inventivité[5], et il faut reconnaître qu'elle nous offre souvent des scènes très savoureuses, comme celle, par exemple, où Marie-Anne apprend que son mari s'était marié « à la façon du pays » et avait même eu des enfants avec sa femme autochtone (p. 96 et 97).

Dans la deuxième partie, nous apprenons qu'en 1808 la famille Lagimodière quitte le fort Pembina où elle s'était installée pour se diriger vers le fort Edmonton. Jusqu'ici Siggins suit l'axe chronologique des événements, mais avant de narrer le voyage de plus de mille cinq cents kilomètres qu'effectueront les Lagimodière, elle se permet quelques digressions[6] et effectue certains retours en arrière[7]. Sans doute, l'auteure cherche-t-elle à bien situer son lecteur et à lui expliquer le contexte de la création de la Compagnie de la Baie d'Hudson et de sa rivale, la Compagnie du Nord-Ouest. Bien que ces faits ne soient pas inintéressants, on a quand même l'impression de perdre un peu Marie-Anne de vue dans un texte devenu très touffu. À la fin de cette partie, le lecteur sera peut-être soulagé d'apprendre que la famille souhaite une vie plus sédentaire. En effet, elle envisage de rejoindre une colonie d'immigrants venus s'établir au confluent des rivières Rouge et Assiniboine.

Mais la troisième partie sera, elle aussi, bien remplie de faits hauts en couleur : les exploits de Lord Selkirk, le travail ardu des premiers colons, la sécheresse, la maladie, la faim, le froid, etc. Bref, cette « installation » se révèle aussi difficile que toutes les autres épreuves qu'a connues Marie-Anne Gaboury. À la fin, Lagimodière, qui a toujours été un loyal et fidèle serviteur de Lord Selkirk, bénéficiera de ses largesses. En 1817, Selkirk lui octroie une terre, située entre les rivières Rouge et Seine, près

---

[5] Siggins mentionne dans son introduction qu'elle prévoyait écrire la biographie de Marie-Anne Gaboury, mais que « la tâche [lui] semblait difficile car on ne trouvait que peu de documents et de lettres sur sa vie » (p. 10).

[6] Nous apprenons plusieurs détails sur les Premières Nations, en particulier dans les chapitres VIII et IX.

[7] Par exemple, une analepse au chapitre VII nous ramène brièvement à l'époque des premiers explorateurs Radisson et Des Groseillers.

de la cathédrale de Saint-Boniface... Suit un court épilogue où nous apprenons que Marie-Anne Gaboury, qui devint veuve en 1850, vécut jusqu'en 1878, assez longtemps pour « voir le triomphe de son petit-fils », Louis Riel (p. 258).

Plusieurs ouvrages ont servi de source d'inspiration à l'auteure, notamment les travaux du père Georges Dugast. En suivant fidèlement les quelques éléments notés par ce prêtre missionnaire, Siggins réussit à étoffer les faits qu'avait retenus ce dernier dans son petit fascicule de 35 pages. Or, si elle nous en propose effectivement une expansion importante (300 pages), on serait en droit de s'attendre à plus de détails sur la vie de la protagoniste. Mais, en définitive, les faits décrits sont plutôt liés à la vie des coureurs des bois et des pionniers venus dans le Nord-Ouest. Siggins cherche à insuffler une certaine agentivité à son héroïne et, surtout, à la départir de l'image proposée par Dugast d'une femme « entièrement soumise et obéissante, prude et d'une extrême ferveur religieuse » (p. 10). Mais de la même façon que Dugast décrit Marie-Anne Gaboury selon un éclairage très personnel, Siggins nous en offre un portrait tout aussi subjectif. Parce que cette femme avait suivi son mari dans l'Ouest, l'auteure en conclut qu'elle devait *a priori* être « forte, courageuse et même téméraire » (p. 15). Toutefois, on est en droit de se demander à quoi Marie-Anne Gaboury pensait lorsqu'elle a pris la décision de suivre Jean-Baptiste Lagimodière dans l'Ouest. Avait-elle accepté de l'accompagner un peu naïvement, convaincue que son amour la soutiendrait par monts et par vaux ? Ou est-elle partie sereine et confiante que Dieu la guiderait et la protégerait ?

En fin de compte, nul ne saura vraiment si Marie-Anne Gaboury savait exactement dans quelle aventure elle s'embarquait quand elle quitta sa province natale, ni si elle avait conscience du rôle important qu'elle aurait à jouer en tant que première femme blanche dans l'Ouest et future grand-mère de Louis Riel. Et peu importe, car les faits livrés dans cet ouvrage, fort bien documenté et à saveur épique, n'en demeurent pas moins fascinants. Cette grande et riche fresque, signée de la plume de Siggins, permettra aux lecteurs de découvrir un pan de l'histoire des femmes du Canada dont on ne parle malheureusement que trop peu souvent.

Lise Gaboury-Diallo
Université de Saint-Boniface

Jean-Charles Panneton, *Pierre Laporte*, Québec, Éditions du Septentrion, 2012, 445 p.

L'ironie veut que le souvenir de Pierre Laporte, au nombre des adversaires du régime duplessiste dans le journal *Le Devoir* et des artisans de la Révolution tranquille dans *l'équipe du tonnerre* de Jean Lesage, ait été, pendant plus de quarante ans, rattaché presque exclusivement à l'épreuve de force que représente la crise d'Octobre dans l'histoire des relations entre le Québec et le gouvernement canadien. Aussi le parcours biographique et historique proposé par Jean-Charles Panneton comble-t-il une lacune majeure dans l'historiographie québécoise, en plus de faire suite à son essai sur le prédécesseur de Laporte au ministère des Affaires culturelles du Québec (Panneton, 2000).

Dès le départ, Panneton fait preuve d'impartialité en évitant à la fois la dénonciation politique et l'apitoiement victimaire ; il ne vise ni à stigmatiser le Front de libération du Québec (FLQ) pour l'enlèvement et l'assassinat (revendiqué) de Laporte, ni à passer sous silence les relations présumées du député de Chambly avec la mafia montréalaise. Sans vouloir trancher la question, il attire plutôt l'attention sur l'homme énergique, polyvalent, ambitieux et éloquent que fut Laporte, juriste de formation, « journaliste de combat » (chapitre II) au *Devoir* de 1944 à 1961, directeur de la revue *L'Action nationale* de 1954 à 1959, homologue d'André Malraux dans ses relations ministérielles avec le gouvernement français pendant la Révolution tranquille, candidat malchanceux au poste de chef du Parti libéral du Québec, enfin ministre du Travail et de la Main-d'œuvre dans le cabinet Bourassa jusqu'à sa mort tragique en 1970.

À partir du dépouillement objectif de fonds d'archives et de la presse montréalaise, et au moyen de plusieurs intertitres programmatiques dans les six chapitres de son livre, Panneton retrace en détail la carrière à facettes de Laporte, marquée, entre autres, alors qu'il était journaliste, par sa dénonciation de la corruption à l'époque de Maurice Duplessis (pas si éloignée de la nôtre, n'en déplaise aux pourfendeurs de *la grande noirceur*...), puis par la campagne électorale l'opposant à Robert Bourassa de 1969 à 1970. Panneton fait ressortir également le tempérament fort du personnage qui, tout en étant rompu aux joutes journalistiques ou parlementaires, lâche le mot de Cambronne quand Malraux lui fait faux bond (p. 281) ! Il omet cependant de mentionner son souci de la sauvegarde du patrimoine de la ville de Québec, qui se manifeste par son opposition, infructueuse, à la démolition de maisons victoriennes au profit de la construction d'édifices gouvernementaux dans un style architectural controversé[1] (Blais, Gallichan, Lemieux et St-Pierre, 2008 : 488-489). Il souligne en revanche, et fort à propos, son attachement culturel indéfectible au Canada français. Hérité directement de Lionel Groulx, son nationalisme le pousse, en tant que rédacteur du *Devoir*, directeur de *L'Action nationale* (l'ex-*Action française* du chanoine Groulx) ou ministre des Affaires culturelles du Québec, à préserver concrètement les relations entre le Québec et les minorités françaises en Amérique du Nord. En témoignent, entre autres, la campagne du livre français pour les francophones de l'Ouest qu'il préside en 1947 (p. 59), sa défense vigoureuse de l'éducation française en Colombie-Britannique (p. 170-172, 179-180), son souhait d'encourager les échanges culturels entre le Québec et l'Acadie à l'époque du premier ministre Louis Robichaud (p. 283) et les engagements qu'il prend dans les centres franco-américains, y compris en Louisiane (p. 283).

Pendant la Révolution tranquille, son implication dans la cause nationale des Franco-Canadiens à l'ouest de la rivière des Outaouais ne va pas toutefois sans raviver les tensions constitutionnelles entre le Québec et les provinces anglophones, comme l'atteste son discours adressé à la Société Saint-Jean-Baptiste de Tecumseh (Ontario) et rapporté dans le *Devoir* du 28 mars 1966 : « Ou bien le Canada anglais comprendra le problème des minorités françaises ou bien le Québec ne comprendra plus le Canada » (cité dans la note 213, p. 283). Or Panneton ne signale pas le hiatus entre la croyance de Laporte (qui reste fédéraliste) en un Canada uni et la rupture idéologique des indépendantistes québécois avec la diaspora canadienne-française, qui deviendra, dans leur vision restrictive de la nation québécoise, la francophonie *hors Québec*. Il n'empêche que les quelques pages de *Pierre Laporte* sur les minorités franco-canadiennes, auxquelles les lectrices et lecteurs concernés seront particulièrement intéressés et sensibles, suggèrent l'ampleur des défis auxquels elles durent apprendre tôt à se mesurer *sans le Québec*, nonobstant la disposition exceptionnelle du chanoine Groulx (Bock, 2004, cité par Panneton) et de son fils spirituel à les comprendre et à les aider dans leurs luttes identitaires.

---

[1] Il s'agit des édifices H et J situés sur Grande-Allée, à côté de la colline Parlementaire. Le second servit de « bunker » au premier ministre Bourassa.

Le livre de Panneton comprend, en outre, une préface substantielle du journaliste Gilles Lesage, des reproductions de photographies d'archives, où Laporte apparaît aux côtés des membres de sa famille et d'autres figures emblématiques de la Révolution tranquille (André Laurendeau, Paul Gérin-Lajoie, René Lévesque, etc.), et une notice finale renvoyant à la liste des articles de Laporte publiés dans la presse entre 1940 et 1968. Cette précieuse bibliographie peut être consultée sur le site des Éditions du Septentrion[2] et incite à redécouvrir le legs multiple laissé par Laporte dans *Le Devoir* et d'autres périodiques du Québec.

En somme, le *Pierre Laporte* de Panneton révèle avec une documentation précise et une rigueur constante la place exacte qu'occupe Laporte, successivement journaliste et ministre, dans l'histoire du Canada français et du Québec. Il reste à souhaiter qu'un recueil de ses articles paraisse un jour chez le même éditeur et fasse pendant à l'anthologie qui a été publiée à l'occasion du centenaire du *Devoir* et en hommage à son directeur fondateur (Anctil, 2010).

Bibliographie

Anctil, Pierre (2100). *Fais ce que dois : 60 éditoriaux pour comprendre* Le Devoir *sous Henri Bourassa, 1910-1932*, Québec, Éditions du Septentrion.

Blais, Christian, Gilles Gallichan, Frédéric Lemieux et Jocelyn St-Pierre (2008). *Québec : quatre siècles d'une capitale*, Québec, Les Publications du Québec.

Bock, Michel (2004). *Quand la nation débordait les frontières : les minorités françaises dans la pensée de Lionel Groulx*, Montréal, Éditions Hurtubise.

Panneton, Jean-Charles (2000). *Georges-Émile Lapalme : précurseur de la Révolution tranquille*, Montréal, VLB éditeur.

Dominique Laporte
Université du Manitoba

Claude Gélinas, *Indiens, Eurocanadiens et le cadre social du métissage au Saguenay–Lac-Saint-Jean, XVIIe-XXe siècles*, Québec, Éditions du Septentrion, 2011, 220 p.

Le jugement Powley, qui reconnaît que les Métis peuvent sous certaines conditions bénéficier des droits ancestraux, contribua à l'émergence ou

[2] Adresse du site : www.septentrion.qc.ca/laporte.

à la structuration de nombreuses organisations métisses au Canada ainsi qu'au Québec où on dénombrait 122 organismes métis en 2008 (p. 9). Dans cet ouvrage[1], Claude Gélinas cherche à répondre à une question que beaucoup se posent, notamment le gouvernement du Québec : « Existe-t-il effectivement au Québec des communautés métisses historiques depuis toujours passées inaperçues ? S'agit-il simplement d'opportunisme, dans la mesure où des groupes d'intérêt contemporains s'identifient Métis en vue d'obtenir des privilèges ou de favoriser l'avancement de leur cause » (p. 9) ? Pour répondre à cette question, l'auteur s'est intéressé à la région du Saguenay–Lac-Saint-Jean où se trouve une des communautés métisses parmi les plus actives du Québec, la Communauté métisse du Domaine du Roy et de la Seigneurie de Mingan (CMDRSM).

Le premier chapitre de l'ouvrage retrace le contexte de la rencontre entre les Indiens[2] et les colonisateurs eurocanadiens[3] dans la région du Saguenay–Lac-Saint-Jean. Selon l'auteur, lorsque ces deux cultures entrèrent en contact, elles étaient déjà quelque peu métissées. En effet, du fait de l'existence de nombreux réseaux d'échanges, les groupes autochtones n'étaient pas homogènes et accueillaient en leurs rangs des membres d'autres communautés, et intégraient volontiers les innovations technologiques et sociales auxquelles ces échanges permettaient d'accéder. Ainsi, lorsque les Eurocanadiens s'établirent dans la région, ils n'étaient « pas vierges de toute influence culturelle indienne » (p. 28), la majorité des Canadiens français ayant déjà adopté des éléments de la culture autochtone (connaissances médicales, techniques de chasse et pêche, canots et raquettes, etc.). De la même manière, les autochtones de la région avaient déjà intégré plusieurs éléments de la culture occidentale, notamment des outils en fer.

Malgré tout, cette situation de métissage biologique, accompagnée d'emprunts culturels non négligeables, ne semble pas avoir entraîné la constitution de « communautés métisses au sens anthropologique du terme » (p. 32). Selon Gélinas, un mélange dans le bagage génétique d'individus n'implique pas *de facto* la naissance d'une culture métisse. Métissage biologique et identité culturelle sont donc deux questions qui doivent être traitées séparément, selon Gélinas.

---

1 Cet ouvrage est issu d'un rapport de recherche publié en 2009.

2 Nous reprenons ici le terme utilisé par l'auteur.

3 *Idem.*

Dans le deuxième chapitre, l'auteur définit le concept d'identité qui lui servira ultérieurement à analyser l'identité des métis « contemporains » du Saguenay–Lac-Saint-Lac. Selon lui, l'identité est liée à la reconnaissance, individuelle ou collective, de certains traits distinctifs. Cette reconnaissance peut être revendiquée ou octroyée. L'identité revendiquée ou l'auto-identification ne se construit que dans un contexte de rencontre, lorsqu'un groupe prend conscience de sa différence grâce au contact et aux échanges. L'identité octroyée est, pour sa part, imposée de l'extérieur, soit pour des raisons politiques (statut d'Indien : objectif d'appropriation territoriale) ou culturelles (Sauvage : objectif de civilisation), dans le cas qui nous intéresse. Cette identité octroyée est donc discriminatoire, dans le sens où elle sert à catégoriser les groupes sociaux. Gélinas considère aussi que l'identité est dynamique, ce qui implique qu'il est impossible de fixer les contours et le contenu de l'identité revendiquée, puisque tous ne se reconnaissent pas dans tous les attributs de la définition, mais aussi parce que cette identité peut évoluer, par exemple, celui qui ne s'auto-identifie pas Métis aujourd'hui peut le faire demain.

Ce serait en 1839 que, pour la première fois, le terme « Métis » aurait été utilisé pour qualifier des personnes vivant au Saguenay–Lac-Saint-Jean. Auparavant, il n'y avait que des « Indiens » et des « Eurocanadiens », peu importe que les individus fussent ou non biologiquement métissés. Cependant, l'auteur note qu'à compter de 1850 les références au terme « Métis » sont de plus en plus fréquentes. Cela serait dû au fait que lors de la création des réserves, le statut d'Indien aurait été refusé à de nombreux individus d'ascendance mixte qui, en conséquence, ne pouvaient plus se prévaloir du droit de résider en réserve. C'est seulement vers les années 1900 que certains individus ont commencé à se déclarer Métis. Mais cette fois encore, ce geste n'avait pas pour but d'affirmer une appartenance à une communauté ethnoculturelle distincte, mais faisait partie de « stratégies » développées par des individus pour obtenir certains droits accordés aux Indiens dont le statut était reconnu. On se trouve donc encore en présence d'une identité octroyée puisqu'elle est tournée vers l'autre et non vers soi.

Le troisième chapitre du livre vise à établir les particularités culturelles qui différenciaient les « Indiens » des « Canadiens » aux XVIIIe et XIXe siècles afin de déterminer s'il existait un troisième ordre de culture. L'étude des modes de subsistance des deux groupes conduit Gélinas à affirmer que, du point de vue de l'économie, malgré de nombreux emprunts et des adaptations d'un côté comme de l'autre, « Eurocanadiens » et « Indiens » vont demeurer deux groupes avec une identité forte et distincte. Certes, les colons du Saguenay–Lac-Saint-Jean ne peuvent reproduire intégralement le mode de vie développé dans la vallée du Saint-Laurent, d'où ils sont originaires, et doivent compenser le faible rendement agricole par des activités de chasse, de pêche ou de trappe qui s'inspirent de celles des autochtones, mais cela n'affecte nullement leur sentiment d'appartenance à la culture canadienne-française. Il en va de même pour les autochtones qui passeront par une série d'adaptations successives, les conduisant d'un mode de vie fondé sur les activités traditionnelles à une participation, au côté des colons canadiens, à l'économie agro-forestière et minière, en passant par un long épisode d'intégration à l'économie de la traite. Ces deux économies, autochtone et eurocanadienne, se caractérisent par leur adaptabilité, leur complémentarité et leurs emprunts, mais sans qu'il y ait pour autant amalgame et perte du sentiment des frontières identitaires. Cela dit, les individus qualifiés de Métis ne semblent pas avoir développé un mode de vie distinct des deux autres groupes, qui leur serait propre et transcenderait leur lieu de résidence.

Gélinas s'interroge aussi sur les systèmes de référence spirituelle des différents groupes. Il constate que les Canadiens conservent leur religion et le cadre moral qui l'accompagne, alors que les autochtones adoptent le catholicisme tout en conservant une partie du code moral et des pratiques spirituelles traditionnelles (tabous alimentaires, récits et légendes mythologiques, pratiques chamaniques). Quant aux Métis, l'auteur n'observe pas l'émergence de pratiques spirituelles ou d'une morale qui leur seraient propres. Ils adoptent plutôt l'une ou l'autre des déclinaisons du catholicisme canadien : les Métis vivant hors réserve sont plus enclins à suivre les rituels conventionnels et ceux en réserve restent plus proches des pratiques syncrétiques.

En somme, selon Gélinas, ce n'est pas tant le constat de l'existence de l'appartenance d'un individu à un mode de vie distinct qui justifie son identité de Métis, qu'une appellation attribuée, tant par les Canadiens que par les autochtones, à ceux qui « s'approchaient trop de la culture de l'autre » (p. 104).

Dans le dernier chapitre, Gélinas s'intéresse à la définition de la communauté. Cette question est particulièrement cruciale puisque pour obtenir le statut de Métis, un individu doit appartenir, selon le jugement Powley, à une communauté. Gélinas définit la communauté comme un ensemble d'individus qui déclarent une identité commune, partagent un certain nombre de traits qu'il qualifie de synchroniques, un sentiment d'appartenance et un souci de conserver l'histoire de la communauté et d'en assurer la perpétuation.

En ce qui concerne les individus qualifiés de Métis, Gélinas rappelle tout d'abord qu'historiquement leur identité est octroyée et non revendiquée, ce qui contrevient à une des conditions à la base de la construction d'une communauté, qui est de « partage[r] un sentiment commun de vivre pour et par celle-ci » (p. 123). De même, ils ne possèdent pas de langue, de traits culturels ou religieux distincts qui les uniraient. Ils n'entretiennent pas non plus de relation commune au territoire puisque certains sont davantage tournés vers les activités de chasse, de pêche ou de trappe, tandis que les autres leur préfèrent les activités agroforestières. En somme, ce sont les différences qui apparaissent aux yeux des autres qui justifient ou non leur pleine appartenance au groupe dans lequel ils vivent. Par ailleurs, l'auteur se demande si les rapports sociaux qu'entretenaient les Métis auraient pu les distinguer des deux autres groupes. Encore une fois, peu d'indices permettent d'affirmer qu'il y ait eu, autrement que de façon ponctuelle, des liens privilégiés entre les différents individus qualifiés de Métis. À cet égard, Gélinas s'oppose à Russel Bouchard qui prétend, pour sa part, que l'existence de symboles totémiques et de légendes propres aux Métis attesterait la présence d'une communauté métisse enracinée dans l'histoire. En effet, selon Gélinas, aucun écrit ne confirmerait l'existence de « trame historique métisse », de même qu'aucun personnage symbolique ou récit fondateur qui inscrirait les Métis dans une histoire commune ne peuvent être retracés. Gélinas relève certaines préférences endogamiques qui pourraient laisser penser qu'il aurait existé une volonté d'assurer la continuité du groupe. Néanmoins, il estime que beaucoup de mariages avaient aussi lieu avec des autochtones ou des Canadiens. Il n'y n'avait donc « aucun mécanisme particulier de passation intergénérationnelle [...] à une échelle plus grande que la famille immédiate » (p. 138). Il conclut logiquement ce chapitre en suggérant que la présence au Saguenay–Lac-Saint-Jean d'individus qualifiés de Métis ne signifie pas pour autant qu'ils « [...] formaient un regroupement substantiel, réellement structuré et socialement distinct » (p. 133).

Selon l'auteur, l'émergence d'une société distincte nécessite un contexte historique spécifique, comme ce fut le cas dans les Prairies, mais ce contexte n'a pas existé au Saguenay–Lac-Saint-Jean. À défaut de ces conditions, les Métis du Saguenay–Lac-Saint-Jean n'ont pas constitué une communauté distincte, mais se sont plutôt intégrés à l'un ou l'autre des groupes culturels existants. Cette lecture de l'histoire s'apparente à celle de plusieurs Métis des Prairies qui estiment que les « Indiens » qui se sont fait spolier de leur statut devraient se battre pour le retrouver, mais que réclamer le statut de Métis est une erreur, car les Métis ne sont pas simplement des Indiens sans statut, mais s'inscrivent dans une culture spécifique dont l'œkoumène est l'ouest du Canada (Martin et Patzer, 2003).

Toutefois, l'absence d'une communauté métisse historique ne présume pas de la possibilité ou non qu'émerge une communauté métisse contemporaine ; rappelons que l'identité est située et circonstancielle et, de ce fait, qu'elle n'est pas figée. C'est, selon Gélinas, ce qui est peut-être en train de se produire. En effet, la création, en 2005, de la Communauté métisse du Domaine du Roy et de la Seigneurie de Mingan, bien qu'elle puisse être considérée comme opportuniste puisque son objectif premier est d'obtenir la reconnaissance de droits pour ses membres, répond cependant aux différents critères qui définissent une communauté. En effet, ceux qui en sont membres ont un sentiment d'appartenance, tiennent un discours historique commun et se sont distingués des deux autres groupes, notamment en s'opposant devant les tribunaux aux Innus. Certes, cette communauté risque de ne pas répondre au critère de la continuité historique exigé par les tribunaux pour obtenir la reconnaissance de droits ancestraux. Mais cela ne change rien au fait que, selon les critères définis par Gélinas, une nouvelle communauté serait probablement en train de se constituer. Elle ne serait pas ancrée dans l'histoire de la colonisation, mais émergerait plutôt d'un contexte contemporain, favorable à la définition d'une nouvelle identité métisse, dont les contours restent à définir et l'histoire à écrire.

Il est possible que certains lecteurs puissent être en désaccord avec la thèse soutenue par Gélinas (la non-existence d'une communauté métisse historique au Saguenay–Lac-Saint-Jean). L'auteur convient lui-même que l'évolution juridique et une nouvelle compréhension des réalités des individus d'ascendance mixte pourraient lui donner tort. D'autres pourraient lui reprocher d'utiliser un étalon théorique pour statuer sur le caractère métis ou non d'un groupe d'individus. Néanmoins, on reconnaîtra que cet ouvrage a le mérite de tenter de définir l'identité métisse en dehors du droit en privilégiant l'analyse des structures sociales. À l'heure où le droit occupe une place de plus en plus importante dans la construction de l'identité (Grammond, 2009), cet effort est à souligner. En somme, il n'est pas injustifié de se demander qui sont les personnes qui s'auto-identifient Métis, en dehors de la catégorie juridique créée par l'État, et pourquoi elles le font. Après tout, être autochtone, selon la Déclaration des Nations Unies sur les droits des peuples autochtones, est une question d'auto-identification et ne peut pas être simplement une identité octroyée ou refusée.

Bibliographie

GRAMMOND, Sébastien (2009). *Identity Captured by Law: Membership in Canada's Indigenous Peoples and Linguistic Minorities*, Montréal, McGill-Queen's University Press.

MARTIN, Thibault, et Jeremy PATZER (2003). « Yvon Dumont ou le renouveau du leadership métis », *Revue d'éthique et de théologie morale : Le « Supplément »*, n° 226 (septembre), p. 379-404.

Thibault Martin et Jean-Philippe Bernard
Université du Québec en Outaouais

France Daigle, *Sans jamais parler du vent : roman de crainte et d'espoir que la mort arrive à temps*, édition critique établie par Monika Boehringer, Moncton, Université de Moncton et Institut d'études acadiennes, 2012, 259 p.

Avec cet ouvrage, qui contribue au projet du groupe de recherche en édition critique de l'Université de Moncton, Monika Boehringer rend à nouveau disponible le premier roman de France Daigle, *Sans jamais parler du vent* (publié à l'origine en 1983, aux Éditions d'Acadie), un texte majeur aussi bien pour l'œuvre de l'écrivaine que pour la littérature acadienne. Mais ce n'est pas le seul mérite de l'ouvrage qui, par le travail d'édition critique qu'il propose, constitue un accès privilégié au texte. Les différentes parties – respectivement : le roman, les variantes, les annexes et l'appendice – ainsi que l'introduction et la bibliographie qui les encadrent se doivent d'être présentées ici, pas uniquement pour elles-mêmes, mais dans la mesure où elles participent à l'intelligence du roman.

L'introduction, divisée en cinq parties, en est d'emblée la preuve. Elle apporte au lecteur non seulement un aperçu général du contexte acadien des années 1960-1980 et de la modernité littéraire acadienne naissante dans ce milieu socioculturel, mais aussi des éléments d'ordre bio-bibliographique, une présentation de la genèse du texte, de la réception critique de l'œuvre de France Daigle ainsi que quelques pistes de lecture. Ce panorama permet de mieux comprendre le travail d'écriture de France Daigle, tout en le situant sur la scène littéraire acadienne. On comprend de cette manière que France Daigle est, comme le note Boehringer, « contemporaine de toute une génération d'écrivaines acadiennes – Dyane Léger, Rose Després, Hélène Harbec » (p. XXII) et que, tout en occupant une place singulière par sa démarche formelle et novatrice, elle rejoint ces écrivaines en se situant à rebours de la production des poètes de la décennie précédente, notamment sur le plan du questionnement identitaire.

Mais le travail explicatif ne s'arrête pas là puisqu'il s'agit également de prendre la mesure d'une œuvre en formation que *Sans jamais parler du vent* préfigure en quelque sorte par certains de ses thèmes et préoccupations stylistiques, mais également en formant avec *Film d'amour et de dépendance : chef-d'œuvre obscur* (1984) et *Histoire de la maison qui brûle : vaguement suivi d'un dernier regard sur la maison qui brûle* (1985) une trilogie, voire « un seul et même texte », comme le rappelle la chercheuse (p. XXXI). Pour elle, il ne s'agit pas de trancher mais davantage de montrer les multiples lectures possibles, véhiculées, entre autres, par le discours critique, et de mettre en valeur la richesse et la complexité du texte qui, bien souvent, déconstruit un genre, le roman, plutôt qu'il ne l'investit par une écriture oscillant entre prose et poésie.

L'un des objectifs de cette édition est en effet de mettre au jour, au travers des sept états du texte, l'évolution et la démarche esthétique de l'auteure tout comme ses questionnements. Les pistes interprétatives et les quelques clés de lecture de l'introduction, comme les jeux sur l'énonciation et la sexualisation, viennent compléter le travail, davantage descriptif et plus technique, que l'on retrouve à la suite du texte de *Sans jamais parler du vent* présenté dans la première des quatre parties que compte l'édition critique.

La deuxième partie est composée de deux sections. Les notes sur l'établissement du texte permettent de suivre les choix qui ont prévalu lors du travail d'édition, mais aussi de relever les caractéristiques formelles du texte en précisant à nouveau leur valeur interprétative. Suit la section consacrée aux variantes issues du travail de réécriture qui a marqué la genèse de l'œuvre. Les variantes n'apparaissent donc pas dans le texte même, mais ce choix, assumé, a toutefois l'avantage de préserver la mise en page d'origine, et caractéristique du roman.

Quant à la troisième partie, elle se compose d'une série d'annexes présentées de façon à ce que l'on puisse voyager, à travers différents thèmes, au sein d'une multitude de fragments de texte. L'objectif de cette partie, mentionné dans une note préalable, est d'offrir au lecteur la possibilité de comprendre la genèse du roman à partir de la comparaison de ces fragments. Il s'agit de la partie où la visée didactique est la plus présente. Elle contribue, avec la bibliographie de l'œuvre de France Daigle et des textes critiques qui y sont consacrés, à faire de cet ouvrage une édition critique de référence tant pour les étudiants que pour les chercheurs ou, plus généralement, pour tout lecteur intéressé à (re)découvrir le premier roman, si particulier, de France Daigle ainsi que le contexte dans lequel il s'insère.

L'appendice, qui compose la quatrième et dernière partie, reprend un article de France Daigle, « En me rapprochant sans cesse du texte », publié dans *La Nouvelle Barre du jour* (1986). Le discours réflexif de l'écrivaine sur son écriture rejoint la démarche proposée dans ce numéro de la revue, soit « [v]oir le rapport au texte comme un rapport au réel. Voir comment on choisit d'y entrer, de l'habiter, d'en sortir (ou non) par la voie de la contrainte mécanique (pulsionnelle), de l'adhésion (impossible) à une histoire ou à un texte-source » (p. 229). Au fil des allusions, des ellipses, des jeux de parataxes que multiplie le recours à l'infinitif et à travers cette volonté d'« écrire au neutre », l'écriture de Daigle tend à révéler son propre déploiement et son travail sur la langue. L'écriture, qui se montre à l'œuvre, est rendue d'autant plus visible par le rapprochement possible entre les différents états du texte. Et bien que cette écriture formelle s'éloigne des références directes à l'Acadie, France Daigle, en se rapprochant de son texte, en vient à le réinvestir de caractéristiques acadiennes par un processus de subjectivation et à y voir notamment cette « ligne d'horizon, créée par la mer du texte » en bas de page et, en haut de page, par l'infini, sinon le vide inquiétant d'une réalité ou d'une langue trop truquée » (p. 242). Ce jeu typographique entre le blanc de la page et le texte, entre absence et présence, coïncide avec la poétique du silence dont le texte se nourrit à mesure qu'il progresse par fragments.

Le premier roman de France Daigle reste actuel par la pratique du texte ouvert qui invite le lecteur à une aventure esthétique. À (re)découvrir.

Nicolas Nicaise
Université de Moncton – Université de Liège

Jean Panneton, *Le Séminaire Saint-Joseph de Trois-Rivières 1860-2010*, Québec, Éditions du Septentrion, 2010, 384 p.

Le Séminaire Saint-Joseph de Trois-Rivières est une école secondaire privée catholique qui a plus de 150 ans d'histoire. L'ouvrage de l'abbé Jean Panneton s'inscrit dans la logique de l'*alma mater* et se propose de retracer l'historique de cette institution scolaire, avec pour résultat une véritable épopée qui permet de dresser un portrait de l'évolution des collèges classiques au Québec et de nourrir l'historiographie de l'élite masculine québécoise. L'auteur divise l'histoire de l'institution en trois périodes symbolisées par un matériau : la pierre, la brique et le granit.

La pierre des casernes : 1860-1874

La pierre est celle des casernes militaires désaffectées qui avaient servi durant la première moitié du XIXe siècle à loger jusqu'à trois cents soldats sous le régime anglais. Les casernes sont situées sur un promontoire sablonneux, le Platon, qui domine le fleuve Saint-Laurent. L'endroit n'est pas anodin, le sieur de Laviolette y avait jadis établi un fort de traite en 1634, selon les souhaits de Samuel de Champlain et à la suggestion du chef innu Capitanal. En 1850, Trois-Rivières connaît un développement économique non négligeable, notamment avec la sidérurgie. La ville s'enrichit d'une cathédrale en 1854, et une élite de professionnels et d'entrepreneurs favorise des initiatives, dont celle de l'incorporation de la cité en 1857. C'est en quelque sorte ce mouvement de progrès qui pousse huit laïcs à vouloir ériger un nouveau collège classique à Trois-Rivières, un vide que ne pouvaient pas toujours combler les institutions d'enseignement supérieur de Montréal, de Québec ou de Nicolet. L'initiative souleva à l'époque une vive polémique dans la presse. La direction du Séminaire de Nicolet, fondé en 1806, voyait d'un très mauvais œil ce compétiteur, annonciateur d'embarras financiers. Le maître d'œuvre est le maire de la ville, Joseph-Édouard Turcotte, un patriote, partisan de Louis-Joseph Papineau, avocat de formation, homme politique et entrepreneur. Pour contrer l'opposition au projet, les huit notables se chargèrent de l'administration et des finances de l'institution, exigeant seulement de l'évêque de Trois-Rivières, Mgr Thomas Cook, de recruter du personnel, en le menaçant même de recourir à des professeurs laïques au besoin. Faute de prêtres, davantage attirés par le ministère paroissial que par la vie monacale d'un séminaire, Mgr Cook réussit à convaincre l'abbé Joseph-Élie Panneton, un jeune vicaire de vingt-cinq ans, d'assumer la direction du Collège de Trois-Rivières et de sa centaine d'élèves à la rentrée du 5 septembre 1860. Les débuts du Collège de Trois-Rivières sont marqués par divers aléas dont un budget serré et la volonté du personnel enseignant de transmettre une culture classique dans un cadre de vie à l'horaire astreignant, parsemé de prière, de méditation, d'étude, de messe et de chapelet. Le Collège de Trois-Rivières est donc né du désir de faire œuvre laïque et d'y donner un enseignement collégial, une culture classique non sacerdotale, dans un climat scolaire profondément religieux. Comme le résume Jean Panneton, l'évolution du collège en ses quatorze premières années reste périlleuse puisqu'il se trouve miné par des conditions défavorables : « Peu désiré, mal aimé par le clergé, logé à la diable, doté d'un personnel enseignant improvisé, sans cesse harcelé de problèmes financiers, plusieurs fois menacé d'expulsion, voire de fermeture [...] » (p. 77).

La brique du Séminaire à tourelles : 1874-1929

Menacé d'éviction par les autorités anglaises propriétaires des casernes, la corporation du Collège décida de construire son propre édifice au printemps 1872. Mais l'année suivante, l'accumulation des problèmes financiers força la corporation laïque à se départir du collège et à le remettre à l'évêque. D'une corporation totalement laïque, le Collège de Trois-Rivières subit une mutation profonde en s'assujettissant à une nouvelle direction sous l'égide de l'évêque de Trois-Rivières. Cette mutation entraîna non seulement un changement de nom, mais « la nature même de l'institution [...] s'en trouv[a] modifiée » (p. 89). Désormais séminaire, l'institution devenait par le fait même la pépinière par excellence de vocations sacerdotales. Il s'agit donc d'une autre fondation, celle du Séminaire Saint-Joseph, dont l'édifice, tout neuf, vient d'être construit à l'écart de la ville, sur le terrain de la ferme Barnard acheté en 1867. L'édifice est spectaculaire. Il est monté en brique rouge sur quatre étages avec autant de tourelles, suffisamment grand pour accueillir 300 élèves. En 1903, une imposante chapelle prolongée d'un clocher de 55 mètres vient s'intégrer à l'édifice. On y offre un cours commercial de trois ans et un cours classique de six ans :

> Le cours commercial n'était pas un cours à rabais, ni un fourre-tout. Analyse grammaticale et logique, arithmétique, calcul mental, calligraphie, correspondance commerciale, géographie complète, grammaire française et anglaise, histoire de l'Église et du Canada, tenue de livres, traduction française et anglaise, musique vocale et instrumentale. [...] Quant au cours classique proprement dit, il commençait à partir de la quatrième année. Tous les élèves passèrent donc par le cours commercial (p. 116).

Les matières enseignées durant le cours classique sont nombreuses. Parmi celles-ci, on retrouve l'astronomie, la botanique, les mathématiques, le grec, le latin, l'histoire ancienne, les lettres françaises et la philosophie morale.

En 1926, la décision fut prise d'agrandir le séminaire, qui déborde de presque 500 élèves. Le projet se veut spacieux et monumental avec un corps central en granit de plus de cent mètres de long sur trois étages, le tout rattaché au séminaire de brique. Cet investissement colossal est inauguré à la rentrée de 1929, mais un désastre survient au petit matin du 13 novembre de la même année : un incendie consume le vieux séminaire, emportant avec lui les trésors et les archives de sa bibliothèque, sans toutefois faire de victime.

Le déclin du cours classique : 1929-1968

Le cours classique traditionnel a subi des mutations depuis les débuts du Collège de Trois-Rivières en 1860. Déjà, un cours commercial avait été instauré en 1871 avant que le cours classique recouvre sa forme d'origine en 1929. Ce dernier est alors divisé en deux sections : préparatoire et classique. Il dure huit ans et est couronné par les épreuves de baccalauréat en Rhétorique, en Philosophie junior et en Philosophie senior. On parle donc d'une époque, entre 1929 et 1960, où « le cours classique traditionnel connaît ses plus belles heures, et ses dernières » (p. 145). Cette formule qui assure une place d'honneur aux langues mortes telles que le latin et le grec ancien se trouve fortement ébranlée à partir de 1964 par la commission Lafrenière et le rapport Parent, dont les intentions idéologiques cherchent avant tout à démocratiser l'accès à l'éducation, à en assurer le financement et à garantir la permanence de ses structures. Le rapport Parent propose de scinder le cours monolithique de huit ans en un secondaire de cinq ans et un collégial de deux ou trois ans. Le Séminaire Saint-Joseph se trouve donc à la croisée des chemins en 1967 : devenir une institution secondaire ou collégiale. La décision fut prise en faveur du secondaire. La fin officielle du monopole clérical sur les études plonge l'institution dans une période de remise en question qui aurait pu mener le Séminaire à devenir une université. Soumise au régime pédagogique du ministère de l'Éducation, l'école secondaire fera l'expérience d'une association avec la Commission scolaire régionale avant de s'en dissocier en 1971 pour devenir une école privée. La stratégie de recrutement fondée sur la tradition et la distinction sociale subit une profonde transformation entraînée par la mixité, la laïcisation, la syndicalisation, la féminisation du personnel et la modernisation des savoirs. C'est donc à un spectaculaire processus de reconstruction identitaire que Jean Panneton nous convie, celui d'une évolution positive de l'histoire institutionnelle d'une école qui s'adapte aux changements tout en restant fidèle à sa mission éducative.

Laurent Poliquin
Université du Manitoba

Chantal Bouchard, *Méchante langue : la légitimité linguistique du français parlé au Québec*, Montréal, Les Presses de l'Université de Montréal, 2011, 178 p.

Les sociolinguistes et historiens de la langue qui s'intéressent à la question de la norme au Québec connaissent bien les travaux que Chantal Bouchard a consacrés au sujet depuis la fin des années 1980. Ses études, basées en grande partie sur l'analyse d'articles traitant de la langue parus dans la presse écrite, ont donné lieu, en 1998, à la publication d'un ouvrage de synthèse qui a fait date. Dans ce livre, intitulé *La langue et le nombril : histoire d'une obsession québécoise*, Bouchard faisait la démonstration que l'émergence et le développement de l'insécurité linguistique des francophones du Québec sont intimement liés à l'image négative qu'ils ont longtemps cultivée d'eux-mêmes.

Alimenté par la crainte de voir le français s'altérer sous l'effet de la cohabitation avec l'anglais, ce sentiment de culpabilité linguistique est apparu au XIXe siècle et il trouvera son point culminant au milieu du siècle suivant. Or les jugements sévères portés sur le français québécois dès le XIXe siècle tranchent avec les louanges qu'avaient prodiguées à son endroit de nombreux voyageurs étrangers en visite au Canada, ces derniers ayant comparé favorablement, jusqu'au milieu du XVIIIe siècle, la langue des Québécois à celle des Français. C'est à ce revirement aussi important que rapide[1] (environ 60 ans, si l'on considère que les premières critiques à l'endroit de la langue des Québécois apparaissent sporadiquement dès les années 1810) que Chantal Bouchard consacre sa nouvelle monographie *Méchante langue : la légitimité linguistique du français parlé au Québec*[2], publiée aux Presses de l'Université de Montréal en 2011. L'auteure y émet l'hypothèse que le revirement en question s'explique par l'effet conjugué de deux facteurs : le déclassement social des Québécois qui se fera sentir dès après la Conquête au milieu du XVIIIe siècle et, surtout, les changements qui affecteront le modèle normatif en France à partir de la Révolution française et qui entraîneront une rupture avec la norme d'Ancien Régime (XVIIe-XVIIIe siècles).

Cette hypothèse, qui est exposée dans le premier chapitre de l'ouvrage, où on trouve aussi des considérations d'ordre général sur la valeur sociolinguistique des langues et des variétés de langue, est examinée plus en profondeur dans les trois chapitres subséquents. D'abord, dans le chapitre deux, l'auteure revient sur les mécanismes sociaux qui ont mené, en France, à la perte de prestige de certains traits de langue vers la fin du XVIIIe siècle, changeant ainsi le visage de ce qui deviendra bientôt le français moderne (par opposition au français classique) ainsi que sur les circonstances qui ont accentué les suspicions des Français à l'endroit des usages régionaux. Ensuite, l'auteure se propose, dans les chapitres trois et quatre, d'en évaluer les conséquences sur l'usage de la langue et sur la réflexion en matière de norme au Québec. Ces chapitres montrent que les Québécois se rendent rapidement compte, au moment où ils reprennent contact avec la mère patrie au début du XIXe siècle, que leur langue diffère à plusieurs égards de celle des Français. Mais en plus, et surtout, ils soulignent le fait que plusieurs membres de l'élite québécoise seront influencés par la volonté d'uniformisation linguistique de plus en plus présente en France ; pour reprendre les propos de l'auteure :

---

1 Ce revirement n'est d'ailleurs pas passé inaperçu chez d'autres linguistes comme Jean-Denis Gendron, qui s'y est intéressé dans l'ouvrage qu'il a consacré à l'histoire de la prononciation au Québec (Gendron, 2007).

2 Dans cet ouvrage, les appellations *Québec* et *québécois* (qui sont aussi celles dont je me servirai dans ce compte rendu) alternent avec *Canada français* et *canadien-français*.

> Les locuteurs français du Canada [...] seront vite gagnés par ce soupçon [par rapport à tout ce qui n'est pas conforme au modèle imposé] et les variantes de leur langue par rapport au modèle imposé et diffusé dans leur mère-patrie [*sic*], quelle que soit leur origine, ne tarderont pas à faire figure de « fautes » (p. 76).

L'auteure en veut pour preuve la toute première querelle entourant la norme du français québécois qui a eu lieu à la suite de la publication, en 1841, du *Manuel des difficultés les plus communes de la langue française*. Le débat, qui se fera à travers une série de lettres publiées dans *La Gazette de Québec* en 1842 (et éditées, en 1912, par Narcisse-Eutrope Dionne), opposera l'abbé Thomas Maguire, auteur du *Manuel*, et l'abbé Jérôme Demers, son principal détracteur. D'autres articles, publiés par Ronald Macdonald (rédacteur en chef de *La Gazette de Québec*), Étienne Parent (rédacteur du *Canadien*) et Michel Bibaud (journaliste et historien), viendront aussi alimenter la polémique.

L'interprétation que Chantal Bouchard propose de ce débat constitue certainement la partie la plus originale de l'ouvrage. L'auteure y passe en revue les différentes opinions que les intervenants au débat ont exprimées à l'endroit de toute une série de « traits linguistiques faisant l'objet de controverse » (p. 97), comme certaines variantes de prononciation (les réalisations de la diphtongue *oi* et la prononciation des consonnes *t*, *l* et *r* en finale de mot, entre autres), quelques traits grammaticaux (comme *en / au Canada*, *la fille à / de madame*) ou des faits lexicaux (*boucaner*, *atoca*, *gadelle* et *collecteur*, par exemple). Bouchard conclut, à la lumière de ces commentaires, que les principaux acteurs partagent essentiellement la même conception de la langue, celle assimilant le bon français à celui qui est parlé par les Parisiens instruits :

> En définitive, la polémique s'explique essentiellement par la difficulté qu'il y avait, à distance, pour les uns et les autres de déterminer ce qui appartenait vraiment à la norme parisienne contemporaine. La chose est particulièrement évidente en ce qui concerne la prononciation, puisque les ouvrages de référence se contredisaient sur certains points [...]. Joseph [*sic*] Demers, au fond, n'était intervenu que parce qu'il estimait que l'ouvrage de Maguire était farci d'erreurs, mais il était sincèrement persuadé que tout ce qui s'éloignait de la norme parisienne contemporaine devait être corrigé (p. 156).

Sans l'affirmer explicitement, l'auteure prend ainsi quelque distance par rapport à la lecture que l'on fait généralement de cette querelle, où l'on a l'habitude de voir les premières manifestations de deux visions différentes de la norme du français au Québec (à titre d'exemple, voir Lapierre, 1981 ; Poirier, 2000) ; j'y reviendrai.

Mis à part quelques erreurs factuelles – par exemple, il est souvent question de « Joseph » (au lieu de Jérôme) Demers dans le chapitre quatre et contrairement à ce qui est affirmé à la page 90, la dernière lettre de Demers ne date pas de mai 1842, mais plutôt du mois d'août de la même année –, l'ouvrage de Chantal Bouchard a plusieurs mérites. Écrit dans un style agréable et agrémenté de nombreuses citations, ce livre a été publié, à raison, dans la collection « Nouvelles études québécoises » dont un des objectifs est la « relecture de classiques ». C'est en effet ce que fait l'auteure lorsqu'elle invite son lecteur à revisiter des textes qui ont jeté les bases du discours normatif au Québec et qui constituent, à cet égard, les premiers témoignages de la conscience linguistique émergente des Québécois. À ce sujet, *Méchante langue* souligne deux aspects importants (et qu'on n'a pas toujours suffisamment soulignés) qui permettent de comprendre pourquoi le français québécois sera dévalorisé dès le XIXe siècle après avoir été louangé au siècle précédent. *Primo*, le revirement ne s'explique pas seulement par des changements dans le système linguistique lui-même, mais aussi par des changements dans « le rapport que la société française entretient avec ce qui est devenu la langue nationale » (p. 75), de plus en plus réduite à un modèle normatif extrêmement rigide qui exclut toute variation. *Secundo*, les principaux acteurs de la première querelle sur la norme ne sont pas seulement mus par le désir de faire valoir telle ou telle conception du bon usage : les divergences d'opinions que la querelle permet de découvrir s'expliquent aussi par la difficulté de bien cerner, au Québec, le modèle valorisé en France même et par les contradictions et incohérences qui existent entre les dictionnaires.

Pour ce qui est du dernier point, on peut regretter que l'auteure réduise la querelle à un simple débat mené à coups de dictionnaire et mettant en scène des divergences d'opinions somme toute superficielles. Si l'auteure a certainement raison de se garder de voir une forme de « nationalisme linguistique » dans les positions exprimées par les détracteurs du *Manuel*, il me semble toutefois exagéré de prétendre que les principaux acteurs partagent la même vision de la langue. Certains de leurs commentaires montrent bien, comme semble le reconnaître l'auteure elle-même dans la conclusion de son ouvrage, qu'ils entrevoient la possibilité d'une distanciation, aussi minime soit-elle, par rapport à la norme et à l'usage hexagonaux, notamment sur le plan du lexique ; c'est, entre autres, le cas lorsque Jérôme Demers affirme la légitimité des expressions *ébarouir* et *ébaroui* du seul fait qu'« elles sont généralement reçues dans [notre] pays » (cité dans Dionne, 1912 : 124)[3] ou qu'Étienne Parent plaide en faveur de *collecteur*, ne voyant pas pourquoi « nous serions en Canada [*sic*] obligés de recourir à une périphrase, lorsque nous avons trouvé un mot qui exprime si bien la chose » (Dionne, 1912 : 226). Ces exemples montrent que Demers et Parent ne sont pas fermés à l'idée que leurs compatriotes puissent introduire en français des mots ou des tournures qui leur sont propres, mais qui sont dans le respect du bon usage[4]. À mon avis, leurs critiques font plutôt voir que dès son apparition, le courant puriste ne faisait pas l'unanimité et qu'il était accueilli avec réserve dans certains milieux. Vers la fin du siècle, les reproches faits à l'endroit des puristes jugés trop rigides[5] se feront de plus en plus nombreux, ce qui donnera lieu, ultimement, aux premières publications plus descriptives consacrées au français québécois ; les désaccords entre Maguire et les autres font ainsi ressortir les premières lignes de fracture qu'on retrouvera plus tard dans le débat sur la norme du français au Québec.

Tout bien considéré, et malgré ces quelques réserves, *Méchante langue* est un ouvrage qui mérite d'être lu et qui saura intéresser un public varié. Il a en plus le mérite de nous inviter à regarder d'un œil critique un moment qui a fait date dans l'histoire du discours normatif au Québec et de nous rappeler que ce genre d'événement demande parfois une lecture plus nuancée que celle que l'on serait tenté d'en faire de prime abord.

Bibliographie

BOUCHARD, Chantal (1998). *La langue et le nombril : histoire d'une obsession québécoise*, Montréal, Éditions Fides.

---

3 Cet argument provoquera d'ailleurs le commentaire suivant de la part de Maguire : « ce qui étonnera sans doute, c'est que l'auteur des *Remarques* [Demers] prétend que ces expressions sont *très correctes*, parce qu'elles *sont généralement reçues dans* [*ce*] *pays* » (Dionne, 1912 : 158 ; italiques de l'auteur).

4 Que ces hommes ressentent, par ailleurs, le besoin de recourir à l'occasion aux dictionnaires faits en France pour légitimer leurs prises de position n'enlève rien à leur désir de juger le français de leurs compatriotes à sa juste valeur : il s'agit d'une démarche argumentative que l'on trouvera plus tard sous la plume de nombreux chroniqueurs de langage qui témoignent d'une ouverture à l'endroit de certains québécismes (voir Remysen, 2009).

5 C'est aussi l'avis que partage Dionne, qui écrit que Maguire « exagérait sa thèse » lorsqu'il a voulu faire « table rase » de certains mots « que l'usage a consacrés parmi nous » (Dionne, 1912 : 9-10).

Dionne, Narcisse-Eutrope (1912). *Une dispute grammaticale en 1842 : le G.-V. Demers vs le G.-V. Maguire, précédée de leur biographie*, Québec, Laflamme & Proulx.

Gendron, Jean-Denis (2007). *D'où vient l'accent des Québécois? Et celui des Parisiens? Essai sur l'origine des accents : contribution à l'histoire de la prononciation du français moderne*, Québec, Les Presses de l'Université Laval.

Lapierre, André (1981). « Le manuel de l'abbé Thomas Maguire et la langue québécoise au xixe siècle », *Revue d'histoire de l'Amérique française*, vol. 35, n° 3 (décembre), p. 337-354.

Poirier, Claude (2000). « Une langue qui se définit dans l'adversité », dans Michel Plourde (dir.), *Le français au Québec : 400 ans d'histoire et de vie*, Montréal, Éditions Fides; Québec, Les Publications du Québec, p. 111-122.

Remysen, Wim (2009). *Description et évaluation de l'usage canadien dans les chroniques de langage : contribution à l'étude de l'imaginaire linguistique des chroniqueurs canadiens-français,* thèse de doctorat, Québec, Université Laval.

Wim Remysen
Université de Sherbrooke
Centre d'analyse et de traitement informatique du français québécois (CATIFQ)

Publications et thèses soutenues (2012)

Élisabeth Tremblay
Université de Waterloo

Il est difficile, malgré les moyens techniques dont nous disposons aujourd'hui, d'offrir une bibliographie exhaustive de toutes les publications et thèses portant sur un ensemble aussi vaste que l'Amérique francophone et dans autant de disciplines différentes. Nous vous présentons toutefois cette bibliographie partielle des livres publiés et des thèses de janvier à décembre 2012. Nous nous sommes concentrée sur les aires culturelles suivantes : le Canada français, l'Acadie, le Québec, les États-Unis, les Antilles françaises et Haïti. Les œuvres littéraires, trop nombreuses, n'ont pas fait l'objet de ce recensement.

Nous tenons à remercier François Paré de ses conseils pendant la réalisation de ce projet, de même que Frances Ratelle pour les révisions finales.

Livres

Andrès, Bernard. *Histoires littéraires des Canadiens au XVIIIe siècle*, Québec, Les Presses de l'Université Laval, 2012, 330 p., coll. « L'archive littéraire au Québec ».

Angleviel, Frédéric (dir.). *Les outre-mers français : actualités et études*, vol. I : *année 2012*, Paris, L'Harmattan, 2012, 338 p., coll. « Portes océanes ».

Bélanger, Guy. *Alphonse Desjardins : 1854-1920*, Québec, Éditions du Septentrion, 2012, 712 p.

Berthet, Dominique. *Pratiques artistiques contemporaines en Martinique : esthétique de la rencontre 1*, Paris, L'Harmattan, 2012, 208 p., coll. « Local et Global ».

Bouvier, Félix, *et al.* (dir.). *L'histoire nationale à l'école québécoise : regards sur deux siècles d'enseignement,* Québec, Éditions du Septentrion, 2012, 552 p.

Césaire, Suzanne. *The Great Camouflage: Writings of Dissent (1941-1945),* dirigé par Daniel Maximin, traduit du français par Keith L. Walker, Middletown (CT), Wesleyan University Press, 2012, 104 p.

Chauleau, Liliane. *La vie aux Antilles françaises au temps de Victor Schoelcher,* xixe *siècle*, Paris, L'Harmattan, 2012, 382 p.

Clark Nash, Linda (dir.). *Journaux de/The Journals of Pierre-Louis de Lorimier* : *1777-1795*, avec la collaboration de Fernand Grenier, Québec, Éditions du Septentrion, 2012, 208 p., coll. « Collection V ».

Colombo, Christine. *Des contes de Ti Jean... aux réalités de la Martinique*, préface d'Éric Navet, Paris, L'Harmattan, 2012, 396 p.

Decroix, Arnaud, David Gilles et Michel Morin, *Les tribunaux et l'arbitrage en Nouvelle-France et au Québec de 1740 à 1784*, Montréal, Les Éditions Thémis, 2012, 472 p.

Destouches, Didier (dir.). *L'administration du territoire en Guadeloupe depuis le* xviiie *siècle : études réunies en hommage au doyen Christian Thérésine*, Paris, L'Harmattan, 2012, 236 p., coll. « Logiques juridiques ».

Didon, Max. *Histoire religieuse de la Guyane française au* xixe *siècle : 1817-1911*, Paris, L'Harmattan, 2012, 302 p.

Dubois, Laurent. *Haiti: The Aftershocks of History*, New York, Metropolitan Books, 2012, 448 p.

Émont, Bernard (dir.). *Plein nord! Actes de la* ve *journée d'étude du GRECA-CEQFAN, tenue à la Maison de la recherche de la Sorbonne et consacrée à l'appel du Nord dans l'écrit canadien-français ancien et moderne, suivis de plusieurs communications*, Paris, Le Bretteur Éditions, 2012, 337 p.

Ewen, Geoffrey, et Colin M. Coates (dir.). *Introduction aux études canadiennes : histoires, identités, cultures,* Ottawa, Les Presses de l'Université d'Ottawa, 2012, 336 p.

EYMA, Xavier. *Les peaux noires : scènes de la vie des esclaves*, présentation de Marie-Christine Rochmann, Paris, L'Harmattan, 2012, 244 p., coll. « Autrement mêmes ».

GALLANT, Janine, et Maurice RAYMOND (dir.). *Dictionnaire des œuvres littéraires de l'Acadie des Maritimes du XXe siècle*, Sudbury, Éditions Prise de parole, 2012, 292 p.

GAUVIN, Lise. *Aventuriers et sédentaires : parcours du roman québécois*, Paris, Honoré Champion, 2012, 248 p.

GODBOUT, Laurent, Louise LADOUCEUR et Gratien ALLAIRE. *Plus d'un siècle sur scène ! Histoire du théâtre francophone en Alberta de 1887 à 2008*, Edmonton, Institut pour le patrimoine, Campus Saint-Jean, Université de l'Alberta, 2012, 500 p.

HARVEY, Carol J. (dir.). *Paroles francophones de l'Ouest et du Nord canadiens*, avec la collaboration de Lise Gaboury-Diallo et François Lentz, Winnipeg, Presses universitaires de Saint-Boniface, 2012, 221 p.

HODSON, Christopher. *The Acadian Diaspora: An Eighteenth-Century History*, Oxford, Oxford University Press, 2012, 288 p.

JOS, Emmanuel. *Contribution à l'histoire juridico-politique de l'outremer français – Guadeloupe, Guyane, Martinique, Mayotte et La Réunion : vers des statuts sur mesure*, Paris, L'Harmattan, 2012, 548 p., coll. « Grale ».

KNEPPER, Wendy. *Patrick Chamoiseau: A Critical Introduction*, Jackson, University Press of Mississippi, 2012, 256 p.

LABBÉ, Pierrick. *« L'Union fait la force ! » : l'Union Saint-Joseph d'Ottawa / du Canada 1863-1920*, Ottawa, Les Presses de l'Université d'Ottawa, 2012, 196 p., coll. « Amérique française ».

LAMOUREUX, Sylvie A., et Megan COTNAM (dir.). *Prendre sa place : parcours et trajectoires identitaires en Ontario français*, Ottawa, Éditions David, 2012, 172 p.

LEBLANC-RAINVILLE, Simone. *Corinne Gallant : une pionnière du féminisme en Acadie*, Moncton, Centre d'études acadiennes, Université de Moncton, 2012, 396 p., coll. « Mémoire biographique ».

LEFORT, Jean-Claude. *Les grandes familles politiques de Guadeloupe : un héritage transgénérationnel…*, Paris, L' Harmattan, 2012, 200 p.

LITTLE, Elizabeth. *Trip of the Tongue: Cross-Country Travels in Search of America's Languages,* New York, Bloomsbury, 2012, 320 p.

LUSIGNAN, Serge, *et al. L'introuvable unité du français : contacts et variations linguistiques en Europe et en Amérique (XII-XVIIIe siècle)*, Québec, Les Presses de l'Université Laval, 2012, 328 p., coll. « Les voies du français ».

MABILON-BONFILS, Béatrice, et François DURPAIRE. *Indignons-nous pour notre école !*, Lamentin (Martinique), Caraïbéditions, 2012, 64 p.

MUNRO, Martin, et Celia BRITTON (dir.). *American Creoles: The Francophone Caribbean and the American South*, Liverpool, Liverpool University Press, 2012, 256 p., coll. « Francophone Postcolonial Studies, 3 ».

MURDOCH, H. Adlai. *Creolizing the Metropole: Migrant Caribbean Identities in Literature and Film*, Bloomington, Indiana University Press, 2012, 408 p., coll. « Blacks in the Diaspora ».

NIBLETT, Michael. *The Caribbean Novel since 1945: Cultural Practice, Form, and the Nation-State*, Jackson, University Press of Mississippi, 2012, 304 p., coll. « Caribbean Studies ».

PAQUIN, Jacques (dir.). *Nouveaux territoires de la poésie francophone au Canada : 1970-2000*, Ottawa, Les Presses de l'Université d'Ottawa, 2012, 426 p., coll. « Archives des lettres canadiennes ».

POIRIER, Guy, Christian GUILBAULT et Jacqueline VISWANATHAN (dir.). *La francophonie de la Colombie-Britannique : mémoire et fiction : espaces culturels francophones III*, Ottawa, Éditions David, 2012, 222 p., coll. « Voix savantes ».

RACINE, Jean-Claude. *La condition constitutionnelle des Canadiens : regards comparés sur la réforme constitutionnelle de 1982*, Québec, Les Presses de l'Université Laval, 2012, 220 p., coll. « Prisme ».

RICHARD, Zachary. *Histoire des Acadiennes et Acadiens de la Louisiane,* avec la collaboration de Sylvain Godin et Maurice Basque, Lafayette, University of Louisiana at Lafayette Press, 2012, 142 p.

RIGAL-CELLARD, Bernadette. *Prophéties et utopies religieuses au Canada*, Bordeaux, Presses universitaires de Bordeaux, 2012, 304 p., coll. « Identités religieuses ».

SAULNIER, Zoël. *Les mots d'un patriote en Acadie*, t. 1, Lévis, Éditions de la Francophonie, 2012, 120 p.

SCHULLER, Mark. *Killing with Kindness: Haiti, International Aid, and NGOs*, New Brunswick, Rutgers University Press, 2012, 256 p.

SMÉRALDA, Juliette. *Philibert Duféal : militant communiste et syndicaliste martiniquais*, avec les témoignages de André Constant, René Barclay et Anique Claire Sylvestre, Paris, L'Harmattan, 2012, 388 p.

SPIELER, Miranda Frances. *Empire and Underworld: Captivity in French Guiana*, Cambridge, Harvard University Press, 2012, 296 p., coll. « Harvard Historical Studies ».

TANN, Mambo Chita. *Haitian Vodou: An Introduction to Haiti's Indigenous Spiritual Tradition*, Woodbury, Llewellyn Publications, 2012, 264 p.

TREMBLAY, Pierre P. *L'administration contemporaine de l'État : une perspective canadienne et québécoise*, Montréal, Presses de l'Université du Québec, 2012, 712 p.

VÁSQUEZ, Sam. *Humor in the Caribbean Literary Canon,* New York, Palgrave McMillan, 2012, 222 p., coll. « New Caribbean Studies ».

VERDOL, Philippe. *Déshumanisation et surexploitation néocoloniales :* Démounaj et Pwofitasyon *dans la Guadeloupe contemporaine*, Paris, L'Harmattan, 2012, 298 p., coll. « Pensée africaine ».

VEYSSIÈRE, Laurent, et Bertrand FONCK (dir.). *La Guerre de Sept Ans en Nouvelle-France*, Québec, Éditions du Septentrion, 2012, 400 p.

WENZEL, Éric. *La justice criminelle en Nouvelle-France (1670-1760) : le grand arrangement*, Dijon, Éditions universitaires de Dijon, 2012, 168 p., coll. « Sociétés ».

YOUNG, Lélia L. M. (dir.). *Langages poétiques et poésie francophone en Amérique du Nord : actes du colloque tenu à Toronto du 1er au 3 octobre 2009,* avec la collaboration de Jocelyne Le Ber, Québec, Les Presses de l'Université Laval, 2012, 266 p.

Thèses

ARCANGELI, Miriam S. L. *For Water, Food, Tables, and Health: The Colonial Ceramic Culture of Guadeloupe, French West Indies*, thèse de doctorat, Boston, Boston University, 2012.

BARATON, Édouard. *De Gaulle ou l'hypothèque française sur le Canada*, thèse de maîtrise, Chicoutimi, Université du Québec à Chicoutimi, 2012.

BESBES, Mounira. *The Body and the Parent-Daughter Bond: Negotiating Haitian Filial Relationships in Edwidge Danticat's* Breath, Eyes, Memory *and* The Dew Breaker, thèse de maîtrise, Montréal, Université de Montréal, 2012.

BIRON, Ronald Ernest. *From Mills to Millennium: Documenting Social Change through Oral Histories among Three Generations of Franco-Americans in Manchester*, thèse de doctorat, Rindge, Franklin Pierce University, 2012.

BRUN DEL RE, Ariane. *Portrait de villes littéraires : Moncton et Ottawa*, mémoire de maîtrise, Montréal, Université McGill, 2012.

CAMBE, Estelle. *Postérité de Louis Riel : l'émergence d'une littérature de l'Ouest canadien dans la francophonie nord-américaine*, thèse de doctorat, Montréal, Université du Québec à Montréal, 2012.

CAPARROY, Jean-François. *Soi-même comme un monstre pour demeurer un territoire inconnu : complexité linguistique et clandestinité dans la poésie francophone de Louisiane à la fin du XXe siècle*, thèse de doctorat, Paris, Université de Paris-Sorbonne – Paris 4, 2012.

CERENZIA, Justin Paul. *Citizens of the Atlantic: Examining the Compagnie de Caen in Seventeenth Century New France*, thèse de maîtrise, Bethlehem, Lehigh University, 2012.

CROMPTON, Amanda J. *The Historical Archaeology of a French Fortification in the Colony of Plaisance: The Vieux Fort Site (ChAl-04)*, thèse de doctorat, St. John's, Memorial University of Newfoundland, 2012.

CROTEAU, Sonia. *Les politiques publiques et le service en français : une étude comparative de deux corps policiers*, thèse de maîtrise, Edmonton, Université de l'Alberta, 2012.

CURÉ, Mélanie. *Pas juste une question de langue : l'identité nationale et l'exiguïté littéraire dans les récits franco-manitobains et acadiens*, thèse de maîtrise, Winnipeg, Université du Manitoba, 2012.

DESCHAMPS, Angèle. *Sudbury, 1911 : espace et population dans une période de forte croissance*, thèse de maîtrise, Sudbury, Université Laurentienne, 2012.

DONATTO, Teranda Joy. *Cultural Identity and Language: The Narratives of People of Color with Creole Descent in South Louisiana*, thèse de maîtrise, Tuscaloosa, University of Alabama, 2012.

DWYER, Allan. *Atlantic Borderland: Natives, Fishers, Planters and Merchants in Notre Dame Bay, 1713-1802,* thèse de doctorat, St. John's, Memorial University of Newfoundland, 2012.

GAGNON, Andréane. *Un cas de convergence entre question sociale et question nationale en Ontario français : la grève d'Amoco de 1980*, thèse de maîtrise, Ottawa, Université d'Ottawa, 2012.

GIL FUENTES, Alexander. *Migrant Textuality: On the Fields of Aimé Césaire's* Et les chiens se taisaient, thèse de doctorat, Charlottesville, Université de Virginie, 2012.

GLAUDE, Herby. *Aspects de la syntaxe de l'haïtien*, thèse de doctorat, Amsterdam, Université d'Amsterdam, 2012.

GONZÁLEZ-COBOS, Carla Maria. *De l'Œuvre au Hors-d'Œuvre : une Question de Bouche dans Quatre Romans Antillais une Réflexion Gastro-Sémantique*, thèse de doctorat, Lafayette, University of Louisiana at Lafayette, 2012.

HARTMANN, Melissa. *Le cri du bayou: The Status and Promotion of the French Language and Cajun Music in Louisiana*, thèse de maîtrise, Fort Collins, Colorado State University, 2012.

HEBOUCHE, Nadra. *L'individu et l'identité nationale : l'échec de l'utopie collectiviste dans le roman francophone contemporain*, thèse de doctorat, Buffalo, State University of New York at Buffalo, 2012.

HÉTU, Dominique. *Fictional Struggle and Everyday Living Spaces in Works by Gabrielle Roy, Helen Potrebenko, Isabel Vaillancourt, and Heather O'Neill,* thèse de maîtrise, Sherbrooke, Université de Sherbrooke, 2012.

Hiromatsu, Isao. *Mélancolie postcoloniale : relecture de la mémoire collective et du lieu d'appartenance identitaire chez Patrick Chamoiseau et Émile Ollivier*, thèse de doctorat, Montréal, Université de Montréal, 2012.

Johnson, Jessica Marie. *Freedom, Kinship, and Property: Free Women of African Descent in the French Atlantic, 1685-1810*, thèse de doctorat, College Park, University of Maryland, 2012.

Joseph, Celucien L. *"The Haitian Turn": Haiti, the Black Atlantic, and Black Transnational Consciousness*, thèse de doctorat, Dallas, University of Texas at Dallas, 2012.

Kanoski, Jessica B. *A Multiple-Case Study of French-Language Immersion Programs in New Orleans: Addressing Local Needs Through Bilingual Education*, thèse de doctorat, West Lafayette, Purdue University, 2012.

Kelly, Bruce. *Art et identité : l'expression franco-manitobaine*, thèse de maîtrise, Rimouski, Université du Québec à Rimouski, 2012.

Kendall, Michelle Diane. *Staged Identity: Martinican and Guadeloupian Theatre*, thèse de doctorat, Santa Barbara, University of California, 2012.

Kwon, Yun Kyoung. *Ending Slavery, Narrating Emancipation: Revolutionary Legacies in the French Antislavery Debate and "Silencing the Haitian Revolution," 1814-48*, thèse de doctorat, Chicago, The University of Chicago, 2012.

Lafortune, Gina. *Rapport à l'école et aux savoirs scolaires de jeunes d'origine haïtienne en contexte scolaire défavorisé à Montréal*, thèse de doctorat, Montréal, Université de Montréal, 2012.

La Mothe, Marie-Hélène. *Les perceptions des immigrants haïtiens sur la contribution de la radio ethnique CPAM (1610 AM) à leur insertion à la société québécoise*, thèse de maîtrise, Trois-Rivières, Université du Québec à Trois-Rivières, 2012.

Landry, Jonathan. *Étude de représentations linguistiques de jeunes Acadiennes et Acadiens en milieu scolaire : vers un éveil à sa propre langue?*, thèse de maîtrise, Moncton, Université de Moncton, 2012.

LANTHIER, Aude. *De retour de France métropolitaine : une étude des représentations (post)coloniales et des nouvelles formes d'altérité à la Martinique*, thèse de maîtrise, Montréal, Université de Montréal, 2012.

LAUDICINA, Nelly. *Droit et métissages : évolution et usages de la loi à la colonie de la rivière Rouge, 1811-1869*, thèse de doctorat, Ottawa, Université d'Ottawa et Université de Paris-Sorbonne – Paris 4, 2012.

LEBLANC, Janelle. *Les travailleuses syndiquées d'une université francophone au Nouveau-Brunswick et leurs perceptions de l'iniquité salariale*, thèse de maîtrise, Montréal, Université du Québec à Montréal, 2012.

LEBLANC, Mélanie. *Idéologies, représentations linguistiques et construction identitaire à la Baie Sainte-Marie, Nouvelle-Écosse*, thèse de doctorat, Moncton, Université de Moncton, 2012.

LEBLANC, Terry. *Mi'kmaq and French/Jesuit Understandings of the Spiritual and Spirituality: Implications for Faith*, thèse de doctorat, Wilmore, Asbury Theological Seminary, 2012.

LÉGER, Luc. *Les limites et les conséquences de l'aménagement linguistique au Nouveau-Brunswick : le cas du secteur privé*, thèse de maîtrise, Québec, Université Laval, 2012.

LÉGER, Natalie Marie. *"A Tragedy of Success!": Haiti and the Promise of Revolution*, thèse de doctorat, Ithaca, Cornell University, 2012.

LISS, Shavaun. *Le surtitrage anglais du théâtre francophone de l'Ouest canadien : application et expérimentation*, thèse de maîtrise, Edmonton, Université de l'Alberta, 2012.

MARTINO-TRUTOR, Gina Michelle. *"Her Extraordinary Sufferings and Services": Women and War in New England and New France, 1630-1763*, thèse de doctorat, Minneapolis, University of Minnesota, 2012.

MELISSON, Céline. *Procurer la paix, le repos et l'abondance : les officiers de plume de l'Amérique française entre 1669 et 1765*, thèse de doctorat, Tours, Université de Tours, 2012.

MIVILLE, Serge. *« À quoi sert au Canadien français de gagner l'univers canadien s'il perd son âme de francophone ? » Représentations identitaires et mémo-*

rielles dans la presse franco-ontarienne après la « rupture » du Canada français (1969-1986), thèse de maîtrise, Ottawa, Université d'Ottawa, 2012.

Prédeluce, Mimose. *La théologie de la libération en Haïti : un acteur religieux en politique (1970-2004)*, thèse de doctorat, Toulouse, Université de Toulouse 2, 2012.

Richard, Monique. *Comprendre le phénomène du rôle de passeur culturel en milieu francophone minoritaire du Nouveau-Brunswick par le témoignage de membres du personnel enseignant*, thèse de doctorat, Moncton, Université de Moncton, 2012.

Rockenbach, Adam. *Pro-slavery Representations of the Haitian Revolution in the British West Indies, Cuba, and the United States, 1790-1820*, thèse de maîtrise, Long Beach, California State University at Long Beach, 2012.

Sylvain, Véronique. *Au nord du Nord, au nord de soi, au nord de l'Autre... Une analyse du thème du Nord dans* Décalage *de Patrice Desbiens et dans* L'espace éclaté *de Pierre Albert*, thèse de maîtrise, Ottawa, Université d'Ottawa, 2012.

Taylor, Aaron. *French Vernacular Architecture in Pre-Deportation Acadia*, thèse de maîtrise, Halifax, Saint Mary's University, 2012.

Tesdahl, Eugene Richard Henry. *The Price of Empire: Smuggling between New York and New France, 1700-1754*, thèse de doctorat, Boulder, University of Colorado at Boulder, 2012.

Toudji, Sonia. *Intimate Frontiers: Indians, French, and Africans in Colonial Mississippi Valley*, thèse de doctorat, Fayetteville, University of Arkansas, 2012.

Thompson, Sarah Moon McDermott. *Creole Citizens of France: The Trans-Atlantic Politics of Antillean Education and the Creole Movement since 1945*, thèse de doctorat, Ann Arbor, University of Michigan, 2012.

Zanoaga, Théodor-Florin. *Contribution à la description des particularités lexicales du français régional des Antilles : étude d'un corpus de littérature contemporaine : les romans* L'Homme-au-Bâton *(1992) et* L'Envers du décor *(2006) de l'auteur antillais Ernest Pépin*, thèse de doctorat, Paris, Université de Paris 4, 2012.

Résumés / Abstracts

Annette Boudreau et Émilie Urbain

La presse comme tribune d'un discours d'autorité sur la langue : représentations et idéologies linguistiques dans la presse acadienne, de la fondation du *Moniteur acadien* aux Conventions nationales

Dans notre contribution, nous nous intéressons au rôle de la presse – institution centrale dans le projet national acadien de la fin du XIXe siècle – dans la construction et la diffusion d'un certain discours d'« autorité » sur la langue en Acadie des Maritimes. À partir de certains débats portant sur la langue française, nous étudions les idéologies linguistiques qui sous-tendent ces discours et participent aux entreprises de légitimation ou d'illégitimation des pratiques linguistiques, mais aussi des locuteurs. Nous nous interrogeons notamment sur la façon dont les ressources linguistiques sont construites en Acadie comme des ressources socioculturelles et politiques, en particulier en ce qui concerne les questions de norme linguistique, de statut de la langue et de valorisation ou de stigmatisation des spécificités linguistiques régionales.

Our article looks at the role of the press—a key institution in the national Acadian project at the end of the 19th century—in the construction and dissemination of a certain discourse of "authority" on language in Acadia of the Maritimes. By considering certain French-language debates, we are examining the linguistic ideologies that underlie these discourses and participate in initiatives to legitimise or illegitimise not only linguistic practices, but speakers as well. We question in particular how linguistic resources are constructed as sociocultural and political resources in Acadia, particularly around issues of linguistic norm, language status and development or stigmatisation of regional linguistic particularities.

Laurent Poliquin

Polyphonie d'une crise scolaire en Saskatchewan : le discours journalistique du *Patriote de l'Ouest* en 1931 et les stratégies discursives de Tante Présentine

L'une des figures clés des courants idéologiques qui animent la Saskatchewan à partir de 1920 est un ancien inspecteur d'école, James Thomas Milton Anderson, proche du mouvement extrémiste de fraternité chrétienne, le Ku Klux Klan. Devenu premier ministre en 1929, Anderson se donne pour mission de « canadianiser » les immigrants venus s'installer dans la province. Il fait amender la loi scolaire afin d'interdire l'enseignement dans des langues autres que l'anglais. Dans ce contexte, l'étude se propose d'analyser le discours journalistique du *Patriote de l'Ouest*, l'organe de protestation de la communauté canadienne-française de la Saskatchewan, et d'étudier les impacts de cette lutte entre anglophones et francophones pour la survie de l'école française, dans la rubrique « Les pages écolières » de ce même journal, confiée à une religieuse influente auprès des jeunes, Tante Présentine.

One of the key figures of the ideological currents that have stirred the province of Saskatchewan since 1920 is former school inspector James Thomas Milton Anderson, who was close to the extremist Christian fellowship movement, the Ku Klux Klan. Anderson, who became Premier in 1929, set out to "canadianise" immigrants settling in the province, and had the School Act amended to ban teaching in any language but English. In this context, this study seeks to question the journalistic discourse of the Patriote de l'Ouest, *used by the French-Canadian community of Saskatchewan as a tool for protest. We also examine how the conflict between Anglophones and Francophones for the survival of French schools impacted* Les pages écolières, *a section of the same newspaper led by Tante Présentine, an influential nun among the youth.*

Mathieu Noël

Le Travailleur de Worcester et la lutte pour la survivance de la Franco-Américanie, 1931-1950

Fondé en 1931 par Wilfrid Beaulieu, l'hebdomadaire *Le Travailleur* se présente comme « le défenseur attitré de la religion [catholique] et de la langue [française] » en Nouvelle-Angleterre. Dans cet article, nous avons cherché à déterminer quels étaient les principaux enjeux sociopolitiques abordés par l'équipe du journal, de sa fondation jusqu'en 1950. D'abord, la thèse de la survivance est défendue avec vigueur tout au long des années 1930. Durant la Seconde Guerre mondiale, le principal enjeu devient celui de la libération de la France. Finalement, à partir de 1945, Beaulieu essaie, non sans difficulté, de recentrer son journal sur l'idée de la survivance de la Franco-Américanie.

Founded in 1931 by Wilfrid Beaulieu, the weekly paper Le Travailleur *appears as "le défenseur attitré de la religion [catholique] et de la langue [française]" in New England. In this article, we sought to determine the major sociopolitical issues addressed by the newspaper staff, from its creation until 1950. Firstly, the thesis of survival was vigorously defended throughout the 1930s. During World War II, the main issue became that of the liberation of France. Finally, from 1945, Beaulieu attempted, not without difficulty, to refocus his newspaper on the idea of the survival of "la Franco-Américanie".*

Marc-André Gagnon

Le Canada français vit par ses œuvres : la Saint-Jean-Baptiste vue par le journal *Le Droit*, 1950-1960

Les activités entourant la Saint-Jean-Baptiste ont joué un rôle déterminant dans l'affirmation des francophones en Outaouais en leur donnant l'occasion de se rassembler et d'exprimer leur fierté. Cet article propose une étude des cahiers spéciaux publiés par le journal *Le Droit* lors de cette fête annuelle. Par les éditoriaux, les articles et la publicité, ces cahiers témoignent des représentations symboliques de l'événement et de l'engagement des acteurs sociaux impliqués dans sa réalisation, que ce soit les organisateurs ou les annonceurs. Notre étude met en lumière le rôle de la presse dans la construction et la diffusion des discours entourant la fête nationale.

The activities surrounding the Saint-Jean-Baptiste Day played a crucial role in the affirmation of Francophones in Outaouais, providing an opportunity to gather and to express their pride. This article proposes a study of the inserts published by the newspaper Le Droit *in connection with these annual celebrations. Through the editorials, articles and publicity, these inserts bear witness to the symbolic representations of the event as well as the commitment of those involved in its success. We will consider the press's role in the construction and dissemination of discourses surrounding this national celebration.*

Dominique Laporte

L'ancrage culturel de la minorité française au Manitoba, d'après le discours sur la Saint-Jean-Baptiste dans *La Liberté* : du « geste de patriotisme pratique » au temps de la colonisation à la « fête franco-manitobaine » des années 1970

En 1970, le journal *La Liberté*, de concert avec la Société franco-manitobaine et l'une des dernières Sociétés Saint-Jean-Baptiste au Manitoba, renoue avec la Saint-Jean manitobaine en déclin en vue de réunir dans la municipalité rurale de La Broquerie tous les francophones de cette province. À cette fin, la rédaction laïcisée du journal s'emploie au cours des années 1970 à définir l'identité franco-manitobaine en dehors de l'idéologie canadienne-française. Pourtant, l'enjeu identitaire de cette période se situe en aval de l'évolution des discours institutionnels sur la spécificité de la minorité française au Manitoba après l'entrée de cette province dans la Confédération.

In 1970, the newspaper La Liberté, *together with the Franco-Manitoban Society and one of the last Saint-Jean-Baptiste Societies in Manitoba, revived the declining Saint-Jean celebration in Manitoba in order to reunite all Francophones of the province in the Rural Municipality of La Broquerie. To that end, throughout the 1970's, the secularised editorial staff of the newspaper sought to define the Franco-Manitoban identity apart from French-Canadian ideology. However, the identity issue during this period occurred in the aftermath of the evolution of institutional discourses on the specificity of the French minority in Manitoba after the province's entry into Confederation.*

Anne Gilbert, Kenza Benali et Caroline Ramirez

Le Droit et la rénovation de la Basse-Ville d'Ottawa : les balbutiements d'un journalisme engagé dans le dossier de l'aménagement urbain

Lorsque la municipalité d'Ottawa approuve en 1966 le plus vaste projet de rénovation urbaine jamais entrepris au Canada, à savoir celui de l'est de la Basse-Ville, le principal quartier francophone de la capitale, le journal *Le Droit* affiche un enthousiasme débordant. Il n'hésite pas à soutenir cette initiative, née d'une volonté de moderniser un centre-ville marqué par l'insalubrité. Il faudra attendre près d'une dizaine d'années, lorsqu'une grande partie du plan aura été réalisée, pour assister à un revirement dans la position du journal, qui constate alors les effets dévastateurs de la rénovation urbaine sur les conditions de vie des habitants. Les prises de position initiales des journalistes ont été influencées par le manque d'expertise des informateurs issus de la communauté locale. Les spécificités du journalisme de proximité desservant une population minoritaire ont ainsi joué un rôle dans la couverture du *Droit*. Telle est la thèse que nous explorons ici, à travers l'analyse de contenu du journal sur une période de près de 15 ans.

In 1966, the municipality of Ottawa approved the largest urban renewal project ever undertaken in Canada. The target of this initiative was East Lower Town, the city's principal Francophone neighbourhood, and local newspaper Le Droit *was unequivocally enthusiastic in its endorsement of the project. At the outset, the newspaper did not hesitate to support the initiative, which was styled as an effort to modernise a downtown area characterised by poverty and urban decay. It was not until a decade later, after most of the urban renewal project had been undertaken, that* Le Droit *changed its position, realizing the devastating consequences that the renewal had imposed upon the quality of life of the neighbourhood's inhabitants. The approach of the newspaper's journalists was influenced by an initial lack of expertise on the part of informants from the local population. Thus the unique situation of journalism serving a minority community played an important role in the views of* Le Droit. *This issue will be explored here through an analysis of nearly 15 years of the newspaper's publication.*

Michelle KELLER

Les rapports entre les jeunes et *La Liberté* : des rubriques « par et pour » les jeunes au discours sur les « causes jeunesse » d'aujourd'hui

Cet article propose une étude des rapports entre les jeunes et le journal francophone *La Liberté*. Dans un premier temps, nous en faisons l'historique depuis la fin des années 1960, en nous basant sur les collaborations journalistiques ponctuelles avant et après la création du Conseil jeunesse provincial en 1974. À la lumière de cet historique et à partir de l'analyse de la couverture de certaines « causes jeunesse » des dernières années, nous tenterons, dans un deuxième temps, de cerner les raisons qui expliquent la distance entre les jeunes et *La Liberté* aujourd'hui, au-delà de la popularité des médias sociaux.

This article proposes a study of the relationship between youths and the Francophone newspaper La Liberté. *Firstly, we will trace the history from the end of the 1960's and from temporary journalistic collaborations before and after the creation of the Conseil jeunesse provincial in 1974. In light of this collaborative history and based, secondly, on an analysis of the newspaper's coverage of certain "youth causes" in recent years, we aim to identify the reasons for the distance between youth and* La Liberté *today, beyond the popularity of social media.*

Notices biobibliographiques

Kenza Benali est professeure adjointe au Département de géographie de l'Université d'Ottawa. Chercheure en géographie urbaine et culturelle, elle s'intéresse aux représentations sociosymboliques de la ville contemporaine et, en particulier, à celles liées à l'aménagement urbain. La plupart de ses analyses, portant respectivement sur les villes de Québec, Montréal et Ottawa, font appel à l'analyse de la presse écrite et s'inscrivent dans l'approche géographique qui aborde la ville comme champ de significations. Ses travaux ont notamment porté sur les représentations et les conflits des villes moderne et postmoderne et, plus récemment, de la ville durable. Elle participe à plusieurs projets de recherche, dont celui du Chantier Ottawa du CRCCF. Dans le cadre de ce projet collaboratif, Kenza Benali s'est penchée sur les impacts de la rénovation urbaine des années 1960-1970 sur la Basse-Ville Est d'Ottawa et sur les représentations de cet ancien bastion francophone. Sensible aux enjeux urbains de la minorité francophone, elle a effectué parallèlement des études sur le quartier Vanier et les plaines Lebreton de la capitale afin d'en saisir les spécificités, les revendications et les aspirations urbaines.

Jean-Philippe Bernard est étudiant de maîtrise en sciences sociales à l'Université du Québec en Outaouais. Il s'intéresse à la question identitaire dans la colonisation des régions québécoises.

Annette Boudreau est professeure titulaire de sociolinguistique à l'Université de Moncton. Ses recherches portent sur les rapports entre discours, idéologies et pratiques linguistiques. Elle s'est surtout intéressée au phénomène de sécurité / insécurité linguistique et à ses effets sur les pratiques linguistiques des francophones minoritaires au Canada et plus particulièrement en Acadie. Elle a publié plusieurs articles sur le sujet dans des revues spécialisées tant au Canada qu'en Europe. Elle a mené trois projets de recherche sur les idéologies linguistiques dans les textes écrits de l'Acadie de la fin du XIXe siècle à aujourd'ui et s'est intéressée au discours sur la langue dans la presse écrite de cette période.

Francophonies d'Amérique, n° 35 (printemps 2013), p. 205-209

Lucie Desjardins est professeure au Département d'études littéraires de l'Université du Québec à Montréal. Elle travaille principalement sur des questions relatives à la représentation, à l'histoire des idées et à la transmission des savoirs du XVIIe et du XVIIIe siècle. Elle a notamment publié *Le corps parlant : savoirs et représentation des passions au XVIIe siècle* (Québec, Les Presses de l'Université Laval; Paris, L'Harmattan, 2001), codirigé avec Monique Moser et Chantal Turbide, *Le corps romanesque : images et usages topiques sous l'Ancien Régime* (Les Presses de l'Université Laval, 2009) et dirigé *Les Figures du monde renversé de la Renaissance aux Lumières* (Hermann, 2013). Ses recherches actuelles portent sur les médiations entre croyance et littérature sous l'Ancien Régime et, en particulier, sur diverses formes de superstition : croyance aux spectres et aux vampires, astrologie judiciaire, cruentation, etc.

Mireille Elchacar est l'auteure d'une thèse en linguistique (lexicologie, lexicographie) réalisée en cotutelle entre l'Université de Sherbrooke et l'Université de Cergy-Pontoise en région parisienne. Elle enseigne actuellement la linguistique à l'Université de Sherbrooke. Elle est également réviseure et traductrice.

Lise Gaboury-Diallo est professeure à l'Université de Saint-Boniface (Manitoba). Elle se spécialise dans les littératures de la francophonie, dont celles du Québec et du Canada français. Elle est présidente du Conseil international d'études francophones depuis juillet 2013. Elle siège au comité de rédaction des *Cahiers franco-canadiens de l'Ouest* depuis leur création et elle est membre du Centre d'études franco-canadiennes de l'Ouest depuis plusieurs années. Au fil des ans, elle a participé à bon nombre de colloques et publié plusieurs chapitres de livres, articles et comptes rendus. Elle est également l'auteure de plusieurs recueils de poésie et de nouvelles.

Marc-André Gagnon est candidat au doctorat en histoire à l'Université de Guelph. Il s'intéresse au réseau associatif dans la francophonie canadienne, et ses recherches portent sur l'engagement politique des Sociétés Saint-Jean Baptiste au Québec et en Ontario.

Anne Gilbert est professeure titulaire au Département de géographie de l'Université d'Ottawa et occupe le poste de directrice du Centre de recherche en civilisation canadienne-française (CRCCF). Elle dirige le

Chantier Ottawa, projet collaboratif et interdisciplinaire réunissant une quinzaine de spécialistes de la francophonie de l'Université d'Ottawa, qui vise à mieux connaître Ottawa, sa population, ses institutions, ses réalisations, ses ambitions. Elle s'intéresse aux lieux et aux quartiers marqués par la présence française dans la ville, à leurs transformations et à leurs effets sur la vie communautaire. Le rôle de la frontière dans les pratiques et les identités de la minorité franco-ontarienne est au cœur de ses travaux. On lui doit deux ouvrages sur la francophonie canadienne : préparé sous sa direction en 2010, *Territoires francophones* rassemble différentes études géographiques sur la vitalité des communautés francophones du Canada et *L'espace francophone en milieu minoritaire au Canada*, dirigé conjointement avec Joseph Yvon Thériault et Linda Cardinal en 2008, porte sur les nouveaux enjeux de leur développement.

Michelle Keller est doctorante au Département de français, d'espagnol et d'italien de l'Université du Manitoba. Son mémoire de maîtrise, qu'elle a terminé en 2013 et qui lui a valu le Joan Kennett Memorial Award for Thesis Writing, porte sur la perception de trois groupes linguistiques et culturels dans des journaux manitobains francophones ou bilingues du début des années 1970. Elle a participé à la première édition de l'Université d'été sur la francophonie des Amériques en juin 2010. Elle entreprend des études doctorales sur le réseau institutionnel et culturel des jeunes dans l'Ouest canadien au XXe siècle. Elle est également chargée de cours depuis 2011.

Dominique Laporte est professeur agrégé à l'Université du Manitoba et a été, de 2010 à 2012, responsable des recensions pour *Francophonies d'Amérique*. Il a collaboré à l'édition critique des *Œuvres complètes* de George Sand, publiée chez Honoré Champion. En collaboration avec une quinzaine de chercheurs, il prépare actuellement une édition critique du *Théâtre complet* d'Eugène Labiche sous sa direction, pour le compte des Éditions Classiques Garnier. Il a mis sur pied également des projets de publication respectivement sur l'histoire des journaux franco-canadiens, sur la presse franco-américaine et sur le feuilletoniste Paul Féval, diffusé dans la presse nord-américaine du XIXe siècle.

Thibault Martin est professeur de sociologie au Département des sciences sociales de l'Université du Québec en Outaouais et titulaire de la Chaire de recherche du Canada sur la gouvernance autochtone du territoire. Il est l'auteur de plusieurs articles et de plusieurs ouvrages sur les questions autochtones, dont *De la banquise au congélateur : mondialisation et culture au Nunavik* (UNESCO et Les Presses de l'Université Laval, 2003), primé par l'Association internationale des sociologues de langue française. Il a également codirigé, avec Natacha Gagné et Marie Salün, le premier ouvrage de synthèse publié en français sur la question des autochtones : *Autochtonies : vues de France et du Québec* (Les Presses de l'Université Laval, 2009).

Nicolas Nicaise est inscrit au doctorat en études littéraires à l'Université de Moncton, en cotutelle avec l'Université de Liège (Belgique), sous la direction de Raoul Boudreau et de Jean-Pierre Bertrand. Il s'intéresse à la sociologie des littératures dominées et à l'analyse des discours littéraires et métalittéraires dans le cadre des études consacrées aux francophonies littéraires. Les liens problématiques qui lient texte et contexte sont notamment au cœur de ses recherches doctorales consacrées à l'étude de l'émergence et de l'institutionnalisation de la littérature en milieu minoritaire.

Mathieu Noël est doctorant en histoire à l'Université du Québec à Montréal. Ses recherches portent sur l'histoire intellectuelle, l'histoire politique et l'histoire de la presse au Québec et au Canada français. Son mémoire de maîtrise a été publié sous le titre *Lionel Groulx et le réseau indépendantiste des années 1930* (VLB éditeur, 2011). Dans sa thèse, il analyse la situation de la presse partisane à l'ère des médias de masse, en prenant pour témoin le quotidien *Montréal-Matin* (1930-1978).

Laurent Poliquin est chargé de cours à l'Université du Manitoba, membre du Centre for Research in Young People's Texts and Cultures et du Centre de recherche en civilisation canadienne-française (CRCCF). Il a consacré sa thèse de doctorat à l'évolution culturelle et aux enjeux identitaires des minorités canadiennes-françaises dans les journaux et la littérature pour la jeunesse de 1912 à 1944.

Caroline Ramirez est étudiante au doctorat en géographie à l'Université d'Ottawa. Sa thèse de maîtrise a porté sur l'héritage urbain de l'architecte français Jacques Gréber, concepteur du plan de 1950 pour la capitale nationale, thèse qui a donné lieu à la publication d'un article dans les *Cahiers de Géographie du Québec* en 2011. Prenant conscience, avec l'étude du plan Gréber, du mépris des décideurs pour la minorité francophone et ses territoires, Caroline Ramirez s'intéresse, dans la cadre de son doctorat, au quartier de la Basse-Ville Est d'Ottawa, qui comptait, avant la fin des années 1960, plus de 75 % d'habitants francophones. En 2012, elle publiait ainsi, dans la *Revue canadienne d'études urbaines*, un article portant sur les contradictions entre la volonté de préserver le patrimoine et celle de densifier le centre-ville, dans la Basse-Ville de la capitale. Dans le cadre du Chantier Ottawa, elle s'intéresse au maintien d'une identité francophone communautaire, malgré la disparition du quartier après la rénovation urbaine des années 1960 et 1970.

Wim Remysen est professeur de sociolinguistique à l'Université de Sherbrooke et membre du Centre d'analyse et de traitement informatique du français québécois (CATIFQ). Il se spécialise dans l'étude des représentations linguistiques des Québécois et s'intéresse à la situation sociolinguistique actuelle et passée du Québec sous divers angles (la question de la norme du français au Québec, le mouvement de correction de la langue, les rapports entre langue et identité, etc.). Ses recherches portent, entre autres, sur les chroniques de langage publiées dans la presse québécoise depuis le milieu du XIXe siècle.

Élisabeth Tremblay vit présentement au Mexique, où elle enseigne l'anglais et le français comme langues secondes. Elle a obtenu un baccalauréat en espagnol et en français avec spécialisation en traduction de l'Université de Waterloo en 2013. Durant la dernière année de ses études, elle était assistante à la rédaction des numéros 32 et 33 de *Francophonies d'Amérique*. Dans le futur, elle espère continuer de voyager et faire une maîtrise.

Émilie Urbain est doctorante en sociolinguistique, en cotutelle à l'Université de Moncton et à l'Université de Liège, et bénéficie d'un mandat d'aspirante du FRS-FNRS. Ses recherches portent sur les idéologies linguistiques dans la presse francophone louisianaise depuis le XIXe siècle, en particulier sur le rôle de la langue dans la construction de la citoyenneté et des rapports sociaux – notamment raciaux. Elle a été assistante de recherche du projet dirigé par Annette Boudreau et financé par le Conseil de recherches en sciences humaines (*Idéologies et représentations linguistiques dans les textes écrits sur l'Acadie de la fin du XIXe siècle à la période contemporaine*) de 2010 à 2012.

Politique éditoriale

Francophonies d'Amérique est une revue pluridisplinaire dans le domaine des sciences humaines et des sciences sociales. Elle paraît deux fois l'an. La direction de la revue favorise non seulement la représentation équitable des diverses disciplines, mais elle encourage également les croisements disciplinaires. L'Ontario, l'Acadie, l'Ouest canadien, les États-Unis et les Antilles (Haïti, Martinique, Guadeloupe) y sont représentés. Le Québec peut aussi y être conçu comme un objet d'étude dans son histoire et sa présence continentales. Les diverses facettes de la vie française dans ces régions font l'objet d'analyses et d'études à la fois savantes et accessibles à un public qui s'intéresse aux « parlants français » en Amérique du Nord. On y retrouve aussi des comptes rendus et une bibliographie des publications récentes en langue française issues de ces collectivités. La direction de la revue privilégie la représentation des régions tant par les textes que par les auteurs et encourage les études comparatives et les perspectives d'ensemble. *Francophonies d'Amérique* vise à refléter un secteur de recherche en pleine croissance et constitue ainsi une source de renseignements des plus utiles pour quiconque s'intéresse à la francophonie nord-américaine dans toute sa vitalité.

Procédure d'évaluation des articles

Tous les articles soumis à la revue, y compris les textes sollicités par la direction, les membres du conseil d'administration ou du comité de rédaction, doivent faire l'objet d'une évaluation par au moins deux personnes compétentes. La revue fera appel le plus souvent possible aux membres du comité de rédaction pour assurer l'évaluation des textes. La sollicitation d'un article ou d'un compte rendu n'en signifie donc pas l'acceptation automatique.

Francophonies d'Amérique ne publie que des articles inédits, c'est-à-dire qui n'ont fait l'objet d'aucune publication antérieure, sous quelque forme que ce soit, incluant le site Web de l'auteur, celui du centre de recherche ou celui de l'institution à laquelle il est rattaché.

Numéros thématiques – textes choisis de colloques

Francophonies d'Amérique accueille volontiers des articles provenant de colloques portant sur des sujets pertinents. Un seul numéro par année est normalement consacré à ce type de publication.

La préparation des textes est confiée au responsable du numéro thématique. Tous les articles doivent être remis en un seul dossier, en format Word. La présentation du numéro par le responsable scientifique et les notices biobibliographiques (100 mots) des collaborateurs et des collaboratrices ainsi que les résumés (en français et en anglais) des articles (100 mots) doivent être compris dans le dossier remis à la direction de la revue. Les textes doivent être conformes aux normes et au protocole de rédaction de la revue.

Les manuscrits doivent faire l'objet d'une évaluation normale par les pairs.

En consultation avec les coordonnateurs des différents dossiers, la direction de *Francophonies d'Amérique* est responsable du choix final des articles, et elle avisera les auteurs de sa décision.

Nombre de pages

Les numéros de *Francophonies d'Amérique* comptent au maximum 200 pages, incluant la table des matières, l'introduction, les articles, les comptes rendus, les notices biobibliographiques et les pages se rapportant à la revue.

Longueur des articles

Les textes soumis pour publication comptent entre 15 et 20 pages, à interligne double. Les tableaux, les graphiques et les illustrations doivent être limités à l'essentiel; chaque numéro comprend au maximum 26 tableaux et illustrations.

Présentation des articles

La revue utilise le système de renvoi à l'intérieur du texte, suivi d'une bibliographie des ouvrages cités. Les notes doivent être réduites au minimum, et seules celles qui sont essentielles à la cohésion et à la compréhension de l'article seront publiées. De même, la revue ne publiera que la bibliographie des ouvrages cités.

Présentation des comptes rendus

Les comptes rendus comprennent la référence complète de l'ouvrage recensé en guise de titre, suivie du nom de l'auteur du compte rendu ainsi que ses coordonnées complètes. Nombre de mots : entre 1 000 et 1 200.

Protocole de rédaction

Le protocole de rédaction est disponible dans le site Web de la revue, à l'adresse suivante : [http://francophoniesdamerique.uottawa.ca/docs/fa_protocole_2012.pdf].

Accès libre aux articles

Deux ans après la parution de son article en format imprimé et électronique dans le portail Érudit, l'auteur qui le désire pourra diffuser librement son article après en avoir obtenu l'autorisation de *Francophonies d'Amérique* et en s'assurant que la source de l'article est clairement indiquée.

Bureau des abonnements
CRCCF

Université d'Ottawa
65, rue Université, pièce 040
Ottawa (Ontario) K1N 6N5
CANADA

Att. : Martin Roy
Roy.Martin@uottawa.ca

ABONNEMENT À LA VERSION IMPRIMÉE | NUMÉROS 35 ET 36

Canada (TPS comprise)			**À l'étranger** (frais d'envoi compris)		
Étudiant/ retraité	☐	**30 $**	Étudiant/ retraité	☐	**40 $ CAN**
Individu	☐	**40 $**	Individu	☐	**55 $ CAN**
Institution	☐	**110 $**	Institution	☐	**140 $ CAN**

TARIFS À L'UNITÉ | Numéro désiré _____

Canada (TPS comprise)			**À l'étranger** (frais d'envoi compris)		
Étudiant/ retraité	☐	**20 $**	Étudiant/ retraité	☐	**28 $ CAN**
Individu	☐	**25 $**	Individu	☐	**33 $ CAN**
Institution	☐	**60 $**	Institution	☐	**70 $ CAN**

Nom : Prénom :

Organisme :

Adresse : Ville :

Province : Code postal :

Téléphone : Courriel :

Veuillez retourner une copie de ce formulaire d'abonnement et votre chèque libellé au nom de l'Université d'Ottawa à l'adresse suivante :

Martin Roy
Centre de recherche en civilisation canadienne-française
Université d'Ottawa
65, rue Université, pièce 040
Ottawa (Ontario) K1N 6N5
CANADA

ABONNEMENT À LA VERSION NUMÉRIQUE

Pour les abonnements à la version numérique, les institutions, les consortiums et les agences d'abonnements doivent communiquer avec Érudit :
Tél. : 514 343-6111, poste 5500 | erudit-abonnements@umontreal.ca

Achevé d'imprimer
en août deux mille quatorze, sur les presses
de l'imprimerie Gauvin, Gatineau, Québec